TROIS AMIS EN QUÊTE DE SAGESSE

Christophe André
Alexandre Jollien
Matthieu Ricard

TROIS AMIS
EN QUÊTE DE
SAGESSE

Sous la direction éditoriale de Catherine Meyer

L'ICONOCLASTE   *Allary Éditions*

PRÉAMBULE

L a maison dans laquelle nous avons travaillé à ce
livre se situe au cœur d'une forêt, en Dordogne.
Non loin, un petit chemin sur lequel nous allions
souvent nous promener entre deux discussions.
Et, à un embranchement, un panneau de bois qui indique
la direction du hameau voisin, avec ces mots rédigés à la
main : « Cœurjoie, voie sans issue » ! Mais nous n'avons
pas écouté ce message : durant toute cette quinzaine de
travail et d'amitié, la joie dans nos cœurs fut loin d'être
sans issue !

Voilà deux ou trois ans maintenant que nous avions
décidé de nous retrouver tous les trois pour écrire ensemble
un livre sur la manière de conduire son existence. Pas un
manuel assenant des leçons, mais un ouvrage parlant de
nos convictions et de notre expérience. Il nous semblait que
nos trois trajectoires, si différentes, nos trois « métiers » –
philosophe, moine, psychiatre – permettraient peut-être un
croisement fécond de points de vue sur les grands sujets qui
interrogent tout être humain lorsqu'il réfléchit à la manière
dont il mène sa vie.

Nous nous connaissions depuis longtemps. Nous nous étions lus les uns les autres. Puis le temps des vraies rencontres arriva… Et celui de l'amitié. Au gré de nos retrouvailles, publiques ou privées, au constat de nos valeurs communes, de nos convictions partagées, l'idée d'un livre a donc émergé.

Dans ce trio fraternel, chacun a son rôle. Matthieu est le grand frère généreux et solide, parcourant le monde pour défendre les causes qui lui tiennent à cœur (les projets humanitaires, le Tibet, l'altruisme), d'une robustesse intellectuelle et physique qui force l'admiration de ses deux comparses ; Alexandre est le jeune frère, joyeux et affectueux, à l'esprit brillant, créatif, poétique, adorant rire et faire rire, aimant être chouchouté et donner beaucoup d'amour. Christophe est le frère du milieu, tranquille, soucieux d'aider, d'expliquer, de réconforter ses patients et ses lecteurs, le plus solitaire de la bande, mais toujours heureux de se trouver avec ses « amis dans le bien », comme s'est surnommé le trio.

Un mot, aussi, des lieux et de l'ambiance. Nous avons vécu ces journées d'échange dans une maison toute simple, ouvrant sur la vallée de la Vézère où nous pouvions admirer le lever du soleil hivernal, émergeant doucement des brumes et éclairant peu à peu le paysage. Une maison où nous étions traités comme des princes du Périgord : nourris d'une succulente cuisine végétarienne, nous n'avions plus qu'à réfléchir, nous asseoir et discuter entre nous au coin du feu. Pour faire respirer nos cerveaux, de grandes balades dans la nature, des tablées bavardes avec les amis de passage, et des visites à la communauté bouddhiste du Centre d'études de Chanteloube dont les temples, les stoûpas et les ermitages nous entouraient.

Beaucoup de rires, aussi, lorsque nous avons cherché un titre pour notre ouvrage. Voici ce à quoi vous avez échappé (et dont vous comprendrez, nous l'espérons, la genèse en lisant les chapitres correspondants) : *Trois hommes dans un hameau*, *Les Cordonniers de la compassion*, *Les Tontons flingueurs de l'ego*, *Les Bûcherons de l'altruisme*, *Les Plombiers de la gratitude*, *Les Pipelettes du Périgord*, *Les Éboueurs du moi, moi, moi*, *Les Vermisseaux de l'écoute*, *Le Commando d'optimisation des performances compassionnelles*.

Durant ces journées de travail, nous étions entourés d'amies et amis bienveillants, permanents ou de passage, sans lesquels nous n'aurions pu conduire ce projet : ce sont nos trois noms qui figurent sur la couverture, mais tout un réseau d'anges et de fées s'est aussi penché sur le berceau de ce livre. Nous remercions en fin d'ouvrage ces compagnons de route.

Dernière précision : ce livre rassemble les échanges d'expériences et de convictions de trois amis que leur trajectoire, leur personnalité et leur métier a amenés à réfléchir et à travailler sur ce qui fait le bien d'un humain. Nous ne prétendons pas être des modèles en la matière, ou alors des modèles quant aux efforts à accomplir et aux difficultés à surmonter ! Nos discussions portaient sur des thèmes que nous avions choisis avant notre séjour, et nous décidions chaque soir du sujet du lendemain, afin que la nuit nous porte conseil. Nos échanges à bâtons rompus étaient enregistrés intégralement, puis retranscrits sur papier. Nos éditeurs et nous-mêmes avons ensuite travaillé à « nettoyer » et à mettre en forme ces heures de conversations et de débats. Nous espérons que vous retrouverez dans ces pages quelque chose de l'ambiance studieuse et joyeuse de nos échanges, de l'esprit spontané mais aussi soucieux de cohérence et de transmission que nous avons essayé d'adopter.

Venez maintenant prendre place à nos côtés, sur une chaise ou, plus près de nous encore, sur l'un des fauteuils fatigués et accueillants dans lesquels nous nous sommes installés. D'autres amis sont là, dans la pièce, qui nous diront tout à l'heure des choses précieuses sur le débat que nous aurons eu. Le feu crépite dans la cheminée, la vallée s'étend de l'autre côté de la fenêtre, le soleil d'hiver commence à pâlir doucement, le thé fume dans les tasses, réchauffe les mains et stimule les esprits. Alexandre prend son air de lutin et fait une blague, Matthieu ajuste ses lunettes et tape dans ses mains pour rappeler tout le monde à plus de concentration, et Christophe regarde une dernière fois ses notes, prises la veille au soir sur son petit carnet (il sait que ses fourbes de copains se tournent souvent vers lui pour qu'il se lance en premier).

La discussion va commencer, il ne manque plus que vous…

INTRODUCTION

Matthieu : La motivation, c'est un peu comme la direction qu'on décide de prendre en se levant le matin, quand on voyage : est-ce qu'on va vers le nord, le sud, l'ouest ? Au moment d'entamer ces discussions, qui vont fournir la matière d'un livre, il est utile de passer quelque temps à nous interroger sur le sens que nous voulons donner à nos entretiens. Demandons-nous surtout si ce que nous voulons, c'est aider les autres ou servir nos intérêts personnels.

Nos motivations pour ce livre

Christophe : En ce qui me concerne, il me semble que mes motivations sont triples : d'abord, être utile. Je suis un médecin qui écrit des livres d'aide psychologique et qui cherche à rendre service à travers eux. Savoir que je peux me rendre utile à d'autres humains sans forcément les rencontrer me procure un immense bonheur. Je ne pense pas avoir jamais entrepris de livre avec une autre motivation, comme nous trois d'ailleurs : aider mes lecteurs à moins souffrir, à progresser en tant qu'humains. Passer dix jours avec deux amis que j'aime et que j'admire est une deuxième motivation! Mais je vois encore une autre aspiration dans ce livre à trois voix : faire coïncider l'image que les gens ont de nous et ce que nous sommes. Nous sommes parfois perçus, à tort, comme des «sages», comme si nous avions trouvé une sorte de savoir et de manière d'être qui nous rendait très différents des autres. Évidemment – du moins pour moi – c'est une illusion, et en parlant de notre propre parcours et de nos difficultés pour devenir de meilleurs humains, nous pouvons aider encore un peu plus les personnes qui nous lisent, en leur rappelant que nous ne leur sommes pas supérieurs. J'ai le sentiment qu'il est rassurant pour un lecteur de savoir qu'il n'y a pas deux catégories de personnes : celles qui planent à 10 kilomètres au-dessus de sa tête et celles qui pataugent, comme lui, dans la gadoue du quotidien. Tous les humains sont semblables : ils ont à travailler dur pour devenir meilleurs.

ALEXANDRE : À l'heure d'entamer cet échange, j'ai l'impression d'entrer dans un immense laboratoire spirituel pour explorer, en votre compagnie, les grands chantiers de l'existence. Relever ce vertigineux défi aux côtés de deux experts du bonheur me réjouit et m'intimide un peu. Plus que tout, j'ai à cœur que nos propos soient utiles. Il est des livres qui m'ont sauvé la vie. Et je serais heureux, si, sans présenter des recettes – il n'y en a pas –, notre discussion pouvait encourager celles et ceux qui luttent, et témoigner du désir de s'engager toujours plus à fond sur un chemin spirituel. Même le plus grand progrès intérieur est vain s'il

Même le plus grand progrès intérieur est vain s'il ne nous rend pas plus solidaires. Et la culture de soi peut vite sentir le renfermé si elle ne débouche pas sur une vraie générosité.

ne nous rend pas plus solidaires, s'il ne nous rapproche pas de notre prochain. Et la culture de soi peut vite sentir le renfermé si elle ne débouche pas sur une vraie générosité. L'ego est si doué et tordu qu'il récupère tout, ou presque. Il y a assurément un égoïsme spirituel. En oubliant les autres, nous nous cassons inévitablement la figure, nous instrumentalisons la voie même qui pourrait nous sauver. D'où l'urgence de rechercher une pratique qui nous libère étape par étape de ce risque... L'amitié guérit de bien des maux, elle donne des ailes et console. C'est elle qui a marqué le coup d'envoi de notre rencontre, et qui tisse en profondeur les liens qui nous unissent et que rien ne saurait user. L'essentiel est de ne jamais oublier que tous, nous sommes des coéquipiers embarqués sur la même galère ; c'est ensemble que nous devons traverser l'océan de la souffrance. C'est à cette dynamique que j'aimerais dédier ce livre.

MATTHIEU : Ce livre est né, au départ, de notre amitié et de notre souhait renouvelé de passer plusieurs jours ensemble pour une conversation franche sur des sujets qui nous tiennent à cœur. L'idée n'est pas de mettre simplement en commun nos élaborations mentales pour en faire un livre de plus. Certains aiment inventer des concepts, et ils s'attachent ensuite à l'idée de les propager. Notre but est plutôt le partage de ce que nous avons appris de nos maîtres, spirituels ou autres, de nos études et de notre pratique méditative ou thérapeutique.

En ce qui me concerne, c'est grâce à la sagesse et à la bonté de mes maîtres spirituels que j'ai pu me transformer un tant soit peu et me mettre au service d'autrui. J'essaie donc, à mon tour, de partager ce qu'ils m'ont apporté en faisant de mon mieux pour ne pas trahir ni dénaturer leur message.

ALEXANDRE : Il n'y a qu'une urgence, c'est de nous engager à fond dans une pratique, nourrir en soi un ardent désir de progresser, et réaliser que nous pouvons échapper à la prison de notre mental. Chacun peut disserter à l'envi sur la pratique, mais la vivre jour après jour, voilà la grande affaire… Lors d'une conférence à l'association des Indignés, j'étais moi-même un peu «indigné», car après les beaux discours, je me suis retrouvé seul sous une pluie battante, obligé de rentrer à pied à la maison. Il est vain de condamner le monde, d'accuser la terre entière. Poser des actes, aider, soutenir pour de vrai, voilà ce qui compte. Hâtons-nous de suivre le conseil de Nietzsche pour qui le meilleur moyen de bien inaugurer la journée consiste à se demander, dès son réveil, si aujourd'hui l'on peut faire plaisir «au moins à un homme». Tout commence par le «prochain», le «premier venu», pour le dire dans les mots de Christian Bobin. Comment, de tout cœur, accueillir celui que je rencontre au coin de la rue, le proche que je côtoie chaque jour? Et aimer pour de bon celui qui m'agace?

CHRISTOPHE : Nous pouvons tous être comme ces indignés qui t'écoutent parler de l'altruisme et ne t'aident pas à revenir à la gare. Parce que nous en restons aux concepts, parce que, immédiatement après la conférence, nous revenons à nos problèmes et à nos préoccupations. Au fond, le message essentiel n'est pas «l'altruisme est une belle chose» mais «qu'est-ce que je peux faire pour les autres? maintenant? aujourd'hui?». Le concept à lui seul n'est pas guérisseur. Il peut être consolateur, éclairant, gratifiant, mais la guérison passe toujours, tôt ou tard, par les actes et par le corps. C'est dans l'expérimentation et le réel qu'on voit si une idée a de la force et du sens, et c'est dans la mise en pratique qu'on peut constater ses conséquences sur nous et sur les autres.

MATTHIEU : L'idée essentielle que vous soulevez est au cœur du bouddhisme. On dit que l'efficacité et le sens de tout enseignement se mesurent à la façon dont il devient partie intégrante de soi. Tout le reste n'est que blabla. Collectionner les ordonnances du médecin sans suivre le traitement prescrit n'aide pas à se soigner. Les idées sont utiles pour éclaircir le débat, savoir où l'on va, déterminer les

> L'efficacité et le sens de tout enseignement se mesurent à la façon dont il devient partie intégrante de soi.

principes de nos actes, mais si l'on ne met rien en pratique, cela ne sert à rien.

Il y a une autre question importante qui vaut la peine d'être clarifiée, concernant notre motivation et l'utilisation possible de ce livre. C'est l'ambiguïté de ce qu'on appelle le « développement personnel » : si ce développement s'opère uniquement dans la bulle de notre ego, on va le nourrir, le polir, l'embellir avec des idées réconfortantes, mais ce sera toujours dans une optique très étriquée, et on passera à côté du but, car la recherche de la plénitude ne peut s'accomplir que par la bienveillance et l'ouverture aux autres. Il faut éviter à tout prix que l'exercice de la pleine conscience, et de la méditation en particulier, devienne un havre où l'on s'absorbe à plein-temps dans le monde de notre ego. Comme Alexandre le dit souvent : « Dans la bulle de l'ego, ça sent le renfermé. » Soit on tente de se transformer soi-même dans le but de se mettre au service des autres, et tout le monde est gagnant, soit on reste dans la bulle de son ego, et tout le monde est perdant, parce qu'en essayant désespérément d'être heureux juste pour soi-même on ne parvient ni à aider les autres ni à s'aider soi-même.

CHRISTOPHE : J'ai le sentiment que j'évolue dans une sphère un peu différente des vôtres dans la mesure où je suis un soignant, confronté aux attentes et aux difficultés de mes patients qui, souvent, manquent d'estime de soi. De ce fait, j'ai tendance à avoir sur cette question un regard moins critique. Dans mon travail, je remarque que la première étape consiste souvent à consoler l'ego, à le restaurer, le renforcer. Beaucoup ont un rapport à eux-mêmes marqué par la détestation. J'ai l'impression que je dois faire un travail en deux temps. Si je les encourage à s'occuper des autres, cela va certainement leur faire du bien, mais je n'aurai pas fait le boulot dans le bon ordre. Je sais qu'à terme il va falloir lâcher l'intérêt qu'on se porte ou du moins lâcher la partie excessive de cet intérêt autocentré. Mais pas trop vite. J'y crois d'autant plus qu'à titre personnel, dans ma construction, c'est comme ça que j'ai progressé.

Une autre chose m'a toujours obsédé dans ma pratique, c'est ce qu'on appelle la « révélation de soi du thérapeute », le moment où le soignant, face à la souffrance de l'autre, parle un peu de la sienne – d'ailleurs, nous l'utilisons dans ce livre. Ce phénomène a été étudié, théorisé, parce que c'est un élément puissant, comme un condiment dans la cuisine. Sans cela, une relation thérapeutique est fade, alors qu'elle peut prendre, grâce à lui, un goût de complicité et d'humanité. En quoi consiste la révélation de soi dans une relation d'aide ? À un moment donné, le soignant entend chez son patient une souffrance qui fait écho à une souffrance qu'il a vécue. Et il décide de lui parler d'un bout de ce qu'il a traversé parce que cela peut être utile à son patient : il prend conscience qu'il n'est pas seul. Ce *self-disclosure*, comme disent les Américains, doit s'effectuer à toutes petites doses : pas question d'envahir l'espace de la consultation avec notre propre histoire, pas question de chercher à faire «relativiser» le patient, car il ne s'agit pas de dévaloriser son droit à souffrir. Il s'agit juste de lui faire rejoindre, au travers de sa souffrance, le vaste groupe des humains qui l'entourent. Ce qui me fait penser à cette autre phrase de Christian Bobin, dans *Les Ruines du ciel* : «Quelle que soit la personne que tu regardes, sache qu'elle a déjà plusieurs fois traversé l'enfer.» Lorsqu'ils viennent nous voir, les patients sont en train de traverser l'enfer, ils s'y sentent seuls et perdus. Savoir que d'autres ont connu aussi ce chemin de souffrance peut parfois être pour eux un réconfort et un apaisement.

Notre parcours

ALEXANDRE : L'idée de vocation est très libératrice. Elle sert de boussole les jours où tout va mal, d'incitation à rejoindre l'appel le plus profond de notre vie. Dans l'épreuve comme dans la joie, il s'agit de sans cesse se demander à quoi m'appelle, ici et maintenant, l'existence. Pour ma part, je crois que la vie m'en a confié trois. D'abord, le handicap, qu'il s'agit de vivre à fond. L'infirmité, loin d'être un fardeau, peut devenir un fabuleux terrain d'exercice. Si je la considère comme une corvée, je peux tout de suite me tirer une balle… Autant y voir un chemin possible vers la sagesse. Mais attention, ce n'est pas la souffrance qui grandit, mais *ce que nous en faisons*. Je me méfie comme de la peste des discours qui justifient trop vite les épreuves. C'est

Ce n'est pas la souffrance qui grandit, mais *ce que nous en faisons.*
Je me méfie comme de la peste des discours qui justifient trop vite les épreuves.

oublier que la peine peut aigrir, tuer un cœur. Sans avoir pour autant à accepter en bloc le handicap, cette calamité certains jours, j'y découvre une chance pour devenir plus joyeux et plus libre. Et je vois clairement que, sans une pratique spirituelle, je suis mal barré. Bref, le handicap m'accule à l'urgence de me convertir et de prendre refuge au fond du fond, loin des étiquettes, du paraître, pour partir chaque jour à l'école.

Le métier d'écrivain procède aussi d'un appel. Cette passion, cette nécessité s'est imposée très tôt. À l'heure de la lutte, j'ai compris qu'il me faudrait un jour témoigner de l'héritage que me léguaient mes camarades d'infortune. Ils m'ont transmis un goût de l'essentiel : le désir de progresser, la soif d'une joie inconditionnelle et de la solidarité. À l'institut pour personnes handicapées, où j'ai grandi durant dix-sept ans, est née une vocation de témoin. C'était sans doute un mécanisme de survie, mais des plus féconds : dans la souffrance, j'ai senti de tout mon être qu'il fallait en faire quelque chose.

Enfin, la vocation de père de famille m'invite à beaucoup désapprendre, à guérir de la peur, des réflexes, des manques, à progresser toujours.

Ces trois vocations m'accompagnent d'heure en heure, en particulier quand cela ne va pas, c'est-à-dire assez souvent. Elles débordent l'idée d'un objectif personnel que l'ego s'acharnerait à réaliser à tout prix : ici, il n'y a aucun galon à gagner, il s'agit simplement d'avancer et d'aimer toujours plus profondément sans se fixer nulle part. Celui qui s'enferme dans une identité n'a pas fini de souffrir. Si je suis convaincu, par exemple, que mon bonheur dépend de mon statut d'écrivain, le jour où je ne peux plus écrire, je perds ma joie.

Aujourd'hui, je me nourris en puisant à la source des grandes spiritualités, notamment par la pratique du zen et par une vie de prière, ce qui m'aide à vivre plus profondément ces trois chantiers de l'existence.

Tout a commencé par un handicap à la naissance : il aura suffi d'un malencontreux cordon ombilical pour me retrouver infirme moteur cérébral à perpétuité. Dès l'âge de 3 ans, j'ai grandi dans un centre spécialisé, école de vie rude et formidable. J'y ai surtout découvert, comme de plein fouet, la précarité de notre condition. Depuis, je me coltine un sentiment d'insécurité, une peur de l'abandon, fruit sans doute de ce début de carrière un brin mouvementé et de la séparation d'avec mes parents. De cette vie en institution, j'ai retenu l'émerveillement face au monde, et la nécessité de toujours se mettre en route.

Avec mes camarades d'infortune parfois très lourdement handicapés, j'ai aussi été confronté à la mort. L'une de mes meilleures amies, Trissia, souffrait d'hydrocéphalie. À l'âge de 8 ans, une éducatrice m'a pris à part : «Va voir

Trissia, elle est au fond du couloir, va voir comme elle est belle.» Je suis entré dans la pièce sombre pour découvrir ma camarade allongée dans un cercueil. Je ne savais pas qu'elle était malade. Cette rencontre prématurée avec la mort et la souffrance m'a à la fois grandi et traumatisé. Je n'oublierai jamais cette petite fille qui avait les bras croisés, comme en prière. Dans cette chambre glauque, j'ai ressenti un appel radical, qui m'a orienté vers la vie spirituelle. J'ai senti dans ma chair que, sans une quête intérieure, je serais foutu.

Le combat pour être admis à l'école prétendue «normale» a été long. J'avais loupé les tests psychomoteurs. Pas assez rapide. Grâce à la persévérance de mes parents, j'ai pu heureusement rejoindre les bancs de l'école. Si j'insiste sur le droit pour chacun à l'intégration, c'est précisément parce que j'ai échappé de peu à l'exclusion. Quand on m'a laissé sortir du centre, c'était comme si je débarquais sur une autre planète. J'ignorais tout des codes sociaux : qui je devais embrasser, à qui je devais serrer la main… Aujourd'hui encore, j'apprends ce jeu social.

De mon enfance, je garde un certain sens du tragique et une tenace naïveté… En côtoyant des personnes qui ne pouvaient pas parler, j'ai aussi appris la douceur d'un geste amical, d'un sourire, d'un regard. Il m'a fallu beaucoup de temps pour atterrir dans la société et me résoudre à m'y adapter. J'ai serré si fort la première fille dont je suis tombé amoureux que sa réaction me trouble encore aujourd'hui : «Mais t'as un problème, toi!» Ce premier contact risquait fort de se figer en une condamnation à la retenue… Ce qui faisait ma joie à l'institut, c'était au contraire de vivre dans une déroutante transparence : quand nous étions contents, nous le disions ; quand nous étions tristes, nous le faisions aussi savoir… Dans le monde extérieur, en revanche, je découvrais qu'il fallait bien souvent masquer ses sentiments, déguiser ses intentions, surtout ne pas tout dévoiler.

Côtoyer les plus démunis m'a transmis très jeune un certain goût de la solidarité. D'aucuns prétendent que l'homme est mauvais, égoïste, et qu'il ne pense qu'à lui. C'est exactement le contraire que j'ai vécu avec mes camarades d'infortune : une solidarité naturelle, une bienveillance spontanée, un désir de progresser ensemble… En un mot, un vivifiant altruisme. Devant un sort peu clément, nous nous serrions les coudes. Il faut tordre le cou à cette idée que l'homme est égoïste par nature. Dans ton livre *Plaidoyer pour l'altruisme*, Matthieu, tu cites un passage de la correspondance du père de la psychanalyse qui m'a bien fait rire, et où il dit qu'il n'a découvert que peu de « bien » chez les hommes, qu'ils ne sont pour la plupart que de la racaille. Au contraire, j'ai trouvé une bonté nue, sans calcul, dans le cœur de bien des pratiquants, et surtout, auprès des enfants. Pourquoi en venons-nous à désapprendre cette innocence ?

Il est vrai que le spectacle du quotidien et l'observation la plus rudimentaire de soi révèlent mille et une tares, comme la jalousie, la médisance, la moquerie… ces travers difficiles à arracher. Mais tout cela ne m'empêche pas de croire en la grandeur de l'homme. Il nous *faut* donc redoubler de force pour rejoindre le fond du fond, la nature profonde de notre être qui échappe à ces mécanismes émotionnels.

Avant, je ne cherchais le bonheur
qu'à l'extérieur, je me réfugiais
dans l'espoir d'une vie meilleure sans oser
changer mon regard sur le monde.

Sur ma route, une rencontre, comme un heureux accident de parcours, m'a fait dérailler, quitter le chemin tout tracé. Un jour, j'ai demandé au prêtre de l'institut : « Pourquoi y a-t-il des personnes handicapées ? Pourquoi, si Dieu existe, nous laisse-t-il là, loin de nos parents ? » Le père Morand a eu la décence de ne pas me servir une explication là où il n'y en a aucune. La bonté de cet homme, qui avait voué sa vie aux autres, m'a dérouté et m'a conquis. Je me souviens de ses paroles : « Toi, tu es un philosophe, tu es comme Socrate ! » Dès lors, bien que nul à l'école et peu intéressé par les choses de l'esprit, j'ai couru acheter des livres sur Platon et Socrate pour en tirer une véritable pharmacopée et surtout une invitation à *vivre meilleur*, plutôt qu'à *vivre mieux*. L'aventure pouvait commencer, et c'est un jeune adolescent désarmé qui s'est lancé vers le progrès, qui a osé descendre dans l'intériorité. Avant, je ne cherchais le bonheur qu'à l'extérieur, je me réfugiais dans l'espoir d'une vie meilleure sans oser changer mon regard sur le monde. Le « va-nu-pieds » d'Athènes a apporté un remède, un aiguillon, une thérapie de l'âme. De là à désirer entrer en philosophie, comme on entre dans les ordres, il n'y a eu qu'un pas.

À côté du handicap, c'est le manque affectif qui a laissé les plus lourdes séquelles. Trop d'éducateurs avaient reçu pour consigne cette distance prétendument thérapeutique qui semble interdire toute chaleur humaine. Pour couronner le tout, j'ai été parfois entouré de quelques religieuses un peu froides. Traquant partout l'idolâtrie, quand je disais que j'adorais le gâteau, elles me répondaient sèchement : « On n'adore que Dieu. » Heureusement, le père Morand corrigeait le tir. Sa bonté extrême, sa grande érudition m'ont donné le goût de la vie spirituelle. Son bon sens, sa générosité sans ombre et sa sagacité m'ont touché.

Prêchant par l'exemple, il m'a converti à la voie de la philosophie. Pendant la guerre, il avait abrité une famille juive. Il m'a raconté qu'un jour, apercevant au loin une voiture de la Gestapo, il avait, sans hésiter, mis sa maison sens dessus dessous, cassant les assiettes, éventrant les armoires… Quand les SS sont arrivés, il leur a simplement rétorqué : « Vos collègues viennent de passer, ils ont tout fouillé, regardez le désordre qu'ils ont laissé. »

Bref, c'est à cet homme de Dieu que je dois ma passion pour la philosophie. Il m'a fallu un paquet de temps pour comprendre que la sagesse s'enracine dans un art de vivre, dans des exercices spirituels pratiqués au fil des jours. Bientôt, j'ai aussi fait l'expérience, un peu amère, que la philosophie ne soigne pas, en tout cas pas moi. J'avais beau lire et relire Aristote, Leibniz, Spinoza, Nietzsche et toute la clique, les émotions perturbatrices ne me laissaient pas en paix. Sur le chemin, j'ai rencontré le maître zen Jacques

Castermane. Grâce à lui, j'ai senti que la paix était déjà là au fond du fond, et que le corps, loin de lui faire obstacle, pouvait y conduire…

Alors il me *fallait* un père spirituel qui soit à la fois maître zen et prêtre catholique pour approfondir la foi en Dieu, qui m'a toujours habité, et la méditation. Avec ma femme et mes trois enfants, nous nous sommes donc installés à Séoul pour nous initier à l'école du détachement et de la liberté. Le diagnostic était tombé : j'avais perdu la joie de mon enfance, cette simplicité, cette spontanéité. En Corée du Sud, l'apprentissage m'a pas mal décapé : loin du super-papa protecteur que mon mental espérait, j'ai rencontré un authentique maître spirituel qui me montre, jour après jour, que l'amour inconditionnel est au-delà de tout ce que je pouvais imaginer. Il m'apprend à aimer plus librement, à sortir de prison, au fond. Depuis, je me suis engagé à pratiquer une heure de méditation par jour. Se consacrer corps et âme à la pratique, c'est ce qui sauve : nous maîtrisons peu de chose, d'où la nécessité de se donner sans réserve à la vie spirituelle qui nous délivre, un pas après l'autre.

Chaque jour, je découvre avec joie ce qui libère vraiment : les rencontres et la fidélité à la pratique spirituelle. Grâce à mon maître et à ma famille, avec Bernard Campan, Joachim, Romina, Christophe, Matthieu, et tant d'autres, je peux me donner à ces vocations et avancer dans le métier d'homme. Oui, mille et un coups de main renouvelés au quotidien m'aident à vivre avec les blessures. Finalement, je suis le contraire du self-made-man : sans mes amis dans le bien, je ne pourrais pas traîner mes guêtres à Séoul.

D'instant en instant, je dois mourir et renaître, et beaucoup désapprendre…

Quand j'en viens à maudire mon handicap, je me souviens des mots infiniment bienveillants de mon maître, qui me réveillent sur-le-champ : « Bénissez les obstacles ; sans ce handicap et ces angoisses à répétition, vous seriez probablement le roi des imbéciles. » Ces électrochocs m'apprennent à ne plus diaboliser ce qui m'empêche, à première vue, de progresser. Récemment, je l'ai supplié de ne pas me *renvoyer* en Europe avant que j'aie découvert une véritable paix, une joie authentique, avant que j'aie déraciné les causes de *ma* souffrance. Je crois que nous allons rester quelque temps en Corée du Sud…

CHRISTOPHE : J'aime beaucoup les trois vocations dont tu parles – père, handicapé et auteur. Pour moi aussi, la paternité a été un révélateur et une motivation à progresser : je voulais donner le meilleur exemple possible à mes filles et je voyais bien que ça allait me demander beaucoup de travail ! Mon handicap est simplement d'être structurellement, psychologiquement, un anxieux très apte au malheur, et les efforts pour ne pas glisser sur cette pente accompagnent ma vie quotidienne. Quant à la vocation d'auteur, au départ, elle est un prolongement de ma vocation de soignant. J'aime aider, consoler, guérir – quand c'est possible. Quand je lis les livres des autres – les tiens, Alexandre, ceux de Matthieu, ceux de Christian Bobin, et de bien d'autres –, je suis sensible à l'aspect thérapeutique, éclairant, ou non, du livre. J'évalue dans ma tête le service rendu au lecteur, et à mes yeux, il y a deux types de livres : ceux qui vont aider et ceux qui vont juste distraire.

Mon parcours ? Je ne suis pas né tout équipé pour soigner et parler de la souffrance. J'ai rencontré toutes sortes de difficultés – infiniment moins grandes que les tiennes, Alex. Pour tout un tas de raisons, je suis quelqu'un de profondément inquiet, pessimiste, introverti aussi, et je ne me sens capable de réfléchir véritablement que lorsque je suis seul. En même temps, j'ai besoin des autres ; je dis souvent que je suis un solitaire sociable ! Chaque fois que j'ai pu raconter dans mes livres cette dimension de fragilité et montrer combien c'était important pour moi de la travailler, je crois que cela apportait du réconfort aux lecteurs, parce qu'ils constataient que ce travail est le lot de tout être humain. Ma grande crainte est d'être idéalisé par mes lecteurs alors que mes proches m'aiment, admirent parfois certains de mes comportements, mais connaissent aussi mes limites – et c'est non seulement mieux ainsi mais plus confortable pour moi ! C'est pourquoi je parle souvent de moi dans mes livres : non par narcissisme, mais pour révéler les efforts que je dois poursuivre, pour m'éloigner d'une image trop lisse et parfaite.

C'est une chance d'avoir fait des études de médecine et non d'ingénieur : quand j'étais petit, comme j'étais bon élève, on m'avait orienté dans les séries scientifiques, et comme tous mes camarades de l'époque, je rêvais de construire des fusées, des immeubles. Et au dernier moment, j'ai lu Freud, qui faisait partie du programme de philosophie : ses écrits m'ont emballé et j'ai décidé de devenir médecin psychiatre. Psychiatre et non psychologue, ce qui m'a fait emprunter le chemin de la médecine et comprendre que j'aimais vraiment soigner. Pouvoir aider, consoler me mettait dans un état de grand bonheur… D'autant que, dans ma jeunesse étudiante, j'étais sans doute au comble de l'égoïsme, parce qu'on ne m'avait jamais appris l'altruisme, et parce que j'aimais séduire et faire la fête. Apprendre la médecine m'a peu à peu conduit à rencontrer de vraies souffrances, des choses terribles. Et à me rendre compte qu'il est important d'être présent aux côtés des personnes qui souffrent ; je comprenais que j'avais choisi le bon métier parce qu'à côté de la tristesse que faisaient naître en moi les malheurs des patients, je sentais que les soulager me rendait heureux et donnait à ma vie un sens que mes autres activités ne m'apportaient pas. Finalement, soigner et consoler me faisait un bien fou. Est-ce pour cette raison que j'ai continué sur cette voie ? Mes motivations à l'altruisme étaient-elles finalement égoïstes, puisqu'elles me faisaient du bien ? Je l'ai longtemps cru, tout en ayant honte de cet égoïsme déguisé. Bien plus tard, Matthieu m'a ouvert les yeux, montrant que ce bien-être à soigner était un bénéfice de l'altruisme, obtenu « de surcroît », mais pas forcément sa motivation initiale.

Puis, après les études de médecine, je suis passé à la psychiatrie. Et très vite, j'ai vu que la psychanalyse, qui dominait à l'époque notre discipline, n'était pas faite pour moi : elle heurtait mon désir d'apporter de l'aide aux autres. Elle nécessitait une position de retrait dans laquelle j'étais malheureux et mal à l'aise ; je m'y sentais limité dans ma spontanéité, contraint à une distance qui me semblait inadéquate face à des personnes en souffrance. Comme les soignants de ton institution, Alexandre, qui avaient pour consigne de ne pas avoir de relation affective avec les enfants qu'ils encadraient, on considérait alors qu'un soin était meilleur quand il était contenu, habité par une relative distance thérapeutique. On se privait du pouvoir gigantesque des émotions, de la compassion et de l'empathie ; on l'ignorait ou on le refrénait. Cette façon d'être distant avec les patients, de ne pas leur prendre la main, de ne pas leur donner de conseil me mettait profondément mal à l'aise. Je me suis dit : «Tu n'es pas fait pour être psychiatre», et je me tourné un temps vers la chirurgie, aux urgences, et vers l'obstétrique. Ça me plaisait aussi, mais la psychiatrie m'attirait toujours, j'avais sans doute besoin d'elle pour mon usage personnel. J'y suis revenu d'une autre façon : je suis sorti du circuit universitaire, j'ai abandonné toute forme d'ambition de carrière dans la hiérarchie hospitalière et je suis allé vagabonder, me former à l'hypnose, à la thérapie familiale. J'ai découvert mon maître en psychiatrie, Lucien Millet, qui était ce qu'on appelait un psychiatre humaniste. Et là, je me suis senti comme un poisson dans l'eau : il était gentil avec ses patients, les appelait par leur prénom – sans copiner avec eux –, s'intéressait à leur vie, voulait faire collaborer la famille au lieu de la tenir à distance… Il pratiquait la psychiatrie comme il me semblait qu'on devait le faire : avec bienveillance et souci d'autrui. J'ai commencé à respirer

> Il pratiquait la psychiatrie
> comme il me semblait qu'on devait le faire :
> avec bienveillance et souci d'autrui.

et je me suis formé aux approches comportementales, à contre-courant de la psychanalyse lacanienne. Avec l'approche comportementale, nous sommes dans la pédagogie et le compagnonnage : nous expliquons aux patients comment fonctionnent leurs troubles, les efforts qu'ils ont à faire. Nous sommes chaleureux avec eux. Et nous avons intérêt ! Parce que nous leur demandons des choses difficiles : se confronter à leurs peurs, à leurs angoisses, ce que spontanément ils ne feraient pas. Tout ce que je faisais avec mes patients, je m'en nourrissais pour surmonter mes propres problèmes, mes propres angoisses, ma propre timidité.

Quand j'ai découvert la psychologie positive, là encore je m'en suis abondamment servi pour contrer mes tendances au négativisme, au pessimisme et au malheur. Puis j'ai rencontré la méditation, et ce fut à nouveau un immense bouleversement.

Chaque fois que je travaillais avec mes patients, j'étais moi-même en train de ramer dans la même barque. Ils ne s'en rendaient pas compte, mais souvent j'avais une grande gratitude après les séances : leur permettre de comprendre quelque chose d'eux m'aidait à comprendre quelque chose de moi, sur le terrain, en direct. Les patients ont été mes maîtres – j'ai le souvenir très précis d'une dizaine d'entre eux qui ont transformé ma vie sans le savoir. Je ne le leur ai peut-être pas suffisamment dit, je ne les ai peut-être pas suffisamment remerciés ; mais je pensais à l'époque que ça les aurait déstabilisés…

J'aime ce chantier permanent auquel nous travaillons tous. Quand nous nous sommes rencontrés, Alexandre, tu m'as fait découvrir cette notion de *progredientes*, mot latin qui désigne celles et ceux qui sont en train de travailler, de progresser. Tu avais même une association, à un moment, qui s'appelait comme ça, « Les Progredientes ». Et je me suis retrouvé dans ce processus, avec toute une vie pour m'améliorer, pour progresser, et pour l'expliquer aux patients, les encourager à le faire.

J'ai mis longtemps à comprendre tout ce dont Matthieu parle constamment : la primauté de la motivation altruiste sur les motivations autocentrées. J'étais tellement bancal que, s'il n'y avait pas eu la médecine, j'aurais sans doute mal cheminé : j'aurais peut-être été un bon ingénieur mais un mauvais humain. Et ce message, je pense que je n'ai pu le recevoir en profondeur qu'une fois devenu père et médecin, après avoir été « attendri » par mes enfants et mes patients. Comme cela a pris du temps, j'ai toujours le souci de sentir où en sont mes patients et de leur montrer la direction, au loin, sans leur mettre la pression sur des choses dont ils ne sont pas encore pleinement capables. Je les encourage à considérer que de petits actes altruistes vont leur permettre, par exemple, de moins penser à leur souffrance, mais je ne les leur présente pas comme un idéal salvateur. Si je vous raconte tout cela, c'est parce que je pardonne toujours à mes patients d'être trop accrochés à leur ego cabossé et que je les pousse à se pardonner eux-mêmes leurs erreurs et leurs lenteurs. C'est le chemin que j'ai parcouru moi-même.

MATTHIEU : Que dire, après toutes ces belles choses ? Gamin et adolescent, je n'étais ni meilleur ni pire que les autres. J'avais la réputation d'être un peu froid – comme disait de moi Alexandre au début de notre amitié –, je n'étais pas très extraverti. Dès mon adolescence, je me suis ouvert aux écrits sur la spiritualité, sous l'influence de ma chère mère, Yahne Le Toumelin, et de son frère, Jacques-Yves Le Toumelin, un navigateur solitaire qui, pendant ses voyages en mer, avait beaucoup lu sur le soufisme, sur le Védanta et sur les autres voies spirituelles, notamment grâce aux livres de René Guénon. Nous avions un cercle d'amis qui parlait beaucoup de ces choses-là. Ça m'intéressait. Je lisais aussi quelques ouvrages sur la spiritualité. Rien de très engagé. J'ai été élevé dans un milieu laïque, je voulais être médecin, et même chirurgien. Mais j'ai écouté les conseils de mon cher père, qui m'a dit : « Il y a plein de médecins. La recherche, c'est ça l'avenir. » J'étais plutôt bon en physique, donc j'ai choisi la physique. Mis à part ça, je n'étais pas un excellent élève. Mon père m'a encore dit : « La biologie, c'est l'avenir. » Donc j'ai fait de la biologie. Par un heureux concours de circonstances, je suis rentré à l'Institut Pasteur, chez François Jacob, et j'ai fait une thèse sur la division cellulaire.

Il se trouve que, juste avant mon entrée à l'institut Pasteur, j'ai vu en cours de montage les films qu'Arnaud

Desjardins avait tournés sur les grands maîtres tibétains qui avaient fui l'invasion chinoise. J'avais 20 ans et, brusquement, ça a tout changé. Je me suis dit qu'il ne s'agissait plus d'écrits de Maître Eckhart, d'Ibn Arabi, de Ramana Maharshi, des Pères du désert ni d'autres gens disparus. Ces êtres-là étaient encore vivants. Il y avait encore là-bas des Socrate, des François d'Assise, et ils me semblaient avoir quelque chose d'exceptionnel par rapport à toutes les personnes que j'avais rencontrées jusqu'alors. Arnaud Desjardins et un autre ami, Frédéric Leboyer, qui venaient juste de les voir, m'ont montré des photos. Ils m'ont dit : « Celui qui nous a le plus impressionnés, c'est celui-ci, Kangyour Rinpotché, qui vit à Darjeeling. » J'ai décidé de le rencontrer.

Mon père avait eu l'excellente idée de me faire apprendre le grec classique, le latin et l'allemand. Il disait que je finirais par apprendre l'anglais de toute façon. Je suis donc parti pour Darjeeling avec un petit Assimil anglais dans la poche. Arrivé là-bas, j'ai aussitôt pu voir Kangyour Rinpotché, et il est devenu mon maître, pas seulement parce que c'était le premier que j'avais rencontré, mais parce que c'est lui qui m'avait touché le plus profondément. Au cours du même voyage, j'ai rencontré d'autres maîtres, mais c'est avec Kangyour Rinpotché que j'ai passé le plus de temps. Je suis resté trois semaines assis devant lui, sans dire grand-chose. Je ne parlais pas anglais, donc, encore moins tibétain. Mais j'avais devant moi l'exemple même, non pas d'un savoir particulier, d'une habileté exceptionnelle, comme celle d'un virtuose du piano, mais simplement de ce que

> J'avais devant moi l'exemple même, non pas d'un savoir particulier, d'une habileté exceptionnelle, mais simplement de ce que pouvait devenir de mieux un être humain.

pouvait devenir de mieux un être humain. Il n'avait rien à voir avec les gens que j'avais connus auparavant. C'est par sa manière d'être, sa présence, sa bonté, que ce maître m'a le plus profondément inspiré.

Je suis revenu en France, où j'ai poursuivi ma thèse, mais chaque année, entre 1967 et 1972, je suis retourné à Darjeeling, sept fois en tout. À un moment donné, je me suis dit : « Quand je suis à l'Institut Pasteur, je pense surtout à l'Himalaya, et quand je suis dans l'Himalaya, je ne pense plus à l'Institut Pasteur. Je dois prendre une décision ! » Et, au lieu de partir aux États-Unis comme le souhaitait François Jacob, en guise de post-doc j'ai étudié le bouddhisme dans l'Himalaya ! J'y suis resté, quasiment sans bouger, de 1972 à 1997. Je n'ai presque plus eu de contact avec l'Occident. Je n'ai pas lu un seul livre en français pendant toute cette période. Pas de journaux, pas de radio non plus. J'ai d'ailleurs un trou dans ma connaissance des événements mondiaux qui se sont produits à cette époque. Et comme j'ai un peu trop négligé la langue française, cela m'a handicapé quand j'ai dû écrire des livres. Pendant vingt-cinq ans, je me suis initié au tibétain et j'ai pratiqué la voie bouddhiste.

Pour ce qui est des trois situations que vous avez mentionnées – père de famille, handicapé et écrivain –, père de famille, je ne l'ai jamais été. Je me suis quand même occupé d'enfants par l'intermédiaire de Karuna-Shechen, une organisation humanitaire que j'ai fondée avec un groupe d'amis. À présent, elle prend en charge l'éducation de plus de 25 000 enfants dans des écoles et soigne chaque année 120 000 patients dans des dispensaires qu'elle a fait construire.

Pour ce qui est du handicap, sans faire de jeux de mots déplacés, il est clair pour moi qu'on est handicapé tant qu'on n'est pas entièrement éveillé, tant qu'on a encore en soi une trace de malveillance, d'avidité ou de jalousie, et qu'on ne ressent pas une bienveillance sans limite envers les autres. Qu'il s'agisse du bonheur dont vous parlez, ou de l'altruisme auquel j'aspire, je suis donc parfaitement conscient du mélange d'ombre et de lumière qui existe encore en moi, et des progrès immenses que j'ai encore à faire. Je sais que, parfois, je suis loin d'être parfaitement bienveillant. Il m'arrive d'avoir des pensées et des paroles que je me reproche quand je les évalue à l'aune de l'altruisme. Mais je garde le souhait profond d'y remédier, de me transformer encore bien davantage. C'est cela qui compte, c'est dans cette direction que je veux aller.

Mon retour en Occident a été déclenché par le dialogue avec mon père, dont nous avons fait un livre, *Le Moine et le Philosophe*. Je n'avais aucune vocation d'écrivain. J'avais commencé à traduire des textes tibétains, mais je n'étais pas particulièrement doué pour l'écriture. Quand on m'a proposé ce dialogue, je suis allé voir l'abbé du monastère où j'habite, Rabjam Rinpotché (le petit-fils de Khyentsé Rinpotché, mon deuxième maître, décédé en 1991). Je lui ai dit : « Voilà ce qu'on me propose. Franchement, je ne vois pas très bien l'intérêt de passer dix jours à discutailler. » À ma surprise, il a répondu : « Si, si, il faut le faire. » C'est donc en partie sur ses conseils que j'ai accepté. Sans lui, j'aurais continué sur la même trajectoire, dans l'Himalaya, à pratiquer et à traduire des textes. Évidemment, ça a changé beaucoup de choses. Un jour, je suis un parfait inconnu, et le lendemain, parce que je suis passé à la télé, les gens me parlent dans la rue, ils veulent m'emmener en voiture pour me déposer quelque part ou pour bavarder cinq minutes. En plus, habillé comme je suis, je suis facilement repérable, un véritable drapeau ambulant !

Alors pourquoi continuer à faire tout ça ? Est-ce que je ne ferais pas mieux de rester dans mon ermitage pour tenter de devenir un meilleur être humain et pouvoir ensuite me mettre au service des autres pour de bon ? Si c'est ça l'idéal, pas la peine de s'arrêter en route pour bricoler et couper le blé quand il est encore en herbe. Pourtant, les circonstances ont fait que je me suis lancé dans toutes sortes d'activités, notamment avec l'association Karuna-Shechen, qui a, à ce jour, accompli plus 160 projets humanitaires. Je pense que le livre auquel nous travaillons sera utile. Des gens nous disent que cela les aide dans la vie. C'est toujours un peu surprenant, mais en même temps c'est réconfortant. Puisque je voyage partout dans le monde, autant que ça serve à quelque chose.

Je navigue entre l'Orient et l'Occident, entre une vie purement traditionnelle, contemplative et une vie d'interaction avec le monde moderne, et tous les défis que cela comporte. J'essaie de trouver des amis de bien, les meilleurs possibles pour faire progresser la cause de l'altruisme qui m'est chère. La science, j'y suis retourné par l'intermédiaire de ma collaboration avec les neuroscientifiques. Je n'aurais jamais imaginé que j'allais me retrouver dans un laboratoire trente-cinq ans après avoir quitté l'Institut Pasteur. Dans de nombreux autres domaines comme la politique, l'économie, l'environnement, nous pouvons essayer de trouver une communauté de pensée, avec l'idée que cent brins d'herbe séparés ne servent pas à grand-chose, mais que si on les réunit pour former un balai, on peut faire le ménage. Par « faire le ménage », je veux dire essayer d'ôter les obstacles à un monde meilleur, à une humanité plus juste, remédier aux inégalités, faire progresser une vision du monde altruiste, aider les êtres à donner un sens à leur existence, contribuer au bien de la société. Quand on rencontre des êtres avec qui on sent une certaine communauté de pensée et avec qui on tisse des liens d'amitié, comme c'est le cas avec vous, on se dit qu'ensemble on peut certainement faire davantage que tout seul, on peut apprendre les uns des autres, enrichir notre réflexion et trouver de meilleurs moyens d'aider autrui. Les circonstances ont fait que, tous les trois, au fil des années, nous sommes devenus de plus en plus proches, nous avons appris à mieux nous connaître et nous apprécier.

Maintenant, pour ce qui est de l'écrivain, je n'en suis pas vraiment un. Je suis avant tout passionné par les idées. On me demande parfois si j'ai une mission en Occident. Pas le moins du monde. Aucun agenda particulier. Quand on me dit sur les plateaux de télé : « Finalement, qu'est-ce que vous faites ici ? », je réponds : « Vous m'avez demandé de venir, je suis venu. Mais si vous ne m'invitez pas, je n'aurai rien à perdre ni à gagner. » Si je peux partager des idées, je le fais volontiers. Sinon, je ne demande pas mieux que de rester dans mon ermitage. Je ne vais pas continuer indéfiniment à me dire : « Quel va être mon prochain livre ? » Le temps est précieux et j'ai déjà exploré les sujets qui me passionnent le plus. Après l'altruisme, il n'y a pas d'autre immense sujet qui s'impose. En revanche, si, ensemble, nous pouvons élaborer un projet qui apporte une dimension supplémentaire à ce chacun peut faire de son côté, j'en suis très heureux. Tel est notre souhait depuis des années.

1

QUELLES SONT NOS ASPIRATIONS LES PLUS PROFONDES ?

MATTHIEU : Qu'est-ce qui compte vraiment dans l'existence ? Qu'est-ce qu'on identifie, au fond de soi, comme essentiel ? Il doit bien y avoir, à l'intérieur de nous, quelque chose qui nous anime, une direction qui s'impose et qui donne un sens à chacun de nos pas. Vivre, ce n'est pas se contenter d'errer au gré des rencontres et des circonstances, de bricoler comme on le peut, au jour le jour. Je ne veux pas dire qu'il faut décider, dès le matin, au réveil, que l'on va changer le monde, mais il me semble essentiel de voir une certaine continuité, une progression, dans ce que nous souhaitons accomplir par-dessus tout dans notre vie. Certains n'aiment pas l'idée de « construction perpétuelle

> Mois après mois, année après année, il est possible de se construire, pas pour satisfaire son ego, mais pour devenir un être meilleur, plus altruiste et plus éclairé.

de soi». Pourtant, mois après mois, année après année, il est possible de se construire, pas pour satisfaire son ego, mais pour devenir un être meilleur, plus altruiste et plus éclairé. On ne peut pas décider de but en blanc qu'on va être à 100 % au service des autres. Il faut prendre le temps d'acquérir la capacité de réaliser cet idéal.

Ce qui nous anime

ALEXANDRE : À côté des saines aspirations qui nous invitent à aller de l'avant, à progresser toujours, traîne une tonne d'ambitions égoïstes qui nous aliènent et nous font souffrir. Spinoza, dans son *Éthique*, distingue clairement les désirs adéquats (ceux qui naissent dans le fond du fond et découlent de notre nature) des désirs inadéquats, que nous importons du *dehors*. La publicité, en excitant mille convoitises, en livre un parfait exemple. Distinguer en soi ce qui relève du désir adéquat ou pas est un exercice très libérateur. Si je regarde les attentes qui tissent ma vie, je débusque ce besoin farouche de rentrer dans le moule, de faire tout mon possible, quitte à m'épuiser, pour imiter les autres. Grâce à une ascèse, à des exercices spirituels, je commence à discerner les influences, les déterminismes qui pèsent sur moi... C'est presque un jeu que de considérer chaque désir qui traverse l'esprit et de voir où il puise son origine. La liberté participe de cet exercice, et chaque instant de l'existence peut devenir l'occasion d'un affranchissement, car on ne naît pas libre, on le devient.

CHRISTOPHE : La question de mes aspirations les plus profondes me met, à cet instant, un peu mal à l'aise. Pendant longtemps, j'ai plutôt eu le sentiment d'être sur une trajectoire de survie, essayant d'aller vers ce qui me faisait le moins souffrir, en m'efforçant de ne pas non plus faire souffrir les autres. C'était plus une règle intuitive qui régissait ma façon d'être qu'une aspiration ou un idéal conscient. De ce fait, il est assez logique que je sois devenu médecin puisque, au fond, diminuer la souffrance des autres me donnait une sorte de cadre social qui correspondait à ce vers quoi j'avais inconsciemment envie d'aller. Avec le temps, je commence à être capable de plus de discernement. J'ai longtemps vécu dans une quête de sécurité : je voulais que ma famille ne soit pas dans le besoin matériel, une crainte probablement héritée de mes parents, qui venaient de milieux pauvres. Je voulais protéger les miens, et sans doute me protéger moi-même. Mais ce n'étaient pas des aspirations très nobles, et sans doute le métier de médecin m'a-t-il aidé à dépasser cette seule motivation. Aujourd'hui, j'ai beaucoup de mal à dire que mon aspiration profonde est vraiment et seulement d'aider les autres à moins souffrir. Je n'arrive pas à voir si c'est issu du fond de moi-même ou si c'est venu de l'extérieur… Je ne voudrais surtout pas me faire passer pour une sorte de pseudo-saint!

ALEXANDRE : Il y a en l'homme une mystérieuse capacité à se tromper lui-même et à s'auto-illusionner. C'est hyper-honnête de reconnaître que nos désirs ne sont pas toujours très nets, et que parfois, en prétextant sauver les autres, nous recherchons avant tout de la reconnaissance, un moyen de panser nos blessures. Il y a des tonnes d'influences qui modèlent nos actions et nos comportements, et même notre manière d'envisager le monde. Si je regarde mon parcours, je dépiste beaucoup d'instants où, me croyant totalement libre, je n'ai fait que me leurrer. En regardant d'un peu plus près mon intérêt pour la vie spirituelle, je décèle surtout une immense peur de souffrir. En effet, au début, j'étais un peu comme un naufragé qui chercherait une bouée de sauvetage. Au fil du temps, cette motivation principalement centrée sur moi-même s'est dilatée, et je commence à m'ouvrir à l'autre.

MATTHIEU : Quand j'étais à l'Institut Pasteur, j'avais un collègue, Ben Shapiro, avec qui je partageais une table de travail, et on avait de temps en temps des discussions sur la vie. Nous ne savions pas ce que nous voulions faire vraiment dans l'existence, mais nous savions ce que nous ne voulions pas : une existence insipide qui n'aurait ni sens ni utilité, qui ne susciterait en nous aucune joie ni aucun enthousiasme au jour le jour.

Il est évident que le premier but de tout le monde est de rester en vie. Il y a des moments, ou des endroits du monde, où c'est même une priorité absolue, parce qu'on est confronté à la guerre, à la famine, aux épidémies, aux catastrophes. Mais quand on ne se sent pas immédiatement menacé, bien que l'impermanence fasse son chemin et qu'on ne sache jamais ce qui va se passer le lendemain, on devrait se dire qu'on ne va pas simplement « tuer le temps » et passer sa vie à la gaspiller. On devrait avoir en vue un épanouissement, une forme d'accomplissement. Personnellement, je me suis toujours demandé : « Être heureux, c'est quoi ? Accumuler les plaisirs ? Trouver une satisfaction plus profonde ? Comprendre comment fonctionne mon esprit ? Apprendre à être meilleur avec les autres ? » Ça revient pour moi à me poser la question : qu'est-ce qui compte le plus dans ma vie ? Je dirais aussi, comme Alexandre : quels sont les désirs qui viennent du plus profond de moi, et quels sont ceux qui me viennent de l'extérieur, qui me sont imposés ou insidieusement suggérés, comme c'est le cas avec les paillettes de la société de consommation. Je me rappelle un ami tibétain qui me disait, un jour, à Times Square, à New York, au milieu des enseignes lumineuses qui attirent en permanence le regard : « Ils essaient de voler mon esprit ! »

À un moment donné, indépendamment de toute influence extérieure, on doit pouvoir se demander : qu'est-ce qui en vaut vraiment la peine ? qu'est-ce qui me permettra de penser, à la fin de l'année, que je n'ai pas perdu mon temps ? On peut se poser cette question régulièrement et quand, vingt ans plus tard, on regarde en arrière, on devrait avoir le même sentiment que le paysan qui a fait de son mieux pour bien cultiver son champ. Même si les choses ne se passent pas toujours comme on l'espère, on devrait pouvoir se dire : «Je n'ai pas de regret, parce que j'ai fait tout ce que je pouvais, dans les limites de mes capacités.»

CHRISTOPHE : Quand Patrick Modiano a reçu le prix Nobel, dans son discours de réception, il a dit en substance : «J'étais le premier surpris, en lisant les articles me concernant, que des personnes extérieures voient une cohérence dans mon œuvre, alors que, en tant qu'auteur, je suis comme un automobiliste qui roule dans la nuit et qui ne voit pas plus loin que le faisceau de ses phares : son but est de rester sur la route, de ne pas dépasser la vitesse prescrite, de ne pas écraser les biches qui traversent…» C'est un peu comme cela que je vois mon propre fonctionnement : fais tout le bien et le moins de mal possible aux autres et à toi. Pour le reste, j'ai certes l'impression qu'à certains carrefours j'ai choisi où aller, de manière délibérée : ce n'est pas juste le hasard qui m'a fait partir à droite ou à gauche. Mais je ne me sens pas capable d'en dire beaucoup plus; en tout cas, rien qui relève chez moi d'une vision ancienne ou d'un projet de vie élaboré et structuré.

Le chemin et le but

MATTHIEU : Je me rappelle avoir rencontré, au Canada, un groupe de jeunes qui sortaient de l'université. Pendant six mois, ils avaient vu des conseillers professionnels et rempli des questionnaires, on les avait envoyés à droite et à gauche. Mais comment orienter son existence avec des questionnaires et en suivant les conseils de gens qui vous connaissent à peine ? Je leur ai dit : « Pourquoi n'allez-vous pas vous asseoir un moment au bord d'un lac, tout seuls ou avec quelqu'un que vous aimez bien ? Arrêtez de remplir des questionnaires, fermez votre ordinateur, demandez-vous ce que vous avez vraiment envie de faire dans la vie, et laissez la réponse monter du fond de vous-mêmes. »

La longueur du périple ou ses difficultés ne sont pas un problème. Quand on voyage dans l'Himalaya, tout n'est pas toujours facile. Parfois il fait beau, parfois le temps est exécrable. Les paysages peuvent être sublimes, mais on peut aussi être arrêté par un ravin ou patauger dans une jungle marécageuse au fond d'une vallée tropicale. Pourtant, chaque pas nous rapproche de l'endroit où nous voulons aller, et cela nous inspire. Au passage, la définition de la persévérance, l'une des six « perfections » du bouddhisme, ou *paramita,* que tu étudies en Corée, Alexandre, est « la joie de faire le bien ». Le « bien », ici, ce n'est pas une simple bonne action, c'est quelque chose qui nous inspire profondément, c'est la joie en forme d'effort. Même si le voyage est parfois ardu, l'enthousiasme subsiste si l'on progresse vers l'endroit où l'on veut vraiment se rendre. En revanche, si l'on s'égare et qu'on se retrouve sans repères, on perd courage. À la fatigue s'ajoutent le désarroi et le sentiment d'impuissance. On n'a plus envie de marcher mais de

Progresser, sans être ligoté à un but, voilà le défi. Ce qui m'aide, c'est de me demander ce à quoi la vie m'appelle, ici et maintenant.

s'asseoir, prostré et désespéré. C'est pourquoi la direction qu'on se fixe dans l'existence joue un rôle si important.

Les psychologues du bien-être, comme Daniel Gilbert, disent que c'est l'effort lui-même qui apporte la satisfaction : une fois atteint le but, on est plutôt déçu. En discutant avec lui, je me suis permis de lui dire : « Si par exemple je veux une Maserati, je vais être très excité et, tout compte fait, "heureux" pendant que je ferai mille efforts pour gagner l'argent nécessaire. Mais une fois que j'aurai ma voiture, j'aurai peur qu'on la raye ou qu'on la vole et, finalement, cela ne m'apportera pas le bonheur escompté. » Je voulais dire par là que, dans la mesure où il y a une confusion sur ce qui peut vraiment apporter le bonheur, on est effectivement déçu une fois le but atteint. Mais si le but en vaut la peine, si je veux par exemple cultiver la sagesse et l'amour altruiste, le chemin *et* le but seront tous deux gratifiants. Le problème est que nous nous leurrons souvent en poursuivant des buts illusoires, comme la richesse, la renommée, la beauté physique, des possessions toujours plus nombreuses – autant de miroirs aux alouettes qui ne contribuent pas véritablement à notre épanouissement.

ALEXANDRE : Progresser, sans être ligoté à un but, voilà le défi. Ce qui m'aide, c'est de me demander ce à quoi la vie m'appelle, ici et maintenant. Quand je traverse des zones de turbulences, cette question m'invite à poser des actes, sans me précipiter. Elle me redirige vers le concret quand je me perds dans les brumes du mental. Dans l'Évangile, Jésus dit que «le Fils de l'homme, lui, n'a pas où reposer la tête». De même, dans l'ascèse bouddhiste, le pratiquant doit s'installer nulle part. Dès qu'il y a fixation, la souffrance apparaît. En un sens, les moqueries et les épreuves peuvent nous libérer quand elles viennent nous déloger et nous empêcher de nous fixer dans une émotion ou une représentation. Dans le métro, lorsque des gens ricanent à mon passage, je profite de l'occasion pour me rappeler que je ne me réduis pas aux apparences, que le fond de mon être échappe à tous les regards.

Je préfère à celle de but l'idée de vocation, qui vient me rappeler que ce n'est pas moi qui décide ultimement : appelons ça la volonté de Dieu ou l'appel de la vie ou de mille autres façons, et constatons simplement que le petit moi n'est pas maître à bord. Il y a une réalité infiniment plus profonde au gouvernail. Cela n'empêche pas, au contraire, de s'engager, de poser des actes. Sans tomber dans le fatalisme ni congédier tout but, avançons toujours. L'enseignement du zen à ce sujet est clair : tout faire impeccablement, et être détaché du résultat.

MATTHIEU : Le but dont je parle, c'est ce qui m'inspire, ce n'est pas ce qui m'obsède et sur lequel se fixent tous mes attachements. L'idée d'une direction, ou d'une aspiration, est plus satisfaisante, et elle n'est pas soumise à des limites. Dans le bouddhisme, on se méfie de toute fixation, y compris à un but noble, car cette fixation produit l'effet contraire de celui qu'on recherche. On peut certes se dire qu'on aspire à se libérer des causes de la souffrance, de l'égoïsme, de l'ignorance, de la jalousie, de l'orgueil, mais l'idée n'est pas de compter les points, c'est de définir vers quoi l'on veut tendre, et si cela en vaut la peine.

ALEXANDRE : Je suis fasciné par la distinction entre le moi social, c'est-à-dire l'ensemble des rôles que l'on joue quotidiennement, et le fond du fond, notre intimité, qui se déploie au-delà de toute étiquette, et demeure indéfinissable. Toute l'ascèse consiste finalement à y descendre pour y habiter, au lieu de croupir dans le moi superficiel qui change et souffre toujours. Cette distinction m'apaise considérablement. Elle dégage une voie extraordinaire qui pulvérise les étiquettes, et peut s'inaugurer par des questions toutes simples : qui suis-je véritablement ? Quels sont les choix fondamentaux de ma vie ? Quelles influences m'ont bâti jusqu'à présent ? Je suis frappé de voir à quel point nous compensons nos manques, nous imitons les autres pour nous construire… Dans son *Éthique*, Spinoza m'épaule lorsqu'il invite à repérer toutes ces causes qui nous poussent à agir, et bien souvent à réagir. La liberté naît de cette prise de conscience d'instant en instant.

MATTHIEU : La question du doute est, elle aussi, importante. Il y a quelques années, j'ai traduit du tibétain l'autobiographie de Shabkar, un yogi qui a vécu il y a plus de deux siècles. Il se trouvait qu'au même moment paraissait une biographie de sainte Thérèse de Lisieux. *Le Monde* a fait un article sur les deux ouvrages. Il disait, en gros, que la vie de Shabkar n'était pas très intéressante car la voie de ce grand yogi tibétain avait l'air toute tracée : il passait de l'ignorance à l'éveil comme s'il se promenait dans la forêt. Il traversait certes des épreuves physiques, mais pas des «nuits noires de l'âme», des doutes déchirants, alors que chez sainte Thérèse de Lisieux ou chez saint Jean de la Croix, il y a des moments de foi totale, puis, le lendemain, c'est le néant, Dieu semble avoir disparu.

En me demandant quelle était la différence entre les deux parcours, il m'a semblé que, pour les mystiques chrétiens, c'est la relation à Dieu qui compte plus que tout, puisqu'ils ont abandonné toute préoccupation mondaine. Tout dépend donc de leur intense communion avec Dieu, et par conséquent de l'existence de ce Dieu. Or, cette existence est un mystère, à tout jamais inaccessible. L'idée de mystère est magnifique. C'est comme s'il y avait une immense montagne qui était perpétuellement cachée derrière les nuages mais qui inspirait toute notre existence. Il y a des moments où l'on est intimement convaincu qu'elle est là, on communie avec elle, et d'autres moments où l'on est en proie au doute. D'où les grands élans mystiques, suivis de nuits obscures.

Dans le bouddhisme, l'Éveil est un but clairement défini, qui se trouve devant moi, un peu comme l'Everest pour celui qui veut le gravir. Je ne doute pas de l'existence de ce qui se dresse majestueusement devant mes yeux, mais je me demande si je serai capable de faire les immenses efforts

> Dans le bouddhisme,
> l'Éveil est un but clairement défini,
> qui se trouve devant moi, un peu comme
> l'Everest pour celui qui veut le gravir.

nécessaires pour atteindre son sommet, si cela en vaut la peine, si je ne ferais pas mieux d'aller à la plage. Mais, quand j'y réfléchis bien, il m'apparaît clairement que j'aspire à gravir cette montagne parce que je sais qu'il vaut vraiment la peine de se libérer de l'ignorance, de la haine, de la jalousie, de l'orgueil, de l'avidité, etc., et je n'hésite plus. La pratique de la voie bouddhiste n'est bien sûr pas exempt d'obstacles. On peut se fourvoyer dans sa méditation, s'imaginer à tort avoir atteint des états de réalisation spirituelle profonds, succomber au découragement, tomber dans la dualité de l'espoir et de la crainte. Mais ces obstacles sont sans doute moins dramatiques que l'alternance de foi et de doute total que décrit, par exemple, Mère Teresa dans ses *Mémoires*.

ALEXANDRE : Si je me suis rendu en Corée du Sud, c'est aussi pour approfondir le dialogue entre les religions. Ce chemin n'est pas de tout repos, même s'il m'invite à la non-fixation et à ne rien absolutiser. Parfois, des bouddhistes me font un peu la morale en me disant gentiment : «Mais pourquoi crois-tu en un Dieu personnel ? C'est complètement bidon ce concept de Créateur.» Et quand je me retourne vers certains chrétiens, ce n'est pas mieux, ils m'accusent d'aller voir ailleurs : « Comment tu peux faire du zen si dans l'Évangile il est dit de Jésus qu'il est la voie, la vérité, la vie ? » Mais heureusement, il est mille exemples de rapprochements possibles. J'ai récemment assisté à une messe à laquelle participait un maître zen. Et je l'ai vu, comme un enfant, écouter les paroles du prêtre avec une infinie disponibilité… Lorsqu'il a lu les psaumes, j'ai pris conscience que c'était dans la pratique que nous nous rejoignions. C'est fou qu'un maître bouddhiste m'ait transmis, par sa simple présence, le vibrant désir de me consacrer davantage à une vie de prière. En fait, il se tenait très loin des théories, de la spéculation : il vivait au cœur de l'intériorité. Sans nier les différences de taille qui existent entre le bouddhisme et le christianisme, il me plaît qu'il y ait des passerelles et des expériences que nous pouvons partager. Rien de pire que les guerres de chapelles, fruits d'un dogmatisme très peu religieux au bout du compte.

Au fil de ce dialogue, je m'aperçois que la notion de grâce, c'est-à-dire un don, une aide divine reçue gratuitement, est essentielle dans la foi chrétienne. Et c'est ce qui m'a un peu détourné d'elle lorsque j'allais hyper mal. S'abandonner, faire confiance, alors que tout chancelle autour de soi réclame une audace énorme, dont je n'étais pas capable au cœur du tourment. En discutant avec Matthieu, j'ai peu à peu compris que le bouddhisme offre un chemin, une voie pour accéder à l'Éveil, pour gravir le mont Everest de la félicité. Et celui qui veut mettre ses pas dans ceux du Bouddha est encouragé à prendre son bâton de pèlerin, à transformer son esprit, à pratiquer le chemin octuple pour entamer cette ascension. En gros, comme dit Matthieu, le mont Everest est là et il nous reste à le gravir, bien que la route soit éminemment ardue.

En lisant les Évangiles, je trouve une lumineuse ascèse qui conduit à une déprise de soi, un dépouillement intérieur et un abandon total à la providence divine. En gros, pour atteindre l'Everest, il s'agit de s'abandonner à Dieu, de compter sur Lui davantage que sur nos propres forces. Pour plaisanter, je dis souvent à Matthieu que, dans le christianisme, le chemin consiste à prendre l'ascenseur spirituel qui mène à l'union à Dieu. Mais il faut un sacré courage pour croire, pour rentrer dans l'ascenseur et quitter tout volontarisme…

Ce qui importe, c'est de progresser sur un chemin, sans l'absolutiser ni dénigrer les autres voies. En vivant au contact d'autres religions, il est tentant de tomber dans la comparaison. Pour ma part, je me nourris du bouddhisme qui, je le crois, m'encourage à devenir toujours plus chrétien, à rejoindre plus profondément le Christ et à vivre les Évangiles au quotidien. La sagesse du Bouddha vient aussi décaper les préjugés, les représentations que je projette sur Dieu. Maître Eckhart rejoint cette ascèse lorsqu'il adresse au Très-Haut cette prière : «Dieu, libère-moi de Dieu.» Combien de fois n'ai-je pas instrumentalisé la religion pour y trouver une sorte de consolation, une béquille, plutôt qu'une source ou un moteur ? En voyant le Christ chasser les marchands du Temple, je comprends qu'il y a un sacré danger d'instrumentaliser la religion, d'en faire le lieu d'un marchandage où l'on achèterait la paix au prix de sacrifices.

Si le Bouddha m'apaise, le Christ me console par son humanité. Pour moi, croire en Dieu et suivre le Christ impliquent avant tout une foi, un art de vivre, une discipline intérieure, une ascèse. Force est de constater qu'aujourd'hui Jésus a moins la cote que le Bouddha. Un jour où j'ai partagé une citation du Dalaï-lama sur Facebook, j'ai reçu une montagne de *Like*, mais quand j'ai posté une vidéo du pape François qui descendait de voiture pour embrasser une personne handicapée au bord de la route, mon *post* est passé presque inaperçu. J'ai seulement reçu des commentaires qui rappelaient la douloureuse histoire de l'Église : les croisades, l'Inquisition, les nombreux cas de pédophilie... Je pense que le dialogue interreligieux nécessite un prérequis : congédier toute visée apologétique, développer un réel intérêt pour l'autre et sortir de la logique du «j'ai raison, donc tu as tort».

Le Bouddha me nourrit au quotidien, comme le Christ. Pourquoi me faudrait-il choisir ? C'est comme si j'avais deux enfants, deux amis, ou deux papas, et que l'on me priait de renoncer à l'un ou à l'autre... Il faut certes se garder du relativisme de celui qui pratique un tourisme spirituel et qui ferait une sorte de soupe avec toutes ces religions. Bref, je me réjouis que des bouddhistes me rapprochent du Christ. C'est un magnifique espoir, alors que la pente naturelle nous incline à nous fixer dans des étiquettes.

MATTHIEU : Nous avons parlé de vocation, de désir, de direction, d'adéquation, de congruence. La question est, comme je l'ai déjà dit, de savoir si tout cela a un sens pour chacun. Si, par exemple, on me propose un travail qui ne m'intéresse absolument pas, cela peut quand même avoir un sens si j'en ai besoin pour nourrir mes enfants. La richesse, le pouvoir et la renommée inspirent certains et n'ont aucun intérêt pour d'autres. Diogène aurait dit à Alexandre le Grand : « Je suis plus grand que toi, Seigneur, car j'ai dédaigné plus que ce que tu n'as conquis. » Dans l'idée de direction, de congruence, il y a l'idée de trouver un sens à chaque instant qui passe, à chaque effort qu'on fait. À défaut de sens, ma vie risque de se dérouler comme un film ennuyeux. Comme le dit Pierre Rabhi, on va d'abord en boîte dans un bahut, ensuite on sort en boîte pour s'amuser, puis on est embauché par une boîte pour y faire carrière, et on finit dans une boîte, un cercueil.

Pour le contemplatif, ce qui a un sens n'est pas de faire fructifier son compte en banque, mais de parvenir, au bout de quelques années d'efforts déterminés, à se libérer des émotions négatives comme la colère, l'avidité ou l'arrogance, ou encore de la confusion, des conflits intérieurs, de la distraction, etc.

ALEXANDRE : Qu'est-ce qu'un contemplatif à tes yeux ?

MATTHIEU : Le contemplatif, du moins dans le sens bouddhiste, est celui qui comprend que son esprit peut être son meilleur ami, mais aussi son pire ennemi, et qu'il doit donc le transformer par la méditation. Il contemple la nature fondamentale de l'esprit, et cette pratique a pour effet de changer sa perception des autres, de lui-même et du monde. Et quand tu changes ta perception du monde, d'une certaine façon tu changes le monde.

Souvent, on se contente de trouver de petites solutions au jour le jour, alors que le contemplatif dont je parle cherche à changer radicalement la façon dont il fait l'expérience du monde, et traduit les circonstances de la vie en bien-être ou en mal-être. Il apprend à ne plus être piégé par ce qui le tourmente et l'asservit, mais à s'en libérer. Il devient moins vulnérable, et donc davantage disponible pour les autres.

Il se familiarise aussi avec la composante fondamentale de l'esprit, cette conscience première, toujours présente derrière le mouvement des pensées, et même en l'absence de pensées, cette pure conscience lumineuse qui n'est jamais altérée par les constructions mentales.

Ce qui nous inspire

MATTHIEU : En chemin, on peut chercher de l'aide auprès d'un ami de bien, d'un maître spirituel, d'un être qui a une plus grande connaissance et une plus grande maîtrise de l'esprit que nous. Quoi qu'on fasse dans la vie, on a toujours besoin de guides pour apprendre et progresser. Ce guide, surtout quand il s'agit de spiritualité, doit posséder toutes les qualités requises. Le risque est que, lorsqu'on est en état de confusion ou de faiblesse, on accorde sa confiance à un charlatan. Le vrai maître spirituel n'a rien à gagner ni rien à perdre. Il a tout à donner et à partager. Il se fiche d'avoir quelques disciples de plus, il ne recherche ni la gloire, ni le pouvoir, ni la richesse. Il souhaite juste aider les autres à se libérer. Il doit lui-même être l'exemple vivant de cette libération. Dans mon cas personnel, après ma rencontre avec mon premier maître, Kangyour Rinpotché, je suis passé de la confusion et de l'absence de but à une vision claire et inspirante de ce que je pouvais accomplir dans la vie.

ALEXANDRE : Pour nous avancer vers la liberté, il n'est pas inutile de nous demander qui sont nos modèles, nos références : est-ce le sportif victorieux qui multiplie les exploits ? le chef d'entreprise cupide ? l'acteur couvert de gloire ? ou bien le voisin du coin qui s'engage modestement pour les autres ? Bref, à qui je me réfère pour apprendre à vivre ? Quelles sont les vertus, les qualités, dont j'aimerais m'inspirer pour cheminer ? Pour ma part, les personnes qui me touchent et m'aident à grandir sont celles qui, au jour le jour, rayonnent de bonté et ne se laissent jamais aigrir par la souffrance. Il y a un héroïsme discret du quotidien : se lever le matin, être généreux, traverser les épreuves sans perdre la joie.

MATTHIEU : Je me rappelle cette étude réalisée aux États-Unis, dans laquelle on demandait aux gens : « Entre le Dalaï-lama et Tom Cruise, quel est celui que vous admirez le plus ? » Quatre-vingts pour cent ont répondu : « Le

Dalaï-lama.» La question suivante était : «Et lequel voudriez-vous être, si on vous en donnait le choix?» Cette fois, la plupart ont répondu : «Tom Cruise.» Je me suis demandé pour quelle raison. Ils se disaient sans doute que, s'ils avaient déjà le physique, la célébrité et la richesse de Tom Cruise, ils pourraient ensuite acquérir par eux-mêmes les qualités humaines du Dalaï-lama, car cela leur semblait plus facile que l'inverse. En réalité, ce n'est pas plus facile. La transformation intérieure est le travail de toute une vie. Un jour, un journaliste chilien a demandé au Dalaï-lama : «Trente mille personnes viennent vous écouter dans ce stade, pourquoi tant de monde?» Il a répondu : «Je ne sais pas, demandez-le-leur!» Après un temps de réflexion, il a ajouté : «Peut-être que c'est parce que, depuis soixante ans, je médite tous les matins pendant quatre heures sur la compassion.»

CHRISTOPHE : J'ai longtemps eu du mal avec les modèles. J'ai grandi dans une certaine méfiance vis-à-vis des adultes, je voyais tellement leur fragilité que j'en ai probablement conçu une sorte de prudence, voire d'aversion pour l'idée que d'autres humains puissent être des maîtres. J'étais beaucoup plus à l'aise en prenant tous les humains comme modèles, mais de façon transitoire. En fait, je suis bouleversé par les leçons que je reçois de mes patients, de mes enfants, ou d'inconnus. Et je n'ai jamais cherché de maître : ce rapport de dépendance m'a toujours fait peur. Un maître transitoire peut être un proche qui me raconte une histoire et qui m'émerveille par l'intelligence ou par la force dont il a fait preuve. Récemment, un ami m'a fait part de la manière dont il a accompagné sa femme mourante : elle avait un cancer, et peu à peu son état physique se délabrait. Il me racontait comment il faisait sa toilette, comment il lui massait les pieds, comment ils arrivaient à préserver et même à enrichir leur lien amoureux. En l'écoutant, j'avais le sentiment d'être face à quelque chose de totalement admirable, face à un modèle de dignité, de dévouement, d'altruisme. Ces expériences me font beaucoup réfléchir, et je me pose toujours, quand je croise quelqu'un dont le comportement est exemplaire, ces deux questions : « Est-ce que j'en serais capable ? » et « Qu'est-ce que je peux faire tout de suite pour me rapprocher de ça ? »

Mes filles sont aussi, par moments, mes maîtres. La deuxième, par exemple, est une enthousiaste, une joyeuse, alors que je suis spontanément – si je ne fais pas d'efforts – un dépressif qui peut traîner des pieds, et raisonner de travers pour justifier sa vision du monde. Avant, je trouvais que les gens enthousiastes se mettaient en danger, parce qu'ils s'exposaient à la déception. Soit ils m'agaçaient (je trouvais qu'ils n'avaient pas compris la vraie nature de la vie), soit ils m'inquiétaient (j'avais peur pour eux). J'ai eu longtemps peur pour ma fille, peur de son enthousiasme, de sa tendance à la joie quoi qu'il arrive, peur qu'elle ne soit blessée ou déçue, et qu'elle ne s'en relève pas. Et puis, il y a quelques années, à force de me remettre en question, j'ai compris que c'était elle qui avait raison ! Depuis deux ans, elle est en classe préparatoire, mène une vie dure, se lève tous les jours à 6 h 30, fait une heure de métro le matin et une heure le soir. Et tous les jours, je me lève avec elle pour préparer son jus d'orange, son café, son sandwich, je pense que c'est important que je sois là. Elle est presque toujours souriante et joyeuse, même en hiver, quand il fait froid et nuit, même en période de contrôles ou d'examens. Certains matins, elle me demande comment je vais, et certaines fois, je ne vais pas bien, mais je ne veux pas lui montrer, alors je réponds : « Ah, ça va, ça va. » Elle me houspille : « Ce n'est pas un "ça va" très convaincant, ça ! » Peu à peu, je retiens la leçon. Et je parviens à me dire : « Quoi qu'il arrive, tu as toutes les raisons, le matin, d'être joyeux ; tu te réveilles, tu vis en démocratie, tu vas vivre une journée sur cette terre, des gens t'aiment et, même si tu as des soucis, eh bien ce soir tu seras toujours vivant, normalement ! » Chaque matin, je prends donc une leçon magistrale et légère : je suis face à un maître (ou une maîtresse !) de joie, d'enthousiasme et de confiance envers la vie, et je lui en suis très reconnaissant !

ALEXANDRE : Suivre l'enseignement d'un maître n'empêche pas, loin s'en faut, de se méfier comme de la peste des gourous que je considère comme le sommet de l'aliénation s'ils ne nous libèrent pas de notre mental, et s'ils ne vivent pas eux-mêmes dans un profond détachement. Confier à quelqu'un qui n'a pas suivi une ascèse les clés de sa destinée participe d'une démission de la liberté, et nous connaissons le cortège de dégâts que cela peut entraîner. Comment éviter de tomber dans l'idolâtrie et renoncer à chercher un super-papa qui nous cajole ? La vocation du père spirituel, ou du maître, c'est justement de nous éveiller à notre liberté, de traquer sans concession toutes les ruses de notre ego et, dans le même temps, de nous témoigner un amour inconditionnel. Autant dire que ça ne court pas les rues… J'ai eu la chance de rencontrer un prêtre catholique qui soit aussi maître zen. À la minute où nos regards se sont croisés, j'ai compris qu'il allait devenir mon maître. Ce qui me touche, c'est qu'à aucun moment il ne réclame le titre de maître. Au contraire, il me renvoie sans cesse à ma liberté. À ce jour, je n'ai sur ma route jamais rencontré une telle bonté, une telle sagesse et une telle foi en Dieu.

Un véritable maître est libre de l'ego. Aucun désir de plaire, nulle volonté de manipuler n'entache sa compassion infinie. Il vit une cohérence sans faille. Ce que je dépiste grâce à mon père spirituel, c'est mon incroyable capacité à me leurrer toujours. Seul un guide éclairé et infiniment bienveillant peut nous sortir de nos illusions, qui nous éloignent de ce qui est réellement bien pour nous. Qu'il est difficile de garder un minimum de recul quand, du matin au soir, nous nous débattons dans un fatras émotionnel !

CHRISTOPHE : Quand tu racontes le quotidien avec ton maître zen, Alexandre, je suis « scotché » parce que je n'oserais jamais dire à un patient ou à un proche le dixième de ce qu'il te dit. C'est vrai que cela se passe dans le cadre d'une relation forte : il te connaît, il a une expérience incroyable. Mais, pour ma part, j'ai une crainte obsédante de rajouter à la souffrance de l'autre : neuf fois sur dix, cette réserve est bonne, à mon avis, et elle m'évite de trop faire souffrir, mais de temps en temps, cette peur de donner sincèrement mon avis me ligote. Je n'ose pas regarder la personne en face et lui dire que, en gros, ça suffit, qu'elle doit arrêter de persévérer comme ça dans ses erreurs. Et comme toi, je suis très admiratif des gens qui arrivent à rappeler qu'il y a des réalités, que tout n'est pas possible, que tout n'est pas permis, qu'on ne peut pas s'écouter indéfiniment...

MATTHIEU : Ce que tu dis du maître d'Alexandre me rappelle quand je vivais auprès de Khyentsé Rinpotché, mon deuxième maître spirituel. Alors que j'aurais eu du mal à imaginer un être plus bienveillant, il était parfois avec moi d'une extrême sévérité. Mais, après tout, à quoi cela aurait-il servi qu'il ménage mes défauts et mon ego ?

ALEXANDRE : Il faut bien distinguer deux choses. La vocation du maître spirituel est de nous arracher à la prison de l'ego en nous rapprochant de l'Éveil ou de l'union à Dieu ; la mission du thérapeute consiste à nous aider à traverser les épreuves, à trouver des outils pour assumer les grandes souffrances. Si un psychiatre veut jouer au maître spirituel et pratiquer les électrochocs que l'on trouve dans le zen, il peut envoyer un patient droit au cimetière.

MATTHIEU : Cette attitude de Khyentsé Rinpotché n'était pas systématique. En fait, la plupart des gens qui le rencontraient disaient qu'ils n'avaient jamais vu quelqu'un de plus aimable, qu'il ne prononçait jamais un mot plus haut que l'autre. Cela ne l'empêchait pas de se montrer impitoyable avec nos défauts, quand il voyait que le moment était venu de le faire, et quand il savait aussi que celui à qui il s'adressait l'avait fréquenté suffisamment pour savoir qu'il ne lui voulait que du bien.

ALEXANDRE : Qu'est-ce qui t'a le plus touché en vivant ces treize années avec ce maître ?

MATTHIEU : D'abord, à aucun moment, pendant toutes ces années, je n'ai été témoin d'une seule parole ni d'une seule action dirigée contre les autres. Je suis arrivé à la certitude qu'il n'avait jamais ne serait-ce qu'une ombre de pensée malveillante, que son seul désir était de guider autrui vers la liberté intérieure. Dans la vie quotidienne, je n'ai jamais non plus été témoin d'une saute d'humeur. Sa façon d'agir et de traiter les autres était toujours égale et adaptée à la situation. Il manifestait une cohérence parfaite entre l'intérieur et l'extérieur. Il faisait parfois preuve d'une grande sévérité, mais cela n'avait rien à voir avec de la mauvaise humeur. J'ai pu maintes fois constater que c'était uniquement pour aider les autres à se libérer de leurs défauts. Avec le temps, cela a suscité en moi une confiance totale.

ALEXANDRE : Pourquoi une confiance totale ?

MATTHIEU : Dans des rapports humains ordinaires, je suis obligé de composer avec la part d'ombre et de lumière de chacun. Je sais que je peux faire confiance à certains, et moins à d'autres. Un artisan habile, un excellent joueur d'échecs ou un grand pianiste peuvent me donner de bons conseils dans leur spécialité, mais je n'attends pas d'eux qu'ils me montrent comment devenir un meilleur être humain. Je suis conscient que, en dehors des qualités pour lesquelles je fais appel à eux, ils peuvent avoir toutes sortes de défauts.

Dans le cas de ce maître, l'expérience me montrait que je pouvais me fier à lui en tout. Les treize années que j'ai passées continuellement en sa présence n'ont fait que le confirmer. À aucun moment, je n'ai perçu de défaut dans la cuirasse. Cette confiance m'était d'ailleurs indispensable. Pour lui demander de m'aider à me libérer des causes de ma souffrance, j'avais besoin de me fier totalement à lui. Je ne pouvais pas me permettre de douter de ses conseils à chaque étape.

2
L'EGO, AMI OU IMPOSTEUR ?

ALEXANDRE : Attaquons-nous sans plus tarder à ce gros morceau : l'ego. Le récit de la Genèse pose un lumineux diagnostic : après avoir goûté au fruit défendu, il est dit d'Adam et Ève : « Alors leurs yeux à tous deux s'ouvrirent et ils connurent qu'ils étaient nus ; ils cousirent des feuilles de figuier et se firent des pagnes. » Honte, culpabilité, égocentrisme, comment ne pas entrer dans cette spirale d'enfer ? Perdre l'innocence, c'est peut-être se regarder le nombril, commencer à chérir une image de soi, un paquet d'étiquettes, un tas d'illusions, se couper du réel et vouloir être le centre du monde en revendiquant une indépendance absolue.

Cette tendance quasi congénitale au narcissisme nous vaut de sacrés tiraillements ! Si je m'exile du fond du fond, si je m'enferme dans des représentations, si je joue en permanence un rôle, comment puis-je accéder à une joie

L'ego ne fait pas partie du vocabulaire courant de la psychologie, on parle plutôt d'«estime de soi», qui définit l'ensemble des façons de se considérer, de se traiter.

véritable ? Concrètement, dès que je me cramponne à une idée, dès que je m'attache à qui je crois être, je peux m'attendre à coup sûr à morfler. Pour achever de nous pourrir la vie, il y a aussi ce redoutable réflexe : plus je souffre, plus je risque de me crisper, de me recroqueviller sur moi-même. Infernal cercle vicieux ! Heureusement que la pratique nous offre une sortie de secours…

Comment abandonner cette fâcheuse tendance à me couper du monde, de Dieu et des autres ? Comment guérir de l'égocentrisme ? Déjà, je peux cesser de me lever le matin en consommateur avide pour devenir un peu plus attentif à autrui. Abandonner cette logique du «moi, moi, moi d'abord» n'est pas une mince affaire. Il est pourtant mille occasions d'arrêter de nourrir un ego vorace. En découpant le steak dans mon assiette, sans tomber dans une culpabilité malsaine, je peux voir les principes qui dictent ma vie : pourquoi croire que mon plaisir vaut le massacre d'un animal ?

L'exercice est simple : repérer, pour la déraciner, cette habitude à se mettre au centre, toujours et surtout, ne jamais instrumentaliser l'autre, mais l'aimer vraiment. Un moine me l'a dit un jour sans ambages : «Être véritablement éveillé, c'est ne plus faire passer les autres après soi, ne plus s'accorder un privilège sur tous les êtres animés.» Sacré boulot...

Les maladies de l'ego

CHRISTOPHE : L'ego ne fait pas partie du vocabulaire courant de la psychologie, on parle plutôt d'«estime de soi», qui définit l'ensemble des façons de se regarder, de se juger, de se considérer, de se traiter. Pour ma part, je décrirais volontiers l'ego comme l'ensemble des attachements à soi, à sa propre image, et j'aimerais parler de ses pathologies et de toutes leurs conséquences. On sait, par de nombreuses études, que l'estime de soi est profondément influencée par toutes les relations sociales. Au fond, beaucoup de chercheurs considèrent que la valeur que l'on s'accorde est très fortement, pour ne pas dire quasi exclusivement, constituée du sentiment qu'on a d'être estimé par les autres. Autrement dit, c'est le regard des autres qui conditionne la qualité du regard qu'on croit porter sur nous-mêmes et qui reflète en réalité la manière dont on se voit dans les yeux des autres.

Il existe deux grandes pathologies de l'estime de soi, qui provoquent l'une et l'autre de grandes souffrances. D'abord l'excès d'attachement à soi, que l'on voit chez la personne narcissique, avec une conséquence immédiate et consubstantielle : plus on est attaché à soi, plus on a envie d'être admiré, plus on se pense supérieur aux autres et autorisé à se donner des droits supérieurs. D'où ce comportement caractéristique des personnes narcissiques, qui s'auto-risent à conduire plus vite que les autres parce qu'elles pensent conduire mieux, à dépasser tout le monde dans une file d'attente parce que leur temps est plus précieux, à s'occuper de leurs intérêts plutôt que de ceux des autres, etc.

Mais il y a aussi une autre forme d'obsession de soi, d'attachement excessif à soi qui touche les personnes qui manquent d'estime de soi : il s'agit cette fois d'un attache-ment négatif. Au fond, ces personnes ont la même obses-sion du regard et du jugement d'autrui que les narcissiques, mais au lieu d'être en quête d'admiration ou de comporte-ments de soumission, elles guettent le jugement et la critique parce qu'elles ont peur d'être rejetées, peur qu'on ne les aime pas assez.

Les travaux sur l'estime de soi ont commencé dans les années 1960. Cinquante ans plus tard, on a fait de gros progrès et on comprend que l'objectif, l'idéal du travail sur l'estime de soi est l'oubli de soi. Quand on observe ceux chez qui l'estime de soi semble bien fonctionner, on s'aperçoit qu'ils n'ont pas du tout un ego boursouflé. Ils ne se demandent pas plus que nécessaire ce qu'on pense d'eux et ils s'engagent dans l'action, le lien, sans se poser incessamment des questions sur eux-mêmes. Les Améri-cains parlent de *quiet ego* : un ego tranquille, débarrassé de l'obsession du «qu'est-ce qu'on va penser de moi? est-ce que je suis à la hauteur?».

Comment atteindre cet objectif? Lorsqu'on dit à quelqu'un de complexé, qui imagine ne pas avoir assez de qualités, de penser à autre chose qu'à lui-même, il en est à peu près incapable. En revanche, une fois guéri, il est capable d'en avoir conscience. Je me souviens d'une patiente qui m'avait dit à ce sujet : « Quand je suis avec des personnes qui m'impressionnent, et que je ne suis pas en forme, j'ai envie de devenir une petite souris, de disparaître pour qu'on ne s'occupe pas de moi. Alors je pense au travail qu'on a fait en thérapie et je me dis : "Ne te fais pas si petite, tu n'es pas si grande !" Autrement dit, ne t'inquiète pas, les gens ne sont pas passionnés par toi, ce n'est pas toujours toi qu'ils regardent, qu'ils jugent. Tant que tu ne montes par sur la table en poussant des cris, tu as ta place au milieu des autres sans être un objet d'obsession pour eux. »

Il existe énormément d'études sur ce sujet, et l'une de celles qui m'avaient le plus marqué montrait que, paradoxalement, il était bénéfique pour l'estime de soi d'un individu de cultiver le sentiment d'appartenance, de fraternité avec les autres : non seulement cela ne le dévalorisait pas, mais cela le sécurisait et l'apaisait. À l'inverse, le désir de dominance était insécurisant, menaçant et épuisant. C'est une erreur que commettent beaucoup de patients qui n'ont pas un bon niveau d'estime de soi : ils ont l'impression que, pour être accepté par les autres, il faut être admiré par eux. S'ils sont complexés par leur manque de culture, ils vont essayer d'apparaître cultivés, par exemple. C'est ce qu'on faisait dans les anciennes générations des thérapies de l'estime de soi : on essayait de revaloriser les patients, on les encourageait à se voir positivement. Et souvent, beaucoup de patients timides, complexés, avaient l'impression

L'ego est un mal nécessaire, comme un véhicule de location. Nous avons besoin de lui pour traverser la vie, comme d'un moyen de locomotion.

que, pour ne plus être dominé, il fallait être dominant. Aujourd'hui, on prône les relations horizontales et non verticales, et on renonce à ces histoires de dominance, parce qu'elles sont très coûteuses émotionnellement. On sait par exemple que les sujets narcissiques qui ont ces obsessions de dominance, de reconnaissance, de soumission de la part d'autrui sont des gens extrêmement insécurisés, avec des niveaux élevés de stress, d'anxiété, de tension, de crispation. Idem, dans l'autre sens, pour les sujets qui ont des déficits d'estime de soi.

Je conclurai par deux points : l'ego est un mal nécessaire, comme un véhicule de location. Nous avons besoin de lui pour traverser la vie, tout comme nous avons besoin d'un moyen de locomotion pour nous déplacer d'un point à un autre – sauf si l'on est un ermite ou un contemplatif qui ne bouge pas de son monastère, et trouve peut-être que se débarrasser complètement de son ego est plus simple. Sur les routes de la vie, il y a des véhicules plus polluants que d'autres : de gros 4×4 qui consomment beaucoup d'essence, qui veulent qu'on les regarde et qu'on les laisse passer, et à l'autre extrême, des petits vélos qui ne polluent pas et ne font pas de bruit. Il me semble qu'on ne peut pas se débarrasser de l'ego, le balancer par la fenêtre, mais qu'on peut juste s'assurer qu'il ne soit pas trop polluant pour les autres, pas trop coûteux pour nous (en énergie, en soins, en entretien…).

Second point : on ne peut pas espérer se débarrasser de l'ego en le méprisant. Chez les patients qui souffrent de manque d'estime de soi, la solution n'est pas de continuer à se mépriser : souvent, ils sont à la fois obsédés par eux-mêmes et irrités contre eux-mêmes. On en revient à cette différence capitale entre détachement et non-attachement : l'idée n'est pas de se détacher de l'ego de façon obsessionnelle, mais nos efforts doivent nous porter vers le non-attachement à l'ego.

La véritable confiance en soi

MATTHIEU : J'ai souvent eu l'occasion de parler de la déconstruction de l'ego dans la pratique bouddhiste. Bien souvent, les gens sont mal à l'aise avec cette démarche. Ils demandent : « N'est-il pas nécessaire d'avoir un ego fort pour bien fonctionner dans l'existence ? » ou encore : « Beaucoup de gens ne souffrent-ils pas de troubles psychologiques parce que leur ego est fragmenté ou affaibli ? »

Du point de vue du bouddhisme, au lieu de parler d'ego fort, on préfère parler de force intérieure. Cette force va de pair avec le fait de se libérer du carcan de l'ego, qui est la source première de tout ce qui empoisonne notre esprit.

Les recherches dont tu parles ont montré que la compassion, la générosité, la bonté, l'indulgence envers nous-mêmes nous permettent d'avoir une saine estime de soi. À l'inverse, toutes les méthodes employées, notamment en Amérique du Nord, pour renforcer l'estime de soi de façon artificielle conduisent au narcissisme, à tel point que, selon la psychologue Jean Twenge, depuis vingt ans on observe aux États-Unis une véritable épidémie de narcissisme : 90 % des étudiants interrogés pensent qu'ils font partie des 10 % les plus doués, 90 % des conducteurs d'automobile (même ceux qui ont récemment causé un accident) sont persuadés qu'ils conduisent mieux que les autres. Il n'est pas nécessaire d'être un grand mathématicien pour comprendre que tout le monde ne peut pas être au-dessus de la moyenne !

Aux États-Unis, les parents et les éducateurs répètent du matin au soir aux enfants : « Tu es spécial ! » Les enfants se prennent au jeu. Ils portent des tee-shirts ou utilisent des stickers sur lesquels il est écrit « Je suis spécial ». Un vêtement pour fille sur dix porte quelque part la mention « princesse ». J'ai reçu d'Amérique une carte d'anniversaire musicale disant : « Nous tenons à vous dire que vous êtes vraiment spécial. » Or, la synthèse d'un nombre significatif d'études a conduit le psychologue Roy Baumeister à conclure que tous les efforts et tout l'argent que les écoles, les parents et les thérapeutes ont investis dans la promotion de l'estime de soi n'ont produit que des bienfaits minimes. « Après toutes ces années, conclut-il, j'ai le regret de dire que ma recommandation est la suivante : oubliez l'estime

La confiance en soi d'une personne
narcissique est éminemment fragile
car elle est fondée sur une enflure de l'ego
déconnectée de la réalité.

de soi et concentrez-vous sur la maîtrise de soi et l'auto-
discipline.»

Il ne faut évidemment pas tomber dans l'autre extrême
et, comme tu l'as bien montré dans tes écrits, Christophe,
une «bonne» et saine estime de soi est indispensable
pour s'épanouir dans l'existence, puisque la dévalorisation
maladive de soi peut entraîner des troubles psychologiques
graves et de grandes souffrances.

Pour conclure, la confiance en soi d'une personne narcissique est éminemment fragile car elle est fondée sur une
enflure de l'ego qui est déconnectée de la réalité. Quand le
Narcisse s'aperçoit qu'il n'a rien d'exceptionnel, qu'il n'est
ni plus beau, ni plus intelligent, ni plus charmeur, ni plus
doué que la moyenne, la chute est dure et engendre chez
lui colère ou dépression. Ce n'est donc pas en s'accrochant
à l'entité factice de l'ego qu'on peut acquérir une confiance
stable. La confiance véritable naît de l'affranchissement des
pièges et du carcan de l'ego.

Le je, la personne et l'ego

MATTHIEU : Nous prenons notre moi pour une entité unique, autonome et durable. C'est sans doute utile pour fonctionner dans l'existence, mais ce concept correspond-il vraiment à la réalité ? Quand je vois une photo de moi petit, je me dis : « Ce gamin qui fait du vélo, c'est moi. » Depuis cette époque, j'ai vécu toutes sortes d'expériences et mon corps a vieilli, mais je me dis : « C'est toujours moi. » Dans ce phénomène, plusieurs mécanismes mentaux se produisent simultanément : la perception d'un « je », celle d'une « personne » et celle d'un « ego ».

Le *je* vit dans le présent ; c'est lui qui pense, lorsque je me réveille le matin, « j'existe », puis « j'ai froid » ou « j'ai faim ». Il correspond à l'expérience de notre état actuel.

La notion de *personne* reflète notre histoire. C'est un continuum étendu à l'ensemble de notre existence qui intègre des aspects corporels, mentaux et sociaux. Sa continuité dans le temps nous permet de relier les représentations de nous-mêmes qui appartiennent au passé à celles qui concernent le futur.

Reste l'*ego*. Spontanément, nous considérons qu'il constitue le cœur même de notre être. Nous le concevons comme un tout indivisible et permanent qui nous caractérise de l'enfance à la mort. L'ego est le propriétaire de « mon corps », de « ma conscience », de « mon nom ». Bien que notre conscience soit par nature un flot dynamique en constante transformation, nous ne pouvons nous empêcher d'imaginer une entité distincte semblable à un bateau descendant le cours d'une rivière.

Une fois que la perception d'un «je» et d'une «personne» s'est cristallisée dans ce sentiment d'identité beaucoup plus fort qu'est l'ego, nous voulons protéger et satisfaire cet ego. Nous manifestons de l'aversion pour tout ce qui le menace, et de l'attirance pour tout ce qui lui plaît et le conforte. Ces deux réactions donnent naissance à une multitude d'émotions conflictuelles – colère, désir, envie, jalousie, etc.

Il suffit d'examiner un peu cet ego pour comprendre à quel point ce n'est qu'une mystification dont l'auteur est notre propre esprit. Essayons par exemple de le localiser. Quand je dis : «Tu m'as frappé», je ne dis pas : «Tu as frappé mon corps, mais c'est pas grave car ce n'est pas moi.» J'associe donc bien mon ego à mon corps. Ma conscience, elle, ne peut pas être frappée. Mais quand je dis : «Tu m'as fait de la peine», j'associe mon ego à mes sentiments, à ma conscience. De plus, quand je dis «mes» sentiments, «ma» conscience, «mon» nom, «mon» corps, l'ego apparaît maintenant comme propriétaire de tout cela. On ne voit pas très bien comment une entité douée d'existence propre pourrait, à la manière d'Arlequin, assumer toutes ces identités mutuellement incompatibles. L'ego ne peut donc être qu'un concept, une étiquette mentale apposée sur un processus dynamique. Il nous est certes utile puisqu'il nous permet de relier un ensemble de situations changeantes, d'intégrer nos émotions, nos pensées, la perception de notre environnement, etc., en un tout cohérent. Mais

il est finalement le produit d'une activité mentale conti-
nuelle qui maintient en vie, dans notre esprit, une entité
imaginaire.

ALEXANDRE : Que dirais-tu à un maître zen qui prati-
querait des électrochocs et qui n'hésiterait pas, au besoin,
à envoyer une bonne claque à un disciple empêtré dans
l'attachement ?

MATTHIEU : Si j'étais un bon disciple zen, je me
dirais : « Qu'est-ce qui m'a frappé, la main du maître,
ou l'intention qui l'a guidée ? », ou encore : « Qu'est-ce
qui m'a fait mal, ma joue ou mes sentiments ? » Cela me
rappelle l'histoire d'une amie de Hong Kong qui était
venue recevoir des enseignements dans notre monastère
de Shechen, au Népal. Plus d'un millier de personnes
étaient assises par terre, serrées les unes contre les autres
à l'intérieur du temple. À un moment donné, quelqu'un
qui se trouvait derrière cette femme lui a donné un coup
dans le dos pour l'inciter à s'avancer un peu. Cet incident l'a perturbée pendant une bonne heure. Elle s'est
dit : « Je viens de si loin pour recevoir des enseignements
bouddhistes sur la patience et la compassion, et voilà
que quelqu'un se comporte comme un rustre avec moi,
alors qu'il est lui aussi venu pour recevoir ces enseignements. » Mais au bout d'un certain temps, elle n'a pas
pu s'empêcher de pouffer de rire : « Je venais de réaliser,
raconta-t-elle au maître spirituel du monastère, que mon
corps avait ressenti l'impact du coup pendant quelques

secondes, mais que mon ego en avait souffert pendant une heure.»

Pour revenir à l'examen de l'ego, nous arrivons souvent à la conclusion que l'ego, c'est notre conscience. Pourtant, cette conscience est elle aussi un flux insaisissable : le passé est mort, le futur n'est pas encore né, et le présent n'a aucune durée. Comment l'ego pourrait-il exister suspendu entre quelque chose qui n'existe plus et quelque chose qui n'existe pas encore ? Quant à l'instant présent, il est impossible de mettre le doigt dessus. L'ego ne peut survivre longtemps s'il demeure dans la transparence du moment présent, libre de toute pensée discursive. Il a besoin de se nourrir de ruminations du passé et d'anticipations du futur.

Si l'ego, alors, n'est qu'une illusion, s'en affranchir ne revient pas à extirper le cœur de notre être, mais simplement à ouvrir les yeux. Et, puisque notre attachement à l'ego est source de souffrance, il est extrêmement utile de démasquer son imposture.

N'ayons crainte, en se débarrassant de l'ego on ne devient pas un légume, c'est tout le contraire. Paul Ekman a dit un jour : «J'ai remarqué, chez les gens qui me semblent doués de qualités humaines exceptionnelles et qui donnent une impression de bonté, de candeur et de joie de vivre, comme le Dalaï-lama ou Desmond Tutu, qu'elles avaient un ego à peine perceptible. Les autres aspirent instinctivement à être en leur compagnie, qu'ils trouvent particulièrement enrichissante. Ces gens inspirent les autres par le peu de cas qu'ils font de leur statut, de leur renommée, de leur moi. Une telle absence d'égocentrisme est confondante.»

L'oubli de soi, le silence de l'ego

ALEXANDRE : À tout bout de champ, nous entendons les mots d'*ego* et de *moi*, sans savoir vraiment ce qu'ils désignent. Et, à vrai dire, j'aurais grand-peine à les définir. À mes yeux, l'ego, c'est une sorte de paquet d'illusions composé de désirs, de peurs, d'émotions, et de représentations auxquelles, pour notre plus grande souffrance, nous nous attachons. Il faut bien distinguer ce moi illusoire, cette façade et le fond du fond, notre intériorité, qui échappe à toute réification. Pourtant, la notion d'ego continue à rester floue dans mon esprit. Dès lors, comment pourrais-je m'en libérer ? Grâce à Christophe, je commence à comprendre et à nuancer. J'ai longtemps considéré avec soupçon un certain éloge de l'estime de soi. Je redoutais qu'il vire au culte de la personnalité. Mais, comme le montre Christophe, sans une personnalité bien structurée, sans une saine confiance en soi, nous tombons dans bien des esclavages.

Sur ce chapitre, j'aime aussi me rappeler la fine analyse de Rousseau dans le *Discours sur l'origine et les fondements de l'inégalité parmi les hommes*. Il distingue l'amour de soi, qui porte chaque individu à prendre soin de lui, à éviter les dangers, de l'amour-propre, qui est une passion éminemment sociale. Nous connaissons tous ses dégâts : la folie du qu'en-dira-t-on, la soif du paraître, le désir de domination, le goût du pouvoir. Au fond, l'amour propre surgit de la comparaison. C'est comme si on se forgeait une idée de soi à laquelle on s'attache, pour notre plus grande souffrance. Rien à voir, à la base, avec l'amour de

Qui suis-je? Sans que cela tourne à l'obsession, il est libérateur de s'interroger : suis-je mon corps, mes pensées, ma bagnole? Suis-je mes convictions religieuses, mes idées politiques?

soi, cette inclination primitive, cette espèce d'instinct de conservation qui nous pousse à prendre soin de notre vie et, dans bien des cas, à progresser. Malheureusement, bien souvent, cet élan part en vrille et se dégrade en égoisme. Le philosophe me donne une clé efficace pour ne pas sombrer dans cette idolâtrie du « moi je » sans pour autant virer dans un pitoyable mépris de soi.

Ramana Maharshi, ce grand sage indien, dégage aussi la voie. Il peut nous aider à nous déprendre de ce moi qui s'agite en tous sens pour rejoindre le fond du fond où la joie et la paix nous précèdent. Très concrètement, je peux l'imiter en me demandant à mon tour : Qui suis-je? Sans que cela tourne à l'obsession, il est libérateur de s'interroger : Suis-je mon corps, mes pensées, ma bagnole? Suis-je mes convictions religieuses, mes idées politiques?

Ce qui nous libère, c'est aussi d'interpréter les émotions perturbatrices comme des signaux d'un éventuel attachement à l'ego. Pourquoi diable est-ce que je m'accroche à une idée quitte à en souffrir? Et pourquoi suis-je parfois prêt à crever plutôt que de reconnaître mes torts? Plus subtilement, je devine comme un narcissisme à l'envers qui envahit même le terrain de la vie spirituelle : « Moi je vais vous montrer que je n'ai pas d'ego, vous allez voir ce que vous allez voir… » Face à ce danger, il y a bien mieux à faire que de se mépriser. Écoutons plutôt le mot d'ordre de Spinoza : « Ne pas railler, ne pas pleurer, ne pas haïr, mais comprendre. »

Traquer les mécanismes qui nous coincent dans l'ego, repérer nos esclavages est un défi joyeux plus qu'un devoir. Et pourquoi ne pas démarrer sa journée par un petit bilan, un bulletin météo interne : « Tiens, aujourd'hui, mon petit moi s'agite grave. Je ne vais pas très bien, je suis hyper-susceptible et pour qu'on me valorise, je serais prêt à ramper. »

J'aime aussi l'exercice que je propose à mes enfants lorsqu'ils sont un peu turbulents. Nous demeurons quelques minutes dans le silence à contempler le mental. Les boudd-histes le comparent parfois à un petit singe hyper-excité qui saute de branche en branche, sans jamais s'arrêter. La pratique, c'est tout simplement, sans vouloir changer quoi que ce soit, le regarder tranquillement faire le fou. Et pour-quoi pas lui parler le plus paisiblement du monde : « Petit singe, tout doux ! » Ce qui caractérise le mental, c'est cette perpétuelle insatisfaction. Toujours, il tombe sous le coup des émotions perturbatrices.

Quand nous ressentons de la joie, l'ego s'éclipse. Il n'y a plus besoin de prouver quoi que ce soit. Voilà pourquoi nous accabler de reproches ne sert à rien. Au contraire, cela aurait plutôt tendance à exacerber le petit moi. Le chemin de la libération ne passe donc pas par une mortification mais bel et bien par le don de soi, la joie et le partage. Et des petits exercices réitérés au quotidien nous y conduisent.

L'ascèse pourrait démarrer en privilégiant le *nous* plutôt que le *je*. D'ailleurs, en coréen, j'ai appris qu'on ne disait pas «ma maison» mais «notre maison». Nous sentir séparés des autres, isolés, finit par accroître notre mal-être. Si nous nous levons le matin avec pour seul but d'empêcher notre petit moi de se faire égratigner, nous trouverons partout des obstacles. Pourquoi ne pas quitter l'erreur de perspective induite par l'égocentrisme ?

L'autre jour, ma fille jouait dans un parc. Soudain, j'ai entendu des cris de douleur et je me suis dit, en voyant que ce n'était pas mon enfant qui pleurait : «Ouf, ce n'est pas elle.» C'est bizarre : il y avait vingt bambins, et un seul m'intéressait vraiment. Combien d'êtres vivants habitent sur la terre ? Quelle erreur de calcul et quel manque d'amour que de me préoccuper exclusivement de ma personne, voire de *mes* proches en négligeant les autres milliards d'individus qui vivent sur *notre* planète. Tôt ou tard, la vie se charge d'ailleurs de me rappeler que je ne suis pas le centre du monde.

MATTHIEU : Tu parles de passer du «je» au «nous»... Dans les livres, j'ai beaucoup de mal à écrire «*je* pense que...». On me dit souvent : «Ce n'est pas assez personnel ton truc.» Mon seul but est de partager des idées qui me sont chères, d'expliquer des points de vue, de me faire le porte-parole de la sagesse de mes maîtres spirituels et de

Lorsque les gens progressent en thérapie, ils ont alors tendance à utiliser beaucoup plus le « nous » que le « je ».

faire connaître les recherches scientifiques qui éclairent les sujets qui nous préoccupent. J'ai tenté le « nous », mais je me suis fait taper sur les doigts, surtout en anglais : « Ça, c'est le "nous" royal ; tu te prends pour la reine d'Angleterre ? » Pourtant, il paraît que le « nous » est bon pour la santé ! Un chercheur, en analysant des discours et des écrits, s'est aperçu que ceux qui employaient le plus souvent « je », « moi » et « mien », étaient plus sujets à des crises cardiaques…

CHRISTOPHE : D'ailleurs, des études sur le discours des patients montrent que, lorsque les gens progressent en thérapie, ils ont alors tendance à utiliser beaucoup plus le « nous » que le « je ».

ALEXANDRE : Donc il ne faut pas forcément soumettre le moi à une diète drastique mais bien user de moyens habiles pour le dégommer en douceur, sans cet épuisant volontarisme. Sur la question du bonheur, il me semble que l'ego est bourré d'idées préconçues. Osons-nous prendre le temps de nous interroger sur ce qui nous rend pleinement heureux ? Si c'est gagner des millions ou devenir une star, il y a fort à parier que nous serons malheureux à vie.

La vraie joie, celle que les épreuves n'atteignent pas, comment la découvrir ? Maître Dogen indique la voie directe quand il dit que le don conduit au détachement. Très simplement, je peux me demander : Qu'est-ce que je peux offrir ici et maintenant à mon prochain ? J'y puise une force qui m'aide à remonter la pente qui m'entraîne presque irrésistiblement vers un égoïsme douloureux. Ne plus se contenter d'une générosité en vrac, désincarnée, voilà le défi. Parfois il est plus facile de témoigner une infinie patience au premier venu que de ne pas envoyer balader sa femme à la moindre dispute.

Ce qui, pour de bon, décape l'ego, c'est l'autodérision. Rien de mieux que l'humour pour venir me déloger à chaque fois que je m'installe dans une étiquette. Cent fois par jour, je me rappelle cette citation de Maître Eckhart : « Observe-toi toi-même, et dès que tu te trouves, laisse-toi, il n'y a rien de mieux à faire. » Dans la joie, l'ego nous laisse la paix, il se tire sur la pointe des pieds. Je ne sais plus qui a dit que la santé, c'est le silence des organes, mais je crois que la joie inconditionnelle, c'est le silence de l'ego.

CHRISTOPHE : C'est un chirurgien français, René Leriche, qui a dit en 1936 : « La santé, c'est la vie dans le silence des organes. »

ALEXANDRE : Lorsque l'ego s'éclipse, la paix advient, comme par miracle. Mais presque toujours « Mental FM » diffuse son bruit de fond : « Va vite là », « Fais ceci », « Fais cela », « Ça ne va pas comme ça », « Il me faut cela »…

Pratiquer la méditation, c'est finalement tenter de diminuer l'impact de ces pensées. L'ego n'est pas là pour nous rendre heureux. Il a peut-être une fonction, mais sa vocation n'est certainement pas de nous conduire à la paix. Instant après instant, apprenons à lui désobéir, à cesser de prendre ses ordres pour argent comptant. Et pourquoi pas, rire de sa façon de toujours critiquer, de juger et de condamner tout le monde. Ce qui le met K.-O., c'est la générosité qui n'attend rien. N'hésitons donc jamais à nous demander : « Qu'est-ce que je peux faire concrètement aujourd'hui pour faire du bien à quelqu'un ? »

MATTHIEU : Si le silence des organes est la santé physique, le silence de l'ego est la santé mentale ! L'ego se pose tout le temps deux questions : « Pourquoi moi ? » et « Pourquoi pas moi ? » Pourquoi m'a-t-il dit cette vacherie ? Pourquoi cet ennui est-il tombé sur moi ? Pourquoi je ne suis pas aussi beau ou chanceux que ce gars-là ?

Tout être humain veut trouver le bonheur et éviter la souffrance, mais la meilleure décision que l'on puisse prendre est de ne pas confier ce bonheur à l'ego. Celui qui ne pense qu'à lui ne fait rien de sensé pour être heureux. De plus, ses échecs renouvelés provoquent en lui une frustration et une rage qu'il retourne contre lui-même et contre le monde extérieur.

L'ego sain est l'ego transparent de celui qui dispose d'un vaste espace de paix intérieure dans lequel il peut accueillir les autres, car il n'est pas obsédé par sa propre situation. En rendant son ego moins lourd et concret, on s'épargne beaucoup d'ennuis. On se préoccupe moins des critiques et des louanges. On fait le ménage dans ses pensées et on éteint Mental FM, qui radote à longueur de journée : «Moi, moi, moi; qu'est-ce qu'il va m'arriver? Qu'est-ce qu'on va dire de moi?» On se met aussi à mieux regarder autour de soi, et à percevoir la beauté des êtres et des choses. Je me souviens du père Ceyrac, qui est mort presque centenaire après s'être occupé pendant cinquante ans de dizaines de milliers d'enfants pauvres dans le Sud de l'Inde. Un jour, il m'a dit avec un grand sourire : «Je sors du métro. Les gens sont si beaux. Mais ils ne le savent pas!»

CHRISTOPHE : Travailler sur la manière dont on réagit aux compliments et aux critiques est un très bon exercice pour nos patients en mésestime de soi. Ils sont complexés, doutent d'eux, se font souvent exploiter, écraser, manipuler par les autres. Et parfois, à l'inverse, ils deviennent agressifs parce qu'ils sont mal dans leur peau. Nous leur montrons qu'il existe des façons d'accepter les compliments, sans refuser ce qu'ils véhiculent, mais sans s'en gargariser, s'en trouver forcément grandi. Il en est de même pour les critiques : une critique n'est pas forcément une vérité, mais c'est toujours une information! Lorsqu'on me critique (si c'est fondé), on m'envoie un message, soit sur moi (on me signale certains défauts, et je dois m'en réjouir), soit sur la façon dont la personne me voit et je dois m'en réjouir aussi! Car, dans les deux cas – rappel à l'ordre ou information nouvelle –, ce sont des messages utiles.

Nous apprenons à nos patients à faire face à ces compliments, à ces critiques, et évidemment à s'en méfier un peu aussi : avoir une bonne image de soi seulement si l'on reçoit des compliments ou de l'admiration, et une mauvaise image de soi si l'on subit des critiques ou un manque de reconnaissance est extrêmement dangereux ; c'est une addiction au regard d'autrui, au même titre que l'addiction au sucre, au tabac, à l'alcool, à la drogue. Nous avons alors besoin de nous en sevrer. Bien sûr, nous avons tous besoin de compliments et de critiques, pour nous rappeler nos défauts et nous encourager parfois, mais attention à ne pas basculer dans la dépendance.

Douche de gratitude

CHRISTOPHE : Il y a, dans ce que disait Alexandre, une notion très précieuse : plus on se sent coupé du monde, plus on veut sauver sa peau. Je me souviens d'avoir travaillé sur la gratitude avec des patients qui souffraient de problèmes d'estime de soi : nous leur demandions régulièrement de songer à ce qu'ils devaient aux autres lorsqu'ils se sentaient heureux, qu'ils avaient vécu un certain succès. L'idée consistait à se demander, après s'être réjoui de ce qui leur arrivait : « Dans ce bonheur que je suis en train de ressentir, ou dans ce succès que j'ai pu attendre, qu'est-ce que je dois aux autres ? » Et, très paradoxalement, plus ils apprenaient à fonctionner sur ce mode, plus ils prenaient confiance en eux ! Parce que, au fond, la gratitude les libérait de cette « fausse confiance en soi », comme tu l'as dit Matthieu, qui consiste à ne croire qu'en ses forces et en ses capacités. Ils acquéraient une forme de confiance en soi beaucoup plus intelligente et bien plus large. Une confiance qui s'ancrait dans toutes les sources d'aide, d'amour, d'affection autour d'eux, auxquelles ils ne faisaient pas forcément attention et qu'ils ne sollicitaient que lorsqu'ils étaient au fond du trou, alors qu'il faut au contraire y penser quand on est dans le bien-être, la réussite, l'atteinte de nos objectifs. Au lieu de nous affaiblir, comme pourraient le penser les narcissiques, se dire : «Tu dois aux autres une partie – grande ou petite, peu importe – de ce que tu vis» nous renforce en augmentant notre sentiment de lien et de solidarité avec les autres. Ce lien est beaucoup plus intense, beaucoup plus étroit que nous le croyons.

Une des plus belles définitions de la gratitude que je connaisse est celle du philosophe André Comte-Sponville, qui écrit : «La gratitude se réjouit de ce qu'elle doit, quand l'amour-propre préférerait l'oublier.» Je suis heureux de devoir quelque chose aux autres, parce que, au fond, c'est merveilleux que les autres m'aient donné ce «quelque chose», je ne dois pas m'en sentir vexé, infériorisé ou insécurisé. Cela ne veut pas dire que je n'étais pas capable de l'obtenir seul, ou même si c'est le cas, ce n'est pas important, du moment que les autres ont pu m'aider. Ne l'oublions pas, cultiver la conscience de ce que nous devons aux autres pour nous sentir plus forts est un bon chemin de traverse.

MATTHIEU : Juste un mot à propos de la gratitude. Greg Norris, qui étudie à l'université Harvard le cycle de vie des objets que nous utilisons couramment, m'a un jour expliqué que lorsque je tiens dans ma main une feuille de papier, au moins trente-cinq pays ont rendu ce geste possible. Un bûcheron, par exemple, a coupé un arbre dans une forêt de Norvège, un transporteur danois a transporté cet arbre jusqu'à une usine française, et ainsi de suite. Puis on a ajouté à la pâte à papier de l'amidon extrait de pommes de terre venant de République tchèque, cette pâte a été colorée ou blanchie à l'aide de substances chimiques fabriquées en Allemagne, etc. Par ailleurs, chacun des êtres qui a contribué à cette chaîne a des parents, des grands-parents, des enfants…, qui tous l'ont peut-être influencé dans le choix de ce qu'il fait. Bref, on pourrait donc lire en filigrane sur toute la surface du papier l'inscription : « Les autres, les autres, les autres… »

Cette constatation de l'interdépendance de tous les êtres et de toutes les choses devrait continuellement nous remplir de gratitude. Comme les environnementalistes qui évaluent l'empreinte écologique d'un produit, nous pourrions évaluer l'empreinte de gratitude liée à ceux qui nous ont permis d'être ensemble aujourd'hui. On s'apercevrait peu à peu que cette gratitude devrait englober la terre entière.

CHRISTOPHE : Un jour, un patient à qui j'avais appris à pratiquer ces exercices me parlait de la « douche de gratitude » qu'il prenait tous les soirs en faisant le bilan de sa journée! Il songeait en s'endormant à toutes les bonnes choses – grandes ou petites – qu'il avait vécues et qu'il devait – pour tout ou partie – à d'autres. Et il me disait : « Si on y réfléchit bien, ça va très loin, votre truc ! » Et il est vrai que c'est incroyable ! Si tout à coup je m'arrête, pour prendre conscience de tout ce que je dois à d'autres en cet instant, j'ai l'impression que la moitié de l'humanité est dans la pièce ! C'est exactement ce que tu disais, Matthieu : gratitude pour les gens qui ont fait le thé que nous buvons, pour ceux qui ont fabriqué la tasse, pour les personnes d'EDF qui acheminent l'électricité jusqu'à nous, pour toi qui as organisé cette réunion à trois pour notre livre, pour les amis qui nous aident à l'intendance, aux repas... Au bout d'un moment, ce n'est plus une douche, c'est un Niagara qui nous dégringole dessus ! Il n'y a rien de ce que nous sommes en train de vivre en ce moment qui ne soit pas dû à d'autres personnes. Rien : la lumière, la chaleur, la nourriture, nos vêtements, le fait de pouvoir parler ensemble – tout cela, nous le devons à nos parents, à nos professeurs, à nos amis, à des dizaines et des centaines d'inconnus. C'est vertigineux, bouleversant et réjouissant.

MATTHIEU : Dans les magasins de souvenirs, on trouve souvent des bols sur lesquels sont peints des prénoms. Tu cherches le bol où est marqué Paul, Virginie, Matthieu ou un autre prénom que tu as en tête. Ce qu'on devrait écrire sur toute la surface du bol, mais aussi de tant d'autres choses, c'est : « Les autres, les autres, les autres... » Voilà ce qu'on devrait se rappeler en utilisant n'importe quel objet. Les gens râlent à cause des embouteillages, du métro, sans penser un instant à l'incroyable coopération qu'impliquent l'existence et le fonctionnement d'une ville.

CHRISTOPHE : L'exercice de gratitude est réconfortant. Et dans «réconfortant», il y a quelque chose qui nous fait du bien et quelque chose qui nous rend plus fort. La gratitude nous rend plus forts et nous donne une conscience des ressources extérieures plus grandes que nos seules ressources intérieures.

MATTHIEU : En fait, on devrait mettre Narcisse tout nu dans une forêt vierge et lui dire : «Maintenant, débrouille-toi tout seul puisque tu es le meilleur!» (*Rires.*)

NOS CONSEILS
FACE À L'EGO

QUATRE CONSEILS QUI SURGISSENT
ALEXANDRE

🍃 Pratiquer la gratitude comme un exercice spirituel et, à notre tour, entrer dans cette immense chaîne de solidarité en posant des actes très concrets pour aider le plus grand nombre.

🍃 Prendre soin de soi : pour liquider l'ego, ou du moins pour le rendre un brin plus silencieux, commençons par réellement prendre soin de nous et repérons ce qui nous met véritablement en joie. Sinon, quand la frustration, l'amertume, la révolte traînent au fond du cœur, l'ego s'enflamme illico. Dès à présent, apprendre à se réjouir et à se faire du bien.

🍃 «Qui suis-je?» Mettons nos pas dans ceux de Ramana Maharshi. Quand l'angoisse nous visite, nous demander sur-le-champ : Qui a peur? Et, lorsque nous traversons des zones de turbulences, progressivement repérer qu'il demeure toujours une parcelle de notre être qui, au sein même du chaos, échappe à la souffrance.

TROIS RÉFLEXIONS
MATTHIEU

🍂 Cesser de coller les étiquettes de «moi» et de «mien» sur soi-même et sur les choses. On sera plus en accord avec la réalité et notre esprit sera plus vaste.

🍂 Se libérer des caprices de l'ego. Moins préoccupé par le besoin de se protéger, on sera plus disponible pour les autres.

🍂 Être bienveillant. C'est la meilleure façon de réaliser son propre bonheur.

BREFS CONSEILS AUX GENS QUI ONT DES PROBLÈMES AVEC LEUR EGO
CHRISTOPHE

🍂 Soyez votre ami, ayez un lien d'amitié avec vous-même; mais ne courez pas après l'admiration ou la promotion de votre image. C'est vraiment d'amitié qu'il s'agit : vouloir le bien d'un ami, c'est pouvoir être avec lui bienveillant et exigeant, avec douceur.

🍂 Ayez vos petits mantras d'autobienveillance : «Fais de ton mieux, et ne te fais jamais de mal.»

Allégez-vous, dites-vous : «Que ton ego soit comme un petit vélo, et pas comme un gros 4×4 !»

Prenez tous les soirs des «douches de gratitude», qui enlèveront les poussières inutiles de l'ego, vous réjouiront le cœur et vous révéleront toutes vos forces, intérieures et extérieures.

3
APPRENDRE À VIVRE AVEC NOS ÉMOTIONS

CHRISTOPHE : Les émotions sont un domaine passionnant car fondamental dans la compréhension des humains, de leur psychologie et de leurs souffrances. Quand j'étais petit, l'un des idéaux éducatifs de mes parents était que je sois un petit garçon *raisonnable*. Et dans ce *raisonnable*, il y avait l'idée qu'il ne faut pas laisser les émotions prendre trop de place. On retrouve là l'opposition, traditionnelle en Occident, entre raison et émotion : on valorise la raison et on refrène les émotions. Ce qui correspondait d'ailleurs au fonctionnement de ma famille, où l'on exprimait peu ses émotions. Comme par hasard, quand j'ai été médecin psychiatre, je suis devenu un spécialiste des troubles émotionnels...

Les émotions qui nous perturbent

CHRISTOPHE : En Occident, les émotions ont long-temps été considérées avec crainte et défiance. Les Grecs se méfiaient de celles qui perturbaient l'ordre social, notamment l'orgueil, l'*hubris* – la démesure de la fierté et de la confiance en soi. La tristesse leur paraissait aussi être une émotion problématique, parce qu'elle désengageait l'individu de son rôle de citoyen. Tout change au XIXᵉ siècle, avec Darwin, qui montre que les émotions sont au départ un phénomène biologique adaptatif, qui se retrouve, à l'état embryonnaire, dans les espèces animales les plus simples, et devient de plus en plus élaboré à mesure que le cerveau se complexifie. Il *naturalise* les émotions. Aujourd'hui, nous avons la chance de vivre une époque où l'on étudie les émotions de manière scientifique.

Dans mon métier, si les gens viennent consulter, c'est souvent pour des émotions douloureuses qui échappent à leur contrôle. Il s'agit principalement des émotions de peur qui colorent les maladies de l'anxiété, ainsi que des émotions de tristesse et de honte excessives qui se dérèglent à la hausse dans la dépression. Paradoxalement, les grands colériques viennent peu consulter : à mon avis, notre société a une trop grande tolérance vis-à-vis de la colère ! Jusqu'à présent, les patients consultaient peu pour des *déficits* d'émotions agréables : la première demande était de faire cesser la douleur liée aux émotions « négatives ». Mais avec la psychologie positive, les professionnels savent qu'après avoir soulagé les excès d'émotions négatives de leurs patients, ils doivent vérifier que ceux-ci sont capables d'accueillir, de susciter, de cultiver, ce qu'on appelle les émotions « positives ». Du reste, il existe aujourd'hui un grand débat sur la terminologie positif-négatif, qui induit un jugement de valeur : on a le sentiment que les émotions positives n'ont que des avantages et les négatives que des inconvénients, ce qui est bien sûr trop simple. On s'efforce de plutôt utiliser les termes « émotion agréable » ou « émotion désagréable ».

La psychologie est devenue experte dans la compréhension des émotions désagréables et dans l'analyse de leur lien avec les pensées douloureuses. Il y a un dicton en thérapie cognitive qui dit : « Plus forte est l'émotion, plus forte sera la cognition. » Autrement dit, lorsque je suis habité par une émotion d'anxiété ou de tristesse, l'émotion est comme le feu sous la casserole de mes pensées, et plus l'émotion est forte, plus il y a de pensées négatives, et plus j'y adhère. Par exemple, si je suis trop énervé, des pensées telles que « ces gens sont nuls et font tout pour me contrarier » seront amplifiées et m'apparaîtront comme des évidences. Si je suis trop inquiet, le moindre souci se transformera dans mes pensées en catastrophe, etc. Inversement, si on fait baisser l'intensité émotionnelle, l'adhésion aux pensées sera moins forte. C'est comme cela que marchent les antidépresseurs et les anxiolytiques, ils ne modifient pas directement la nature de nos pensées, mais l'intensité de l'activité émotionnelle. On s'aperçoit aussi, au travers des thérapies où l'on utilise la méditation de pleine conscience, que l'attention est un moyen extrêmement puissant de réguler l'émotion. En nous aidant à prendre davantage de distance par rapport aux émotions, elle modifie l'impact qu'elles exercent sur notre vision du monde et sur notre cognition.

ALEXANDRE : Si les émotions ne nous mettaient pas constamment à la torture, nous n'en parlerions peut-être même pas. Mais elles nous rongent jour après jour et nous empoisonnent la vie. Quand elles nous tiennent, c'est tout le rapport à la réalité qui chancelle. Sous l'emprise de la colère ou de la panique, je peux dire adieu au peu de lucidité qu'il me reste. L'un des grands chantiers de la vie spirituelle, c'est d'abord d'accepter que nous pouvons perdre le contrôle. L'autre jour, chez le dentiste, j'ai repéré une minuscule tache rouge et mon mental s'est chargé du reste : les pires scénarios catastrophes se sont succédé et je me voyais déjà claquer du sida, abandonné de tous. Pour un rien, je me suis fait un souci monstre.

D'ailleurs, l'expression « se faire du souci » montre bien que l'esprit crée, qu'il fabrique de toutes pièces la crainte. Il vient en quelque sorte plaquer sur le monde une chape d'illusions que nous devons dissiper sans tarder. Pour commencer, peut-être, il conviendrait de ne pas dramatiser, et de prendre conscience qu'une des tares de l'ego, c'est de s'inquiéter pour rien, de tourner à vide. Pratiquer la méditation, c'est réaliser peu à peu toute la résonance que peut prendre un petit détail mal interprété. Il y a donc une sacrée différence entre la peur presque physique qui surgit lorsqu'un fusil retentit à dix centimètres de mes oreilles, et cette petite tache rouge, parfaitement insignifiante, qui va générer la pire des angoisses durant des mois.

Mais que vaut le raisonnement face aux fables construites par le mental ? Le pire, c'est que j'y crois. Je me rappelle à ce sujet d'une femme qui redoutait plus que tout d'être foudroyée par un éclair. Un jour, au téléphone, elle a entendu gronder au loin le tonnerre. Prise de panique, elle a voulu raccrocher tout de suite. Bêtement, je lui ai répondu qu'à tout casser elle avait un risque sur un million que la foudre s'abatte sur sa maison. Du tac au tac, elle m'a répondu : «Justement !» Christophe, tu m'apprends jour après jour que, plus que tout, c'est l'incertitude que craint l'anxieux. Un risque sur un million, c'est déjà trop pour celui qui a besoin d'une certitude infaillible pour se détendre et commencer à apprécier la vie.

Connaître les rouages du mental, repérer comment il s'y prend pour nous *avoir* n'est pas une mince affaire. Si l'angoisse me tétanise, je me surprends parfois à trouver insipides la joie et les accalmies du quotidien. C'est comme s'il me manquait l'adrénaline qui me stimulait à l'heure de l'épreuve, et c'est dramatique. Les coups du sort sont écrasants, épuisants, mais au moins, quand je luttais, je savais pourquoi je me levais le matin. Dans *Le Gai savoir*, Nietzsche écrit : «J'entends dans la douleur le commandement du capitaine de vaisseau : "Amenez les voiles !" L'intrépide navigateur "homme" doit s'être exercé à diriger les voiles de mille manières, autrement il en serait trop vite fait de lui, et l'océan bientôt l'engloutirait.» Mais après, quand le train-train et la routine reprennent leurs droits, un manque apparaît, presque une accoutumance, voire carrément une addiction au malheur. Comme s'il fallait nous coltiner des tuiles pour nous sentir vivants. Notre relation aux émotions peut être pour le moins ambiguë. Si elles nous font souffrir par leur excès, si elles nous font perdre nos repères, un malentendu plane : d'aucuns pensent qu'il faut vibrer pour exister et que la méditation vient nous amputer de nos émotions.

Ce qui m'a *séduit* dans la philosophie, c'est qu'elle semblait promettre la fameuse ataraxie, c'est-à-dire l'absence de troubles de l'âme. Aujourd'hui, je vois bien que je n'ai peut-être aucune chance d'arracher les mille et un tracas qui agitent mon esprit. Pourtant, grâce à la méditation, une sorte de miracle se produit jour après jour. Et souvent, je parviens à rire de mes angoisses, à ne plus avoir peur de mes peurs.

Un exercice m'y aide considérablement : voir que la conscience qui fait l'expérience de la peur, de l'angoisse, ou du chagrin, n'est jamais atteinte. Il existe en l'homme et en la femme une part qui reste indemne. Aucun traumatisme ne peut la troubler. On pourrait alors comparer la conscience à une espèce d'énorme marmite. À l'intérieur, il y a de tout : des pois chiches, des laitues, des carottes qui nous rendent de bonne humeur et des oignons qui nous arrachent des larmes. Dans le malheur, l'ego se borne à mastiquer les oignons sans savourer le reste. Considérer la conscience comme une marmite permet de laisser passer les émotions sans se réduire à la colère, à la peine, qui ne sont que des ingrédients parmi tant d'autres.

Ce qui peut nous épuiser, c'est cet éternel va-et-vient, ce Yo-Yo intérieur qui nous fait passer de la joie à la tristesse en un quart de seconde. Il est difficile d'être à fond dans la joie sans deviner qu'elle va s'arrêter. Et dans la tristesse, nous croyons que nous trimballerons à perpétuité ce mal-être, ce qui achève de nous plomber. La non-fixation est un outil des plus formidables qui nous permet de sortir de la saisie et du rejet pour commencer à accueillir tout ce qui advient. Et tout d'abord, il me faut accepter ces montagnes russes intérieures, repérer que je peux me lever heureux mais que la lecture d'un simple e-mail peut me tirer vers le bas. Comme si j'avais confié aux circonstances extérieures une télécommande qui aurait le pouvoir de me faire zapper d'une émotion à l'autre.

La bonne nouvelle, c'est que nous pouvons échapper à ces montagnes russes justement en descendant dans le fond du fond pour y découvrir une joie inconditionnelle. D'abord, le premier pas, c'est d'observer, tranquillement, cet incessant zapping, sans s'en inquiéter outre mesure. Il y a un grand malentendu qui empêche de goûter la joie inconditionnelle. À tort, nous croyons qu'elle ne sera possible que le jour où nous aurons guéri de toutes nos blessures, alors que cette joie sans pourquoi est possible dès maintenant, même au cœur du tourment. Nous pouvons y accéder, là, tout de suite. Si nous attendons une vie parfaite pour y goûter, nous risquons d'attendre bien longtemps... L'Ecclésiaste me prête main-forte en m'apprenant que c'est dans le chaos, sans espoir, que je *dois* découvrir la paix. J'aime que cet écrit biblique martèle ce célèbre refrain :

Je trouve une sorte de libération à constater
que tout est fragile. Enfin, je peux joyeusement
renoncer à la stabilité, à la solidité.

« Vanité des vanités, tout est vanité. » Sa lecture me guérit
de beaucoup d'illusions et m'ôte la tentation de croire que
je maîtrise le cours de ma vie. Tôt ou tard, tout se cassera
la figure, tout est impermanent.

Je trouve une sorte de libération à constater que tout est
fragile. Enfin, je peux joyeusement renoncer à la stabilité, à
la solidité, pour apprendre à nager dans l'impermanence. Si
je cherche coûte que coûte une terre ferme où m'installer
pour toujours, inexorablement je serai déçu. La première
noble vérité du Bouddha rappelle que tout est souffrance
et impermanence. Je ne suis ni tibétologue ni sanskritiste,
mais comme le fait remarquer Yongey Mingyour Rinpotché dans son livre *Le Bonheur de la sagesse*, on pourrait
formuler le diagnostic du Bouddha en disant que « tout
grince ». L'expérience commune démontre aussi que, quoi
que nous fassions, même si nous sommes dans les dispositions intérieures les plus pures, il y a toujours un truc qui
cloche. Et, comme le dit Bernard Campan : « Le tout est
de laisser grincer allégrement. » Pratiquer la méditation, ce
n'est pas s'extraire de ce monde, mais apprendre à cohabiter,
à être en paix au milieu de ces grincements.

Quand la psychologie moderne rejoint le bouddhisme

MATTHIEU : Pour continuer notre tour d'horizon, le mot «émotion», étymologiquement, évoque ce qui met en mouvement. C'est un sujet très vaste, car qu'est-ce qui ne met pas l'esprit en mouvement ? Selon le point de vue qu'ils adoptent et le but qu'ils poursuivent, les spécialistes parlent d'émotions positives ou négatives, agréables ou désagréables – comme tu le disais, Christophe –, tout en donnant des sens différents à ces termes. Ils les abordent sous différents angles : scientifique, thérapeutique, personnel, spirituel, et d'autres encore.

Pour comprendre les émotions de façon plus terre à terre, dans leur simple rapport avec le bien-être et le mal-être, il me semble nécessaire de commencer par quelques remarques. Toute activité mentale est associée à des émotions qui peuvent, en gros, être qualifiées de plaisantes, déplaisantes ou neutres. La plupart des états affectifs comme l'amour et la haine s'accompagnent aussi de discours intérieurs et de raisonnements. Sur le plan neurologique, chaque région du cerveau associée à des aspects émotionnels particuliers est également associée à des aspects cognitifs. Autrement dit, les circuits neuronaux qui véhiculent les émotions sont intimement liés à ceux qui véhiculent la cognition. Les émotions ne se manifestent pratiquement jamais indépendamment des autres aspects de notre expérience. Cela veut dire que la distinction entre l'émotionnel et le cognitif est loin d'être aussi tranchée qu'on pourrait le penser à première vue.

Du point de vue bouddhiste, qui est essentiellement thérapeutique puisqu'il vise à remédier à la souffrance et à apporter le bien-être, la façon la plus pragmatique de distinguer les différents états mentaux, en particulier les émotions, consiste à examiner leurs conséquences. Si une émotion accroît notre paix intérieure et notre bien-être tout en nous incitant à aider autrui, on dit qu'elle est *positive*. Si elle trouble notre esprit et nous pousse à nuire aux autres, on dit qu'elle est *négative*. Le seul critère qui vaut donc la peine d'être envisagé est le bien-être ou la souffrance qui résultent de telle ou telle émotion. En cela, le bouddhisme diffère des psychologies qui différencient les émotions selon qu'elles incitent au rapprochement, comme la curiosité et l'attraction, ou au retrait, comme la peur et l'aversion.

La distinction entre émotions agréables et désagréables me semble problématique du point de vue de la poursuite du bonheur durable, puisqu'elle perpétue la confusion entre bonheur et plaisir. Le plaisir est engendré par des stimuli agréables d'ordre sensoriel, esthétique ou intellectuel. Il est instable et peut rapidement se transformer en indifférence, voire en déplaisir ou en dégoût. Écouter une musique sublime peut procurer un immense plaisir, mais l'entendre en boucle pendant vingt-quatre heures tourne à la torture. De plus, la recherche individuelle du plaisir peut facilement aller à l'encontre du bien-être d'autrui. À l'inverse, le vrai bonheur, au sens bouddhiste, est un état intérieur qui n'est pas soumis aux circonstances. Au lieu de se transformer en son contraire au bout d'un certain temps, il devient de plus en plus stable, car il engendre un sentiment de plénitude qui devient un trait dominant de notre tempérament au cours des mois ou des années. C'est essentiellement une manière d'être et un équilibre intérieur profond liés à la compréhension juste du fonctionnement de l'esprit.

CHRISTOPHE : Quel est le mot tibétain pour désigner les émotions ?

MATTHIEU : Les termes bouddhistes dans ce domaine ne recouvrent pas toujours ceux que nous utilisons en Occident, car ils ne reflètent pas le même point de vue. Il n'y a pas vraiment de mot spécifique pour désigner les émotions positives. On parle de pensées ou d'états mentaux bénéfiques comme l'amour et la compassion. Il y a même d'autres états mentaux comme le calme mental ou le discernement qu'on n'appellerait pas « émotions » ici.

Quant au mot souvent traduit par « émotion négative », il a lui aussi un sens plus large puisqu'il désigne non seulement la colère, la jalousie, etc., mais aussi l'ignorance ou la confusion mentale, qui en sont la source. Les émotions, dans leur aspect négatif, sont liées à une vision fausse de la réalité qui entraîne un dysfonctionnement de l'esprit. Le terme tibétain évoque l'idée de tourment et d'épuisement. Il suffit d'observer le moment où l'avidité, la colère, la haine ou la jalousie nous envahissent pour constater qu'elles provoquent en nous un malaise profond et nous vident de notre énergie. Les actes et les paroles suscités par ces émotions font aussi le plus souvent du mal aux autres. Les émotions négatives creusent de même un fossé entre soi et les autres. Elles nous incitent à idéaliser ce que nous apprécions et à diaboliser ce que nous détestons. Elles nous font croire que la beauté ou la laideur sont inhérentes aux êtres et aux choses, ce qui crée un divorce croissant entre ce qu'ils sont en réalité et la façon dont ils nous apparaissent. C'est pour ça que, comme disait Christophe, plus on a d'émotions négatives, plus on surimpose des fabrications mentales à la réalité.

La psychologie positive, les thérapies cognitives et le bouddhisme se retrouvent sur ce point. Lors d'une rencontre avec le Dalaï-lama, Aaron Beck, le fondateur des thérapies cognitives, expliquait que, lorsqu'on est très en colère, 80 % de nos perceptions sont surimposées à la réalité. Si les êtres étaient attirants ou repoussants en soi, on serait tous attirés ou repoussés par les mêmes personnes, ce qui n'est pas le cas. Cette évidence nous échappe une fois que le désir ou la colère nous ont envahis, car nous traversons une «période réfractaire», comme dit Paul Ekman, qui nous empêche de nous rendre compte que la personne que nous haïssons sur le moment a par ailleurs des qualités, ou que celle que nous désirons follement a aussi des défauts.

Les émotions négatives ont une autre caractéristique, sur laquelle le Dalaï-lama insiste souvent : elles n'ont pas besoin d'être cultivées pour se développer. On peut avoir d'énormes colères sans avoir besoin de s'y entraîner une seconde. Comme le disait l'un de mes maîtres, Jigmé Khyentsé Rinpotché, « on n'a pas besoin d'exercer notre esprit pour qu'il soit contrarié ou jaloux plus facilement ; on n'a besoin d'aucun accélérateur de colère ou d'amplificateur d'amour-propre ». En revanche, même si on est naturellement patient ou bienveillant, il nous faut un certain effort pour le devenir davantage.

J'ajouterai qu'une émotion apparemment positive peut être en fait négative, et vice versa. Le désir peut parfois traduire une intention noble, comme celle de soulager les souffrances d'autrui ou de protéger l'environnement, mais le désir de richesses ou de plaisirs a toutes les chances de devenir tôt ou tard une source de tourments pour soi et pour les autres. La colère peut traduire la malveillance, mais aussi une juste indignation, un sentiment de révolte devant un massacre, par exemple, qui est l'expression de la bienveillance et suscite un puissant désir d'aider les autres.

CHRISTOPHE : Lorsque j'ai fait la découverte, à titre personnel et professionnel, de cette extrême variété des émotions et notamment des émotions positives, cela a changé ma vie ! Pendant longtemps, comme tout bon psychiatre, j'avais l'impression qu'il existait énormément d'émotions négatives, et qu'en face, finalement, il n'y avait que deux grandes émotions positives : la joie et l'amour. Et j'ai compris que c'était une erreur gigantesque. Les études scientifiques ont révélé une infinité d'émotions positives : la confiance, la sérénité, l'attendrissement, l'admiration, la bienveillance… On a aussi étudié récemment l'élévation, cette émotion devant quelque chose de tellement gigantesque qu'on se sent tout petit, comme face à l'Everest, au Grand Canyon, ou devant quelqu'un de totalement hors du commun. Il y a également l'enthousiasme, cette forme de réaction émotionnelle favorable aux propositions de la vie ou d'autrui, cette ouverture à la nouveauté joyeuse et énergique, si précieuse dans les groupes. Je trouve admirable ce courant de la «psychologie positive» qui nous apprend à découvrir l'infinie richesse des états d'âme agréables et à en faire usage dans le soin. Et j'œuvre pour promouvoir l'étude et l'usage thérapeutique de ces émotions agréables, parce qu'elles possèdent une force et une puissance considérables et qu'elles peuvent être cultivées.

Le rôle des émotions

MATTHIEU : Les spécialistes de l'évolution considèrent que les émotions sont utiles à la survie et à la gestion des événements majeurs de la vie – reproduction, protection de l'entourage, relations entre les individus, réactions face aux prédateurs, etc. La jalousie est certainement une source de tourments, mais elle peut aussi être considérée comme l'expression d'un instinct qui contribue à maintenir la cohésion du couple et la survie de sa progéniture. La colère peut être destructrice, mais du point de vue de l'évolution, elle permet d'écarter rapidement tout ce qui peut nous nuire et entraver la réalisation de nos projets.

Beaucoup de psychologues rejoignent Aristote, pour qui une émotion est adéquate quand elle est adaptée à la situation et exprimée avec une intensité proportionnée aux circonstances. Devant l'injustice, une colère indignée peut être appropriée, alors qu'une explosion de rage destructrice ne l'est pas. Après la perte d'un être cher, la tristesse est appropriée, tandis que le désespoir et la dépression sont disproportionnés et vont à l'encontre du bien-être durable. Récemment, j'ai ressenti une immense tristesse à l'occasion du tremblement de terre qui s'est produit au Népal, où je vis la plupart du temps. Mais ce moment passé, j'ai pensé que, plutôt que de tomber dans le découragement à la pensée que ce que l'on avait construit devait être reconstruit, il valait mieux que je mobilise mon énergie pour aider les victimes.

Ce qui est favorable à notre survie du point de vue de l'évolution ne contribue pourtant pas nécessairement à notre bien-être individuel. On ne peut pas dire que la jalousie, la colère ou l'envie favorisent la paix intérieure. Le désir sexuel débridé peut être excellent pour la propagation des gènes, mais il est source de tourments du fait qu'il resurgit sans cesse et ne trouve jamais de satisfaction permanente. À l'inverse, il n'est pas sûr que la compassion ou l'Éveil soient utiles à la reproduction. L'ermite accompli qui vit dans la solitude des montagnes ne fait pas grand-chose pour propager ses gènes.

CHRISTOPHE : Même isolés, ces ermites dont tu parles contribuent à leur manière au bien de tous, en ne rajoutant

Toutes les émotions nous sont utiles : la colère, la tristesse, la peur, l'anxiété, la honte, ont des fonctions bien précises.

pas à la violence et au matérialisme du monde, en nous servant d'exemples...

En effet, les émotions s'inscrivent dans notre patrimoine génétique d'humains et dans nos câblages cérébraux, et sont ensuite renforcées par notre éducation et notre milieu culturel. Toutes les émotions nous sont utiles : la colère, la tristesse, la peur, l'anxiété, la honte, ont des fonctions bien précises. Elles nous rendent service, à condition qu'elles n'atteignent pas des intensités trop fortes, qu'elles ne durent pas trop longtemps et que nous ne perdions pas de vue leur finalité.

D'un point de vue évolutionniste, les émotions à tonalité négative ou désagréable sont associées à des situations souvent dangereuses, pouvant menacer notre survie. La colère nous permet d'intimider autrui (et d'éviter ainsi un combat physique coûteux), la peur nous fait éviter les dangers potentiels (et nous incite au mieux à la prudence et au pire à la fuite), la tristesse nous contraint à ralentir pour réfléchir, etc. Alors que les émotions positives sont associées à des situations de recherche de ressources (nourriture, repos, échanges agréables, comme des jeux ou des rapports sexuels). Mais ce qui est agréable n'est jamais prioritaire par rapport à ce qui est dangereux : dans la nature, on doit traiter le dangereux avant l'agréable. C'est pour

cela que les émotions négatives ont une sorte de supré-
matie potentielle sur les émotions positives, à la fois dans
leur clarté, leur intensité, leur puissance de jaillissement et
de captation de notre attention. Mais sans les émotions
positives, on ne tiendrait pas sur la durée : ce sont elles qui
rouvrent ensuite notre regard et notre capacité à nous lier
aux autres, à trouver des ressources, à inventer des solutions ; elles sont notre carburant pour avancer. Nous avons
donc besoin des deux. Les émotions négatives sont un
peu comme les «grandes gueules», dans une famille, qui
réagissent plus vite, crient plus fort, et mettent le bazar à
la table familiale. Mais sans les émotions positives, plus
personne ne viendrait manger parce que ce serait rapidement l'enfer ! Comme disait Descartes en conclusion
de son *Traité des passions de l'âme* : maintenant que nous
les connaissons toutes, n'en ayons plus peur puisqu'elles
sont toutes bonnes par nature. L'important est simplement
d'éviter leur mauvais usage ou leurs excès.

ALEXANDRE : Pour nous libérer des émotions perturbatrices, il faut d'abord cesser de les considérer comme
des ennemis, des adversaires à abattre, mais bien plutôt les
regarder comme des messagers, voire des signaux d'alarme.
Et déjà, tenter d'en faire bon usage. Ce qui m'attriste
aujourd'hui, c'est cette affirmation de soi qui, incomprise,
vire à l'orgueil : «Je suis comme je suis, je suis irritable,
c'est comme ça, c'est ma nature.» Si le mépris de soi est
une calamité, nous calfeutrer dans une fierté excessive provoque également des désastres. La tentation est grande de

transformer le poison en antidote. Le sage comme l'enfant n'ont pas besoin de s'affirmer, ils sont pleinement ce qu'ils sont, voilà tout.

Ne plus craindre les émotions négatives est aussi un grand progrès. Ces peurs qui aujourd'hui nous tenaillent nous ont peut-être sauvé la vie dans notre enfance. À ce jour, je dois encore me battre contre deux travers très coriaces : l'hyper-anxiété et l'impatience. Mais, rétrospectivement, je comprends que tous deux ont eu une fonction : sauver ma peau en m'éloignant de la résignation, du découragement et des mille et un obstacles que je devais franchir. Mais aujourd'hui, c'est bon, je peux continuer la route sans ces encombrantes béquilles. Il est des instruments de la vie qui servent un temps et que nous devons abandonner pour avancer. À ce propos, les philosophes grecs, comme les sceptiques, ont une belle image : ils parlent de *médications purgatives*, c'est-à-dire de remèdes qui s'éliminent avec le mal qu'ils ont guéri. Excusez-moi d'être cru, mais le meilleur exemple, c'est le laxatif qui fiche le camp en réglant le problème !

CHRISTOPHE : Effectivement, on perçoit bien que les émotions négatives nous font mal et nous coûtent cher, mais c'est parfois vrai aussi des émotions positives – la joie, par exemple, fait accélérer notre cœur, nous pompe de l'énergie, peut se transformer en énervement chez les enfants… Mais elle nous redonne tellement en retour qu'à la sortie on est gagnants, en endorphines et en satisfaction existentielle ! Comme les enfants, d'ailleurs, qui nous pompent une énergie terrible, mais nous donnent beaucoup de bonheur sur la durée. Je pense plutôt aux excès, aux dérapages, à la joie qui nous pousse à une excitation : à un moment donné, on en fait trop, on va trop loin. On n'écoute pas les signaux de fatigue de son corps, parce qu'on est euphorique. C'est le problème des joies pathologiques de la maladie bipolaire : elles poussent aux excès et aux imprudences, et à la fin, à des catastrophes humaines et financières (conflits et dépenses pathologiques).

MATTHIEU : Il est donc important de bien penser aux effets de nos états mentaux sur la qualité de notre expérience vécue, à court terme et à long terme. Vu sous un certain angle, il peut paraître normal de toujours rechercher ce qui nous procure du plaisir, sauf que cela conduit rarement au bonheur. On peut, en revanche, cultiver une satisfaction intérieure qui n'est pas forcément liée aux sensations agréables et de ce fait nous paraît moins attirante, mais qui procure au bout du compte une plénitude profonde et durable.

De l'importance des états d'âme

CHRISTOPHE : Pour aller plus loin dans notre compréhension des émotions, on peut les considérer selon deux axes – l'axe de la valence (plutôt agréable ou désagréable), et l'axe de l'intensité. Sur ce second axe, on distingue les émotions explosives, quasiment incontrôlables lorsqu'elles ont démarré en nous, comme la colère ou la peur; et les

Être en permanence sous l'emprise d'émotions de ressentiment ou d'agacement joue sur ma vision du monde et sur la façon dont je vais me comporter socialement.

états émotionnels de plus basse intensité, que l'on peut appeler les « humeurs », les « états d'âme », et dont l'importance apparaît de plus en plus grande aux yeux des chercheurs parce qu'ils représentent l'essentiel de nos ressentis émotionnels. Les émotions fortes sont tellement sollicitantes en termes d'énergie physique et psychique que nous ne pouvons pas nous permettre d'être sous leur emprise plusieurs fois par jour : cela finirait par nous user et sans doute par nous tuer. Quand on demande à quelqu'un de se souvenir de la dernière fois où il s'est senti extrêmement en colère, extrêmement triste, extrêmement inquiet, extrêmement honteux, ou, peut-être, extrêmement heureux, il a souvent du mal à trouver des situations récentes. En revanche, il est très probable que depuis ce matin nous avons tous déjà vécu plusieurs états émotionnels modérés, avec un peu de tristesse, un peu d'inquiétude, un peu de bonne humeur ou de joie.

Il est important de repérer ces états discrets et de voir qu'ils sont très influents parce qu'ils représentent une sorte de terreau qui facilite l'éclosion d'émotions beaucoup plus fortes et de tout un système de pensées, de toute une vision du monde. Être en permanence sous l'emprise d'émotions de ressentiment ou d'agacement vis-à-vis des autres joue sur la vision du monde que je vais avoir et sur la façon dont je vais me comporter socialement. C'est pourquoi nous encourageons nos patients à prêter attention à ces émotions subtiles, d'arrière-plan, notamment dans les phases de prévention des rechutes, d'apprentissage de l'art du bien-être, de l'art de l'équilibre intérieur.

Comment prendre conscience de ces états émotionnels? C'est très largement facilité par les approches contemplatives et méditatives, mais aussi par d'autres formes de travail sur soi : tenir un journal, faire une thérapie cognitive qui nous encourage à établir des liens entre les situations que nous vivons, les émotions que nous ressentons, les pensées qui émergent à ce moment-là et les comportements qui sont la conséquence de toute cette chaîne de causalités.

MATTHIEU : Dans le bouddhisme, on parle des pensées quasi imperceptibles qui se manifestent continuellement à l'arrière-plan de notre champ de conscience, comme l'eau qui court parfois sous l'herbe d'une prairie. Ces pensées peuvent provoquer en nous différentes humeurs. Si elles sont négatives, elles peuvent déclencher une soudaine explosion émotionnelle, un accès de colère par exemple. Si elles sont naturellement positives ou résultent d'un entraînement, à la bienveillance par exemple, leurs fréquentes apparitions influenceront à la longue notre terrain mental, au point que, si quelqu'un se présente dans le champ de notre attention, le premier sentiment qui surgira en nous sera la bienveillance.

Comment prendre conscience des états émotionnels qui se manifestent en nous, souvent à notre insu ? Si nous les laissons prendre de l'ampleur, ils deviennent ingérables, et nous n'avons pas d'autre choix que d'attendre qu'ils se calment. Mais si nous examinons les effets qu'ils ont produits sur nous, nous nous rendons compte qu'au cours de la tempête qu'ils ont déclenchée notre perception des autres et de la situation ne correspondait pas à la réalité.

À force de renouveler cette expérience, on devient peu à peu capable de voir les émotions venir de plus loin. On peut alors appliquer l'antidote qui convient de façon préventive, toujours avec l'idée qu'il est plus facile d'éteindre une étincelle qu'un feu de forêt.

En affinant encore davantage la compréhension et la maîtrise de notre esprit, on arrive au point où l'on peut gérer les émotions au moment même où elles surgissent. Quand ce processus devient si habituel que les émotions qui nous perturbaient auparavant se dissolvent au fur et à mesure qu'elles apparaissent, elles ne peuvent plus troubler notre esprit. Elles ne peuvent pas non plus se traduire en actes et en paroles qui nous nuisent, à nous-mêmes et aux autres. Cette méthode exige de l'entraînement, car nous ne sommes pas habitués à traiter les pensées de cette façon-là.

Peut-on se libérer des émotions négatives ?

MATTHIEU : S'il est possible de se libérer du joug des émotions destructrices, c'est parce qu'elles sont étrangères à la nature de notre esprit. Selon le bouddhisme, l'aspect fondamental de la conscience, la pure faculté de connaître, cette qualité de l'esprit qu'on appelle «lumineuse» est un espace inconditionné où les émotions se manifestent comme les nuages dans le ciel, de façon momentanée, sous l'effet de circonstances elles aussi transitoires. Quand elles sont négatives, on utilise différentes méthodes pour s'en libérer, et quand elles sont positives, on s'entraîne à les développer.

Les contemplatifs le savent. Ils ont beau scruter le tréfonds de cette présence éveillée, ils n'y trouvent ni haine, ni avidité, ni jalousie, ni orgueil, ni aucun autre poison mental. Ce qui veut dire que les émotions négatives ne peuvent survenir que de façon «adventice», disent les textes, sous l'effet des circonstances et des habitudes. Et surtout, qu'il est possible de s'en libérer. Le soleil peut être caché par les nuages, mais cela ne l'empêche pas de continuer à briller.

Pour revenir à la question d'Alexandre, est-il vain de vouloir terrasser chacune de nos émotions négatives ? Ne serait-il pas plus simple de les laisser s'épuiser d'elles-mêmes ? L'expérience montre que, si l'on s'habitue à leur laisser libre cours, elles se comportent comme une infection que l'on ne traite pas à temps : elles deviennent de plus en plus fortes et s'enracinent dans notre esprit. On tombera à nouveau sous leur pouvoir dès que leur charge émotionnelle aura atteint un seuil critique. De plus, ce seuil ne cessera de baisser. On se mettra de plus en plus vite en colère, on sera de plus en plus rapidement anxieux, etc. Cela ne veut pas dire qu'il faut refouler les émotions. Ce serait une solution éphémère qui aurait peu de chances d'aboutir à la paix intérieure. Car, de deux choses l'une. Ou bien les émotions négatives sont inhérentes à notre esprit, auquel cas vouloir s'en débarrasser revient à se battre contre ce qui fait partie de soi, et ne peut aboutir qu'à un échec. Ou bien leur présence dans notre esprit est due à des causes et des conditions transitoires, et il est alors possible de s'en libérer.

L'essentiel, dans un premier temps, est d'acquérir une certaine habileté à reconnaître les émotions négatives, puis à les neutraliser à l'aide de l'antidote le plus approprié. Pour y parvenir, le bouddhisme enseigne un grand nombre de méthodes dont aucune n'est *a priori* supérieure aux autres, leur choix dépendant des circonstances et des capacités de chacun. Certaines sont directes et évidentes, comme l'entraînement à la bienveillance pour combattre la malveillance. On ne peut pas, au même instant, vouloir du bien et du mal à quelqu'un.

Certaines sont plus subtiles, comme rester pleinement conscient des émotions sans s'identifier à elles. Nous en avons déjà parlé. La pleine conscience de l'anxiété n'est pas l'anxiété, elle est simplement conscience. Je suis loin d'être un bon méditant, mais j'ai souvent essayé d'appliquer cette méthode. Quand je me rends à un aéroport au milieu des embouteillages, par exemple, il m'arrive d'être anxieux à la pensée de l'enchaînement des conséquences qui se

La haine n'est pas un forcené qui se jette sur moi avec une arme, ou un rocher qui dévale la montagne pour m'écraser. Ce n'est qu'une fabrication mentale.

produiraient si je ratais l'avion – manquer l'avion suivant, puis la conférence prévue à l'arrivée alors qu'elle est organisée depuis des mois, etc. Si j'essaie de me détendre dans la pleine conscience de cet état, comme si je contemplais tranquillement un torrent tumultueux qui coule devant moi, dans un premier temps j'ai l'impression que l'anxiété va s'incruster obstinément. Mais si je continue de l'observer avec le regard de la pleine conscience, elle perd de sa force, en même temps que l'espace de la pleine conscience devient plus vaste. Il arrive un moment où l'anxiété n'est plus qu'un pâle reflet de ce qu'elle était au départ, et elle finit par disparaître.

Il existe beaucoup d'autres méthodes adaptées aux besoins et aux aptitudes de chacun. Je peux, par exemple, essayer de voir ce qu'est *en soi* l'émotion qui me perturbe. La haine n'est pas un forcené qui se jette sur moi avec une arme, ou un rocher qui dévale la montagne pour m'écraser. Je peux avoir l'impression qu'elle est puissante, mais ce n'est pourtant qu'une fabrication mentale. Et si mon esprit l'a fabriquée, il peut aussi s'en libérer. Pourquoi la laisser prendre une telle emprise sur moi ? D'autant plus qu'il n'y a rien à saisir, ce n'est que de l'air. En termes bouddhistes, on dit que cette émotion est «vide», «dénuée d'existence propre». La reconnaissance de cette vérité est en soi libératrice. Ça ne veut pas dire qu'on tombe alors dans le nihilisme, mais qu'on passe d'un état mental asservi à un état libre. Dans les textes de méditation, on compare parfois l'esprit libre à de l'eau, et l'esprit ligoté par les constructions mentales à de la glace. Il suffit de chauffer la glace pour qu'elle devienne fluide. Mon maître Dilgo Khyentsé Rinpotché disait : « La glace n'est que de l'eau solidifiée, et l'eau de la glace fondue. C'est pareil avec nos perceptions du monde. S'attacher à la réalité des choses et se laisser tourmenter par l'attirance et la répulsion revient à bloquer le libre fonctionnement de l'esprit. Faites fondre la glace des concepts, et vous aurez l'eau vive de la liberté intérieure.»

CHRISTOPHE : Les approches comportementales et cognitives sont assez proches de ce que tu décris : pour nous, les émotions ont toujours une *cause*, qu'il s'agisse d'une cause extérieure (un événement qui nous contente ou nous agresse), ou d'une cause liée à des états biologiques (comme la fatigue ou le manque de sommeil) ou encore à des représentations mentales (lorsqu'on se représente mentalement une situation, on peut ressentir de la honte par rapport à ce qu'on a fait, ou de la peur, de la tristesse, de la culpabilité, de la colère…). Nous considérons que les émotions sont un mode de réponse préverbal aux situations : elles apparaissent souvent avant même que nos pensées arrivent à notre esprit, par exemple lorsque dans la colère ou la peur notre corps se crispe et réagit avant même que nous commencions à mentaliser sur ce qui nous énerve ou nous inquiète. Dans l'évolution des espèces, les émotions précèdent toujours l'apparition du langage parlé, et à ce titre, elles gardent une sorte de primauté sur la capacité à conceptualiser, bien que, chez l'être humain, elles soient indissociables des pensées, comme une carte à jouer ou une pièce de monnaie où il est impossible de séparer le côté pile du côté face. Les émotions apparaissent à notre esprit à la fois par un ressenti corporel et par des pensées ou une modification de notre vision du monde. C'est là qu'elles peuvent nous tromper une première fois : on peut avoir l'impression que c'est le monde tel qu'il est qui pose problème, alors que c'est notre vision du monde sous l'emprise de l'émotion. Et puis, dans un troisième temps, il y a les conséquences des émotions. Toutes les émotions entraînent ce qu'on appelle des programmes de tendance à l'action. La colère pousse à des actions agressives ou violentes, la tristesse pousse au repli, la peur pousse à la fuite, la honte pousse à la dissimulation, au fait de se cacher, etc.

Alors que faire quand je souffre ? Que faire quand je sens que je suis sous l'emprise d'émotions négatives, destructrices, douloureuses ? Premier conseil d'une importance capitale : ne pas attendre le dernier moment. Le travail d'identification et de régulation quotidien, régulier, patient, est toujours plus efficace que l'intervention d'urgence lorsque l'incendie éclate.

MATTHIEU : C'est pour ça qu'on compare souvent le point de départ des émotions négatives à une étincelle qu'il est facile d'éteindre, et les états émotionnels qu'on a laissé déborder à des feux de forêts difficiles à maîtriser.

CHRISTOPHE : C'est en effet beaucoup plus facile de travailler sur nos petits agacements, nos petites tristesses, nos petites inquiétudes, nos petites hontes, que sur les grandes flambées des mêmes émotions. Dans cette optique, j'encourage beaucoup l'auto-observation, c'est-à-dire que je conseille de tenir un journal où l'on établit le lien entre les événements de vie, l'impact émotionnel qu'ils ont sur nous, puis les pensées et les comportements qu'ils engendrent. Mettre des mots sur nos émotions, analyser leur cheminement, leurs causalités, leurs répercussions, tout cela est beaucoup plus compliqué qu'il n'y paraît : il nous semble, dans notre cerveau, que c'est clair, mais quand on passe par l'écrit, on s'aperçoit que c'est un véritable effort que de se comprendre ! Cette mise à plat rationnelle est une première exigence. Elle fait partie de l'hygiène de vie de l'équilibre intérieur.

Le deuxième type de travail est d'ordre expérientiel : chaque fois que l'émotion survient, prendre le temps de s'arrêter pour l'explorer en pleine conscience. Quand je dis en pleine conscience, c'est évidemment dans l'espace de cette approche méditative qu'on appelle la «pleine conscience». De façon simple, sans chercher à la modifier, à la contrôler, à la faire disparaître ou à l'infléchir de telle ou telle façon, mais juste de l'accepter, d'observer de quoi elle est faite, de quels états corporels elle est constituée, quels types de pensée elle engendre. C'est exactement ce que font nos patients à qui nous enseignons les approches méditatives de pleine conscience. Et c'est sans doute un des grands mécanismes qui explique que, dans toutes les études, on constate que la pratique régulière de la pleine conscience débouche sur une meilleure régulation émotionnelle.

Toujours dans ce deuxième type d'approche expérientielle, il existe des stratégies plus spécifiques pour les émotions de peur ou de honte maladives qui se déclenchent dans certaines situations. On utilise alors des exercices destinés à « épuiser » l'émotion. Pour cela, on met les patients dans des situations où ils vont ressentir l'émotion à un niveau extrêmement fort et inconfortable – par exemple, on les fait chanter dans le métro où tout le monde les regarde, on les met debout au milieu d'un groupe d'autres patients. Si le patient était en situation réelle, dans la vraie vie, il essaierait d'interrompre cette émotion par des stratégies de fuite : il quitterait la pièce, le wagon de métro, ou bien s'il est impossible de fuir, il essaierait de penser à autre chose ou de baisser les yeux, pour diminuer l'intensité du lien avec la situation. Là, on l'encourage à ne pas baisser les yeux, à rester dans la situation, à accepter l'émotion. C'est ce qu'on appelle « l'exposition » dans les thérapies comportementales. Il s'agit, au fond, de désobéir à l'émotion : « Malgré ta présence, peur, je continue de rester là, dans cette situation, en respirant bien, en laissant filer mes pensées… » Et quand on répète régulièrement ces expériences, le patient voit que l'intensité de l'émotion diminue peu à peu et qu'il se libère du pouvoir de ces excès d'émotions toxiques.

> Plus je ressens des émotions positives, de l'affection, de l'admiration, de la compassion, du bonheur, etc., moins il y aura d'espace pour la flambée des émotions douloureuses et négatives.

Il y a ensuite un troisième type de stratégie, que j'utilise de plus en plus maintenant que je travaille avec la psychologie positive, et qui doit ressembler à cette vision des antidotes dont parle souvent Matthieu. L'idée est la suivante : plus je ressens, dans la journée, dans la vie, des émotions positives, de l'affection, de l'admiration, de la compassion, du bonheur, du bien-être, de la joie, de l'élévation, moins il y aura d'espace pour l'apparition, l'expansion et la flambée des émotions douloureuses, destructrices et négatives.

Y a-t-il une addiction aux émotions douloureuses ?

ALEXANDRE : Il y a quelque chose dans l'âme humaine qui me fascine et m'effraie, c'est cette capacité à nous faire du mal. À quoi servent la culpabilité et les ruminations sinon à nous pourrir la vie ? Un ami anxieux me confiait ressentir un vide, carrément un manque, lorsque ses peurs le laissaient un peu souffler. D'où vient cette cruelle addiction ? Dans l'Épître aux romains, saint Paul pose un diagnostic très déroutant : « Le bien que je veux, je ne le fais pas ; mais le mal que je hais, je le fais. » À ce sujet, les philosophes grecs parlaient d'acrasie, ou d'incontinence, la fameuse faiblesse de la volonté. Aucun argument logique ne semble avoir la force de contrer certaines habitudes : tout bêtement, j'adore les noix de cajou, en manger me donne des aphtes, *donc*, j'en mange quand même ! Mille et un conflits intérieurs font de notre intériorité un champ de bataille. Ici aussi, le premier pas, c'est de regarder paisiblement ces luttes sans vouloir régler le problème sur-le-champ. La faiblesse de ma volonté me joue bien des tours, et j'en ris très souvent. Pour des raisons médicales, j'ai dû maigrir. J'ai donc fait appel à un coach qui m'a fortement conseillé de faire du sport. Il a ajouté que l'essentiel se passait dans la cuisine et qu'il me fallait changer d'habitudes alimentaires. Il n'avait pas franchi le seuil de ma porte que déjà je courais vers le réfrigérateur pour me livrer à une sorte d'orgie : si tout était foutu d'avance, autant y aller carrément ! Pourquoi ce sabotage quasi immédiat ? Sur le terrain du bonheur, je découvre les mêmes forces destructrices. C'est comme si mon esprit, souffrant d'une maladie auto-immune, en venait à porter atteinte à sa propre intégrité.

MATTHIEU : Le fait que le mental s'obstine à perpétuer ce qui le fait souffrir est un des aspects de l'ignorance. Le maître bouddhiste indien Shantideva écrit :

Tout en voulant lui échapper,
Nous nous jetons dans la souffrance ;

Nous aspirons au bonheur mais, par ignorance,
Le détruisons comme s'il était notre ennemi.

Notre problème est l'addiction aux causes de la souffrance. Comment se construit cette addiction ? Au début, une sensation agréable nous incite à rechercher encore et encore ce qui l'a produite. Mais comme il est dans la nature des sensations agréables de s'émousser au fur et à mesure qu'on les éprouve, elle devient peu à peu neutre et finit même par être désagréable. Pourtant, nous continuons à la désirer. Les neurosciences ont montré que les réseaux du cerveau associés au plaisir ne sont pas les mêmes que ceux qui sont associés au désir. Ce qui fait que, à force de répétition, on peut renforcer le réseau lié au désir au point de vouloir ce qui a cessé d'être agréable et même nous fait souffrir. C'est *grosso modo* la définition de l'addiction. Même si on ne veut pas souffrir, on ne peut pas s'empêcher de retomber dans des situations qui nous font souffrir.

Quant au fait qu'on aime parfois choisir ce qui nous fait mal, Eckhart Tolle explique ce phénomène de façon imagée : quand l'ego échoue dans ses entreprises narcissiques, pour continuer à exister il se rabat sur un plan B en se construisant un « corps de souffrance », une stratégie alternative pour renforcer son identité, dans le registre, cette fois-ci, de la victimisation. L'ego peut ainsi survivre en se nourrissant de plaintes et de récriminations. Et même si personne ne veut nous écouter, on se raconte indéfiniment sa triste histoire en se prenant soi-même en pitié. On s'investit pleinement dans ce corps de souffrance. « Le corps de souffrance est un drogué du malheur », dit Tolle. Il se nourrit de pensées négatives et de mélodrames intérieurs, mais digère mal les pensées positives. Il se maintient en vie en ruminant constamment le passé et en anticipant anxieusement l'avenir. Il ne peut survivre dans l'air pur du moment présent qui est libre de fabrications mentales.

CHRISTOPHE : Pourquoi en arrive-t-on à se faire souffrir soi-même ? Cette question concerne beaucoup d'êtres humains. Moi-même je suis capable de faire des choses dont je sais qu'elles vont me faire du mal, comme trop travailler par exemple ! En revanche, je ne suis pas sûr que nous *aimons* souffrir. Je pense qu'il nous arrive effectivement de nous faire souffrir, de recommencer de façon absurde, de savoir qu'on se fait mal et de continuer. Mais cela ne veut pas dire que nous *aimons* souffrir ! Un exemple : autrefois, en psychiatrie, certains de nos collègues avaient tendance à traiter facilement les femmes battues de masochistes. Ils confondaient deux choses. Quand une femme dit : « Je l'aime, bien qu'il me batte », cela ne signifie pas : « Je l'aime parce qu'il me bat. » C'est un peu le même problème avec la violence qu'on s'inflige à soi-même : ce n'est pas forcément du masochisme, c'est aussi, bien souvent, parce qu'on ne sait pas faire autrement, comme un chien qui se gratte frénétiquement et se crée des plaies, mais chez qui la sensation de démangeaison est trop forte.

MATTHIEU : Nagarjuna, le grand philosophe bouddhiste indien du IIᵉ siècle, écrivait qu'il est bon de se gratter quand ça démange, mais que le bonheur est encore plus grand quand ça ne démange plus ! Il en concluait que, s'il est bon de satisfaire ses désirs, il est infiniment meilleur de s'en être libéré.

CHRISTOPHE : Parfois, nous faisons des choses absurdes et douloureuses juste par ennui : une étude récente et étonnante montrait que, lorsqu'on met des étudiants dans une pièce pendant 10 ou 15 minutes, et qu'on leur donne le choix soit de ne rien faire soit de s'infliger de petits chocs électriques, un nombre important (à peu près deux tiers des hommes et un tiers des femmes) préférait s'infliger des chocs électriques ! On peut imaginer que la jeune génération, accro aux écrans et à la musique, a perdu l'habitude de l'inaction et de l'introspection, plutôt que de penser tout de suite qu'ils étaient poussés par le masochisme !

Idem avec la nourriture : la plupart du temps, on ne mange pas parce qu'on a faim, mais parce qu'on a envie de manger, parce qu'on est attiré par la nourriture, ou que c'est l'heure de passer à table. On confond un plaisir avec un autre : ai-je vraiment faim ? Est-ce que j'ai juste envie d'être à table avec mes amis ? Ou ai-je envie de manger simplement parce que ça sent bon ? On est dans un manque de conscience, une absence à soi-même. Il s'agit donc typiquement de souffrances qu'on s'inflige, ou d'erreurs qu'on commet en sachant parfois qu'on le fait, mais, au moment de les commettre, on n'est pas assez attentifs à ce dont on a vraiment besoin. Il est vrai qu'être toujours vigilant et exigeant envers soi-même peut sembler pénible ou épuisant, mais en l'étant un tout petit peu, un tout petit peu plus souvent, on pourrait nettement diminuer les souffrances liées à ces comportements. C'est une difficulté classique dans les addictions : la prise de drogues revient clairement à se faire du mal. Mais nul désir de souffrir : au début, on cherche du plaisir ; à la fin, on cherche à ne plus souffrir de l'état de manque.

MATTHIEU : Se libérer de l'addiction est un véritable défi pour trois raisons. D'abord, il ne suffit pas de conseiller à celui qui souffre d'une addiction de visualiser son objet comme étant repoussant. Bien souvent, ceux qui sont accros sont déjà dégoûtés, mais ils ne peuvent pas s'empêcher de désirer encore ce qui les dégoûte. Ensuite, se dégager d'une addiction demande un gros effort de volonté. Or, l'un des effets de l'addiction est d'affaiblir l'activité des aires du cerveau liées à la volition. Enfin, pour se libérer d'une addiction, il faut s'entraîner à maîtriser le désir impulsif lié à cette addiction. Or il se trouve que l'addiction inhibe l'activité de l'hippocampe, une région du cerveau qui permet, en temps normal, de traduire un entraînement, quel qu'il soit, en modifications fonctionnelles et structurelles du cerveau – ce qu'on appelle la plasticité neuronale. Ce triple obstacle fait qu'il est particulièrement difficile de se guérir d'une addiction.

ALEXANDRE : La voie du bonheur réclame un minutieux désapprentissage. Dans la mystique chrétienne, comme dans la tradition zen, nous sommes invités à mourir à nous-mêmes, à tout quitter : nos convictions, nos habitudes, nos désirs, nos illusions. Il s'agit de se libérer, presque de se déshabiller. D'ailleurs, en japonais, le terme qui désigne *faire son salut* signifie aussi *se dévêtir*. Et pourquoi ne pas commencer tout de suite ce désencombrement intérieur ? Quand le bouddhisme insiste sur les moyens d'existence justes, il vient me montrer qu'il est impossible d'atteindre le bonheur si je mène une existence débridée, stressante, égoïste : comment pourrais-je rejoindre la paix si, du matin au soir, je n'obéis qu'à mon ego ? Pour se dégager petit à petit d'un quotidien hostile à la paix de l'âme, il faut peut-être revenir à cette intuition aristotélicienne : « C'est en forgeant qu'on devient forgeron », c'est la pratique des vertus qui nous rend vertueux. Là, une conversion est requise : si j'attends d'être confiant pour poser des actes de confiance, je risque de renvoyer aux calendes grecques tout progrès… Au contraire, c'est dès maintenant qu'il me faut oser des actions concrètes.

Heureusement, sur ce terrain, nous ne sommes pas seuls, et il suffit parfois de s'imprégner du mode de vie de celles et ceux qui nous précèdent sur la voie. Qui pourrait mieux nous donner un nouvel élan pour arracher une à une les toxines du mental ? En revanche, notre vertu se flétrit en compagnie des médisants et des malveillants. Si nous nous abîmons à longueur de journée à planter de mauvaises

Quand le mental nous sert comme sur un plateau le pire du pire, simplement regarder, ne rien faire.

graines, il n'est guère étonnant que nous trouvions partout de la broussaille et des épines…

Méditer, c'est apprendre à désamorcer les bombes qui pleuvent dans notre esprit et laisser s'évaporer ces scénarios auxquels nous croyons dur comme fer. Quand le mental nous sert comme sur un plateau le pire du pire, simplement regarder, ne rien faire. M'abstenir de réagir relève parfois d'un courage presque inhumain lorsque la tempête mentale fait rage. Ce qui aide, c'est de constater que l'intempérie qui ébranle mon ego peut être à dix sur l'échelle de Richter émotionnelle sans que j'en meure pour autant. Inlassablement, toujours, il s'agit de laisser passer l'émotion qui, si nous ne l'alimentons pas, s'épuise d'elle-même. Cette longue ascèse, réitérée mille fois par jour, consiste à se laisser flotter parmi les vagues pour voir qu'elles ne durent pas.

Les Pères du désert avaient coutume de rappeler que, plus nous faisons cas de nous, plus nous souffrons. Et le défi consiste précisément à assumer ce paradoxe : prendre grand soin de soi, respecter son rythme propre, tout en se libérant de ce petit moi qui nous rend dingue. Déraciner des émotions négatives relève du marathon plus que du sprint, d'où le danger de nous épuiser en route. Donc, de toute urgence, commençons à éliminer tout ce qui nous encombre. Parmi les émotions plombantes, le refus et la révolte n'ont pas fini de sévir. Une nonne zen m'a donné un jour une leçon magistrale : atteinte d'un cancer incurable, cette jeune femme de 40 ans m'a confié qu'elle avait long-temps considéré la maladie comme un adversaire. Durant des mois, elle se levait pour partir à la guerre et combattre l'ennemi jusqu'au jour où, grâce à la méditation, elle a com-mencé à envisager le cancer comme un ami, un messager, un libérateur. Il n'est pas besoin de recevoir un coup aussi énorme pour s'initier à ce changement radical du regard, à cette conversion. Les petits tracas sont autant d'occasions pour progresser. Méditer, essayer de comprendre, avancer, d'accord… Mais jamais sans une infinie patience envers nos faiblesses : parfois, il nous *faut* une petite trêve dans l'épreuve pour laisser tomber les armes.

MATTHIEU : Comme je l'ai déjà dit, le mot tibétain qu'on traduit par « renoncement » évoque en fait la détermination de se libérer. À un certain moment, on ne supporte plus l'addiction aux causes de la souffrance. Quand un oiseau s'échappe de sa cage, on ne peut pas dire qu'il renonce à sa cage, il s'en libère. Que la cage soit en fer ou en or ne change rien à l'affaire.

Le mythe de l'apathie émotionnelle

MATTHIEU : Certains s'imaginent que le fait de se libé-rer des émotions aboutit à un vide intérieur qui nous trans-forme en zombies. Ils confondent vide mental et liberté de l'esprit. Le but n'est pas de faire disparaître les pensées et les émotions, mais de les empêcher de proliférer et de nous asservir. Les maîtres et les pratiquants qui ont atteint une grande liberté intérieure ne sont pas devenus des légumes. Au contraire, ils font preuve de plus de qualités que les autres. Le Dalaï-lama, à mon avis, est un exemple parfait de courage, de joie, de bienveillance et d'ouverture aux autres. Or, il s'est simplement affranchi des états mentaux qui aliènent habituellement notre esprit. En éliminant de notre espace mental la haine, le ressentiment, l'avidité et les autres émotions perturbatrices, on laisse la place à l'amour altruiste, à la joie et à la paix intérieure.

CHRISTOPHE : Plusieurs études montrent que, lorsqu'on expose des méditants expérimentés à des situations destinées à activer les émotions – photos d'enfants avec malformations ou scènes tristes –, on s'aperçoit qu'ils ne sont pas du tout dans un émoussement émotionnel. On observe simplement une diffusion de l'impact émotionnel dans leurs cerveaux différente de celle des non-méditants, avec, notamment, une moindre activation au niveau de certaines zones du cortex préfrontal, qui sont associées entre autres aux processus dits autoréférentiels (lorsqu'on se focalise sur soi, que l'on pense à soi). En gros, l'activation émotionnelle est bien là (méditer ne rend pas insensible), la sensibilité n'est pas modifiée, mais la réactivité cérébrale n'est pas la même (méditer permet de prendre plus de recul).

MATTHIEU : On a réalisé des études très révélatrices qui impliquaient à la fois des pratiquants et des non-pratiquants de la méditation grâce à des IRM permettant de voir quelles sont les aires et les réseaux cérébraux qui s'activent. Il s'agissait, dans ce cas, de repérer quelles parties du cerveau deviennent actives quand un pratiquant s'engage dans une méditation sur l'attention focalisée, sur l'amour altruiste, sur la présence ouverte, etc. Chaque type de méditation a une « signature » différente dans le cerveau. Peu à peu, à mesure que l'on s'entraîne, le cerveau change, fonctionnellement et structurellement. La personne change aussi, bien sûr, puisque c'est le but de l'opération. Dans l'une de ces études, donc, on a fait par exemple entendre alternativement aux méditants expérimentés et à un groupe de débutants le cri d'une femme en proie à la peur. On a alors constaté que les pratiquants aguerris écoutaient les cris de terreur sans manifester de réaction d'évitement ou de détresse. En même temps, on voyait s'activer chez eux toute une gamme d'émotions positives comme l'empathie, la bienveillance, la compassion, alors que les gens du groupe témoin, en écoutant ces mêmes cris, tentaient d'opérer une sorte d'anesthésie mentale. Ces pratiquants réagissaient de façon semblable quand on leur imposait une douleur. Ils percevaient son intensité au moins autant, sinon plus, que les sujets non entraînés, mais ils manifestaient moins d'appréhension quand l'intensité de la douleur augmentait, et retrouvaient plus vite leur calme quand la douleur s'arrêtait.

Comment cultiver la bienveillance

MATTHIEU : Il y a dans le bouddhisme une notion fondamentale qu'on retrouve dans la psychologie positive : l'absence d'états mentaux négatifs n'entraîne pas nécessairement la présence d'états mentaux positifs. Autrement dit, la joie n'est pas seulement l'absence de tristesse, la bienveillance l'absence de malveillance, etc. En remédiant simplement aux états négatifs, on aboutit à un état neutre, mais pas aux états positifs qui contribuent au sentiment de plénitude.

CHRISTOPHE : Pour compléter ce que tu dis, dans le cadre de la thérapie, quand on guérit quelqu'un d'une dépression, l'idée n'est pas de le laisser dans un état neutre, mais dans un état où il peut de nouveau ressentir des émotions positives. Ces émotions agréables vont lui être offertes par les hasards de la vie, par les autres, mais si on ne lui a pas appris à mieux les accueillir ou à les construire lui-même, c'est insuffisant.

MATTHIEU : Dans la psychologie positive, on dit que l'absence d'état pathologique n'est pas forcément un état optimal, c'est juste un état «normal», alors que l'état optimal doit être cultivé en soi. Autrement dit, l'état normal permet juste de fonctionner normalement, mais, pour vivre de façon optimale, ou actualiser pleinement notre potentiel, on doit cultiver d'autres valeurs, comme la bienveillance et

Chaque fois qu'on pose un acte de tendresse,
d'affection, d'amour, on modifie un tout petit
peu l'avenir de l'humanité dans le bon sens.

la compassion, et libérer son esprit de l'emprise des pensées
perturbatrices.

CHRISTOPHE : Je crois en une contamination de
l'amour, de la bienveillance, de la douceur et de l'intelligence. Chaque fois qu'on pose un acte de tendresse,
d'affection, d'amour, chaque fois qu'on éclaire quelqu'un
en lui donnant un conseil, on modifie un tout petit peu
l'avenir de l'humanité dans le bon sens. Et chaque fois
qu'on dit une vacherie, qu'on commet une méchanceté,
et qu'on les répète, on fait perdre du temps aux progrès
humains. Que chacun cultive le plus grand nombre possible de ressentis et d'actes positifs est donc vital pour
tout le monde.

MATTHIEU : Pour cultiver la bienveillance, il faut commencer par être conscient que, fondamentalement, nous
redoutons de souffrir et aspirons au bonheur. Cette étape
est particulièrement importante pour ceux qui ont une
image négative d'eux-mêmes, ou qui ont beaucoup souffert
et estiment qu'ils ne sont pas faits pour le bonheur. Ceux-là
doivent d'abord apprendre à être tolérants et bienveillants
envers eux-mêmes.

Une fois qu'on a reconnu cette aspiration au bonheur, il est important de se rendre compte qu'elle est commune à tous les êtres. On se sent alors plus proches d'eux, on accorde de la valeur à leurs aspirations et on est concerné par leur sort.

Enfin, on doit s'entraîner à la bienveillance. Au début, il est plus facile de le faire en pensant à quelqu'un qui nous est cher. On se laisse envahir par un amour et une bienveillance inconditionnels à son égard, et on demeure dans cet état quelques instants. On étend ensuite cette bienveillance aux êtres que l'on connaît moins. Eux aussi veulent être heureux. Puis on va encore plus loin. On englobe même dans notre bienveillance ceux qui nous font du tort, et ceux qui nuisent à tout le monde. On ne leur souhaite pas de réussir dans leurs actes nuisibles, mais d'être libérés de leur haine, de leur avidité, de leur cruauté ou de leur indifférence, et de se soucier du bien des autres. On porte sur eux le même regard qu'un médecin sur ses patients les plus malades. Pour finir, on embrasse la totalité des êtres dans un sentiment d'amour sans barrières.

Le bonheur, la joie

CHRISTOPHE : Étant plutôt un introverti tranquille, je me suis longtemps méfié de la joie parce que je trouvais qu'elle pouvait nous entraîner trop loin, qu'elle était très proche de l'excitation et de l'euphorie. Le bonheur, en revanche, me semblait une émotion positive tout aussi agréable, mais avec deux avantages sur la joie : en général, il ne pousse pas à l'agitation, et il est discret ; étant plus intériorisé, il ne peut donc pas faire offense aux autres. Depuis, j'ai revu cette classification et je vois bien que la joie, par son côté contagieux, spontané, presque animal, a des vertus considérables pour les autres : quand les gens que nous aimons sont joyeux, nous sommes prêts à nous laisser contaminer par eux.

ALEXANDRE : Si je *tiens* à la joie, c'est parce qu'elle me paraît beaucoup plus simple, plus accessible que le bonheur. J'ai l'impression que l'impératif du « soyez heureux à tout prix » laisse pas mal de gens sur le bas-côté. Plus humble, la joie me paraît aussi plus proche de nos faiblesses, de nos limites : je peux y accéder même si je souffre de douleurs chroniques ou si je traverse un deuil. Il n'y a rien d'écrasant à suivre son appel. Même celui qui rame du matin au soir peut faire cette expérience. Pourquoi assimiler la joie à l'exubérance, à la superficialité, alors qu'elle est avant tout un dire « oui », un oui profond et authentique au réel tel qu'il se présente ? Heureusement, Spinoza rappelle que la joie est le passage de l'homme d'une moindre à une plus grande perfection. À chaque fois que la vie gagne du terrain, dès que je progresse, la joie dilate mon cœur. Un pas de plus et c'est carrément l'ego qui éclate. Dans *Le Huitième Jour de la semaine*, Christian Bobin évoque « une joie élémentaire de l'univers, que l'on assombrit chaque fois que l'on prétend être quelqu'un, ou savoir quelque chose ».

MATTHIEU : J'ai le sentiment que nous sommes d'accord sur le fond, mais que nous donnons des sens un peu différents aux mots «joie» et «bonheur». Le bouddhisme décrit un bonheur profond, *sukha* en sanskrit, qui imprègne et sous-tend toutes nos expériences, que ce soient les joies ou les peines, et qui est en même temps un état de sagesse qui est affranchi des poisons mentaux et perçoit la vraie nature des choses. Il est étroitement lié à la compréhension du fonctionnement de l'esprit. La joie, *ananda,* est en quelque sorte le rayonnement de *sukha*. Elle remplit de félicité l'instant présent et, quand elle devient de plus en plus fréquente, forme un continuum qu'on pourrait appeler «joie de vivre».

Certains psychologues ont affirmé qu'il était impossible d'être heureux en prison, car le bonheur que l'on pourrait éprouver dans de telles conditions était, à leurs yeux, injustifiable. Or il se trouve qu'un Américain, Fleet Maul, a été condamné à de nombreuses années de réclusion pour une affaire de drogue. Il a vécu longtemps dans une pièce sans fenêtres et surpeuplée, où il y avait tout le temps du bruit. C'est dans ces circonstances extrêmement pénibles qu'il a commencé à méditer plusieurs heures par jour. Au début, il trouvait ça très difficile – on le comprend facilement – mais il a persévéré. Au bout de huit ans, il est devenu absolument convaincu de l'efficacité de la pratique spirituelle, de la force transformatrice de la compassion et de l'absence de réalité de l'ego.

Un jour, il a été appelé au chevet d'un autre prisonnier mourant qui était son ami et, pendant cinq jours, il l'a assisté dans son agonie. À la suite de cet événement, il a ressenti de plus en plus souvent une liberté et une joie immenses. Sa confiance intérieure l'avait amené à faire l'expérience de quelque chose d'indestructible, indépendant des circonstances, alors que sa situation était à peine supportable. Je pense qu'il s'agissait de *sukha*, qui est une façon d'être et de percevoir le monde durable plutôt qu'une joie passagère.

ALEXANDRE : Je suis littéralement émerveillé par celles et ceux qui persévèrent dans la joie malgré les coups du sort. La misère, l'injustice, la maladie n'ont pas le dernier mot. Ce mystère, cet espoir vaut tous les discours du monde. Connaître une véritable joie, c'est découvrir en tout une occasion de se libérer, de grandir et peut-être même de se réjouir. Cette disponibilité intérieure, ce don de soi humble et infiniment profond se situe bien au-delà du pur ressenti. Ce n'est pas un « youpi » naïf mais une adhésion franche, sereine, un discret « oui » adressé à ce qui est. Il me plaît que saint Paul fasse de la joie un fruit de l'Esprit, qu'elle demeure accessible aux plus démunis me réjouit et me console profondément. Sans faire un palmarès des émotions – ce serait encore s'attacher –, il nous faut voyager sans bagage.

MATTHIEU : Chacun s'exprime avec des mots qui ont un sens pour lui. Mais il me semble que la joie dont parle Alexandre correspond à ce que d'autres décrivent comme une liberté intérieure qui leur permet de faire face à l'adversité.

Il faut accepter une fois pour toutes
l'idée que nous sommes des intermittents
du bonheur, de la joie, de l'amour,
et que c'est absolument normal.

CHRISTOPHE : Je suis simplement gêné par la hiérarchisation – «la joie, c'est mieux que le bonheur» ou «le bonheur, c'est mieux que la joie». Toutes les émotions positives, joie, bonheur, surviennent quand on se sent en lien harmonieux avec le monde, alors que les émotions négatives sont toujours des marqueurs de rupture du lien entre le monde et nous, que ce soit la colère, la tristesse ou la peur. Ma conviction profonde, c'est que, pour les êtres ordinaires que nous sommes, et à l'exception de quelques sages, la joie, le bonheur, l'amour sont forcément des états labiles, qu'il ne nous est pas permis de ressentir de manière durable. Il est illusoire de vouloir les mettre en boîte : il faut accepter une fois pour toutes l'idée que nous sommes des intermittents du bonheur, de la joie, de l'amour, et que c'est absolument normal. C'est pourquoi il faut s'attacher à les faire renaître régulièrement dans nos vies. Nous avons besoin des deux : quand je suis heureux, il me semble que je me réconcilie avec mon passé et mon avenir ; alors que la joie m'ancre vigoureusement dans le présent, et me donne toute la mesure de la grâce que j'ai d'être vivant à cet instant.

ALEXANDRE : La notion d'impermanence guérit de bien des tourments. Et l'idée d'être un intermittent du bonheur apaise en profondeur. C'est en renonçant à nous accrocher à quoi que ce soit que nous pouvons progressivement nous extraire des tiraillements, du mal-être. Pour celui qui peine au quotidien, il est encourageant de voir que ni la faiblesse, ni la fatigue, la maladie ou le handicap, ni, en un mot, l'imperfection du monde n'interdisent la joie. L'exercice, c'est d'oser inlassablement la non-fixation. Tout est éphémère, même le mal-être. Et les mots de Spinoza disent l'essentiel et me servent de *programme* : «Bien faire et se tenir en joie.»

MATTHIEU : Le bonheur en boîte, c'est l'illusion qu'on peut prolonger indéfiniment une sorte d'euphorie perpétuelle, selon la formule de Pascal Bruckner, liée aux circonstances, alors que, par nature, ce type de bonheur ne peut être qu'éphémère et fragile. Peut-être pourrait-on dire que la joie se rapporte davantage à la qualité du moment présent, et le bonheur, *sukha*, à une manière d'être durable qui correspond, d'une certaine façon, à notre point d'équilibre intérieur. Un état, comme dit Bernanos, que «rien ne saurait altérer, comme ces grandes eaux calmes, au-dessous des tempêtes».

NOS CONSEILS POUR UN BON USAGE DES ÉMOTIONS

CONSEILS POUR UN ÉPANOUISSEMENT PROFOND
MATTHIEU

🍃 Aiguiser son attention pour prendre conscience des émotions négatives au moment même où elles surgissent. On éteint mieux une étincelle qu'un feu de forêt.

🍃 Apprendre à mieux connaître ses émotions. S'entraîner à distinguer celles qui contribuent à notre bien-être et à celui d'autrui, de celles qui les détruisent.

🍃 Une fois que les conséquences néfastes des émotions négatives apparaissent clairement, se familiariser avec leurs antidotes, les émotions positives.

🍃 Cultiver les émotions positives jusqu'à ce qu'elles ne fassent plus qu'un avec nous.

CHRISTOPHE

🌫 Aimons-les toutes. Toutes nos émotions sont des signaux de nos besoins. Les émotions positives nous disent que nos besoins sont satisfaits ou en voie de satisfaction. Les émotions négatives qu'ils ne sont pas satisfaits. Écoutons et réfléchissons, pour agir, à ce qui se passe avec nos besoins fondamentaux.

🌫 Cultivons les émotions agréables. Prenons soin de les nourrir au-delà de nos automatismes et de nos habitudes. Des travaux ont montré qu'éprouver deux ou trois fois plus de ressentis agréables que de ressentis désagréables représentait un équilibre optimal, et réaliste (on ne peut pas être toujours de bonne humeur).

🌫 Ne nous décourageons pas. C'est l'une des grandes affaires de notre vie que de travailler à notre équilibre émotionnel. Et nous ferons régulièrement des rechutes, serons de nouveau victimes de colères absurdes, d'angoisses inadaptées, de tristesses exagérées. Ce parcours émaillé de dérapages, il faut l'intégrer dès le début. C'est pour cela que je déteste les proverbes tels que « Chassez le naturel, il revient au galop », qui disent qu'au fond on ne change jamais. Nous sommes dans un apprentissage, donc nous devons accepter les « rechutes ». Il n'y a pas de raccourci sur ce chemin-là. Mais on finit toujours par y arriver si on continue de marcher…

PRATIQUER, LAISSER PASSER, SE DÉSENCOMBRER
ALEXANDRE

🍃 Laisser passer. Le zen nous invite à ne pas considérer l'émotion comme un adversaire. La pratique spirituelle consiste alors à ne plus monter dans le train des émotions perturbatrices, mais à regarder passer les wagons : «Tiens, voici la colère», «Tiens, voilà la peur». Oser la non-fixation permet de traverser les tempêtes sans être meurtri. Ce n'est pas grave si la colère, la peur ou la tristesse me rendent visite. Pourvu que jamais, elles ne s'installent dans le cœur. Donc, mille fois par jour laisser passer…

🍃 Pratiquer. Apprendre à nager, à flotter et à regarder passer gentiment les vagues demande du temps, beaucoup de temps. C'est millimètre par millimètre que la paix advient. D'où la nécessité de s'adonner à la pratique quotidiennement.

🍃 Désencombrer le temple de notre esprit. Longtemps j'ai cru que le bonheur procédait de la conquête. Aujourd'hui, je crois plutôt qu'il s'agit de nous désencombrer. Plus que d'amasser des compétences ou des connaissances, dégageons tout ce qui nous pèse : habitudes, réflexes, peurs, avidités… Sous des tonnes de boue se trouve la pépite de la félicité, la vraie joie. Virons donc l'inutile, et considérons les obstacles de la vie comme des moyens habiles pour y parvenir.

4

L'ART
DE L'ÉCOUTE

CHRISTOPHE : Écoute, présence, attention. Qu'entendons-nous par ces notions si nécessaires à notre vie ? Il me semble que l'on pourrait définir l'écoute comme une présence sans parole face à autrui, pendant laquelle toute mon attention, toute ma conscience, est tournée vers ce que dit autrui. C'est une attitude complexe, où l'on donne et où l'on reçoit.

Les caractéristiques d'une véritable écoute

CHRISTOPHE : L'écoute est une démarche d'humilité, où l'on fait passer autrui avant soi-même. Les grands narcissiques écoutent mal, et dans les moments où nous sommes anxieux, euphoriques ou habités par trop de préoccupations centrées sur nous-mêmes, nous ne sommes pas capables d'une écoute de qualité. Même si nous pouvons parfois faire semblant d'écouter !

Dans la véritable écoute, on ne doit pas préparer sa réponse, mais seulement écouter, en lâchant prise.

Dans l'écoute, on trouve trois mécanismes fondamentaux : le respect de la parole d'autrui, le lâcher-prise et la capacité à se laisser toucher. Respecter la parole, c'est d'abord ne pas juger ce que nous dit l'autre pendant que nous l'écoutons. Et c'est très difficile ! Automatiquement, nous avons tendance à porter un jugement : nous apprécions, n'apprécions pas, nous sommes d'accord, pas d'accord, nous trouvons que c'est juste ou idiot. Difficile d'empêcher ce jugement de parvenir à notre esprit, mais chaque fois qu'on le remarque, on peut le noter et s'en détacher, pour revenir de son mieux à une véritable écoute.

L'autre mouvement dans l'écoute, le lâcher-prise, ce sont mes patients qui me l'ont appris. Les grands timides et les grands anxieux ont tellement peur de ne pas être à la hauteur de leur interlocuteur qu'ils écoutent mal parce qu'ils préparent ce qu'ils vont pouvoir répondre. Dans la véritable écoute, on ne doit pas préparer sa réponse, mais seulement écouter, en lâchant prise. On a parfois le sentiment que c'est une position un peu « casse-gueule », mais notre réponse sera d'autant plus profonde et adaptée qu'on aura totalement abandonné l'idée de la préparer.

Ce lâcher-prise est aussi la condition d'une écoute sincère et véritable où l'on est prêt à se laisser toucher,

émouvoir, sans jugement, sans contrôle, sans désir de maîtriser, sans aucune intention finalement.

Mon tempérament introverti a toujours fait que, sans
effort ni mérite, j'aime mieux écouter que parler. Pour
autant, j'ai vu à quel point avec le temps et avec le travail,
j'ai pu améliorer ma capacité d'écoute, notamment par
la pratique de la méditation qui m'a appris à être là sans
préparer les réponses, à totalement lâcher prise, et à me
rendre totalement perméable et ouvert aux propos d'autrui.
Dans le métier de soignant, ce n'est pas toujours évident.
Les études montrent qu'en moyenne les médecins inter-
rompent leur patient au bout de vingt ou trente secondes :
ils ont tendance à chercher les symptômes, à vite trouver
les réponses à leurs questions, et à prendre le pouvoir dans
l'échange. Plusieurs de mes collègues, des vieux médecins
généralistes très expérimentés, me disent que presque
toutes les erreurs commises dans la prise en charge des
patients sont des erreurs d'écoute : on ne les a pas laissés
assez parler, on ne leur a pas posé assez de questions, on
les a amenés trop tôt là où l'on pensait qu'il fallait aller. On
pense que soigner, c'est faire un diagnostic, puis prescrire et
conseiller, que c'est donner des médicaments et des conseils
plus qu'écouter. Un peu comme dans le métier de parent,
d'ailleurs : on veut donner des conseils à nos enfants, les
éduquer, les consoler, les réparer… et on a tendance à ne pas
assez les écouter, à ne pas les laisser parler à des moments
où il serait précieux de le faire.

Quant à l'écoute dans le couple, il existe un exercice
dans les thérapies de couples, lorsqu'il est très difficile de

donner à l'un la parole sans que l'autre l'interrompe, lève les yeux au ciel, soupire ou gigote sur sa chaise ; on leur dit : « Vous allez parler de votre façon de voir la situation, et votre conjoint va aller s'asseoir à l'autre bout de la pièce, tourner le dos, et juste écouter. Je ne veux pas l'entendre. Il va simplement écouter attentivement pendant cinq à dix minutes, et après on inversera les rôles. » Pour les mêmes raisons, j'encourage parfois mes patients à écrire à leur conjoint, quand ils ont des difficultés à se parler ! D'abord parce que, dans l'écriture, on va souvent à l'essentiel, qu'on est moins dans l'impulsion et donc moins dans l'agression, dans le ressentiment. Mais aussi parce que le conjoint va être obligé de lire patiemment, sans interrompre ou sans tenter de se justifier : la lecture, c'est comme une écoute sans possibilité de réponse immédiate. Elle augmente un peu les chances que les messages de l'autre soient entendus.

MATTHIEU : L'écoute est un don qu'on fait à l'autre. Pour bien écouter, il ne faut pas seulement être patient avec l'autre, il faut aussi être sincèrement concerné par lui. Chez le Dalaï-lama, la qualité qui frappe le plus les gens qui le rencontrent, en dehors de la bienveillance dont il fait preuve envers tous, c'est la façon dont il écoute. Il est totalement et immédiatement présent à celui qui lui parle, en privé ou en public, même si c'est un passant dans un hall d'aéroport.

Par manque de considération pour autrui, on s'imagine souvent qu'on sait où notre interlocuteur veut en venir et qu'on a déjà compris les tenants et aboutissants de son problème. Avec condescendance, on donne parfois une réponse prématurée, incomplète, souvent inadaptée. Même s'il s'agit d'un conseil judicieux, on empêche la personne de dire tout ce qu'elle a sur le cœur. Il est très frustrant de ne pas pouvoir aller au bout de sa pensée.

Beaucoup de gens se plaignent de ne pas être écoutés. Ils ont l'impression que personne ne s'intéresse à eux. Les débats politiques sont souvent des exemples parfaits de cette indifférence. Les protagonistes commencent par s'interrompre, puis, lorsque cela ne leur suffit pas, ils en viennent à parler tous en même temps, comme si laisser parler l'autre était un signe de faiblesse, une concession inacceptable.

Mieux vaut laisser l'autre parler et prendre le temps de lui montrer calmement s'il a fait des erreurs. La première étape de l'écoute doit donc être de montrer qu'on est sincèrement intéressé par l'autre, qu'on lui accorde une attention sans réserve. Ça lui montrera en même temps, s'il nous demandait conseil, qu'on fera de notre mieux pour remédier à sa situation.

Certains sont quasiment incapables d'écouter les autres. Je me souviens d'un officiel bhoutanais à qui j'avais souvent affaire. Chaque fois que je lui posais une question, il n'attendait jamais la fin de ma phrase et répondait d'avance : «Non, non, non!» Cela donnait lieu à des échanges comiques, du genre :

«Pensez-vous que nous pourrons partir demain matin?
– Non, non, non... Soyez prêt à 9 heures!»

J'ai moi-même tendance à répondre un peu trop vite en anticipant ce que les gens vont dire, et même s'il s'avère que j'ai deviné juste, ce n'est pas une bonne façon de discuter. Je le regrette souvent et dois me corriger !

CHRISTOPHE : Ce que tu décris, nous le faisons tous, quand nous sommes bousculés, pressés, lassés aussi parfois. Des gens viennent nous voir, ils commencent à parler, on imagine à l'avance comment leurs phrases vont finir, ce qu'ils veulent nous dire, et on va leur donner des réponses qui peuvent être pertinentes, mais sans les avoir vraiment écoutés. On n'a cependant fait que la moitié du boulot, parce que, quand l'autre nous parle, il ne veut pas seulement obtenir des réponses, il veut sentir de la présence, de la fraternité, de l'affection.

Que signifie exactement écouter sans juger ?

MATTHIEU : Il est essentiel de ne pas juger l'autre en tant que personne. Cela ne nous empêche pas de juger ce qu'il dit ou fait du point de vue du bien-être ou de la souffrance qui peuvent en découler, et de comprendre les raisons qui l'ont amené à causer du tort à lui-même et à autrui, si c'est le cas.

On peut juger les autres de deux façons : absolue ou relative. Juger de façon absolue, c'est décréter, par exemple, que quelqu'un est fondamentalement mauvais, qu'il n'a pas la moindre empathie, qu'il n'arrêtera jamais de se plaindre

Si quelqu'un vous frappe avec un bâton, vous ne vous mettez pas en colère contre le bâton mais contre l'individu, manipulé par la haine qui prend sa source dans l'ignorance.

parce que c'est sa façon d'être et qu'il n'y a aucune raison pour que ça change. Ce type de jugement, qui suppose que les traits de caractère sont une fois pour toutes gravés dans la pierre, est contredit par l'expérience de la méditation et par les découvertes de ces vingt dernières années dans le domaine de la plasticité du cerveau (notre cerveau change à mesure que l'on est exposé à des situations nouvelles ou qu'on suit un entraînement physique ou mental) et de l'épigénétique (même nos gènes peuvent être modifiés). Ces études ont prouvé qu'il était possible de changer la façon dont nous gérons nos pensées, nos émotions, nos humeurs et, en fin de compte, nos traits de caractère.

Le jugement relatif ne s'applique qu'à la situation actuelle, provisoire de la personne qu'on juge. Même si quelqu'un manifeste des traits de caractère et des comportements déplaisants, on prend en compte le rôle que peuvent jouer son évolution personnelle et son environnement. On ne juge pas la personne en soi, mais son état d'esprit du moment et les facteurs qui ont pesé sur sa conduite. Si quelqu'un vous frappe avec un bâton, vous ne vous mettez pas en colère contre le bâton, vous savez que derrière le bâton, il y a un individu. Poursuivons le raisonnement : cet individu est manipulé par la haine, qui à son tour prend sa source dans l'ignorance. On n'élude pas le problème que pose le comportement de la personne, mais on laisse la porte ouverte à la compassion pour la personne qui est victime de la haine et de l'ignorance.

CHRISTOPHE : J'ai le sentiment qu'il y a des situations où le temps du jugement, le temps du diagnostic et le temps du conseil ont tout intérêt à être dissociés du temps de l'écoute. Il me semble que, face à des patients avec qui je ne suis pas forcément d'accord en tant qu'humain, être dans l'écoute, le plus loin possible du jugement, a un impact très important sur eux : si je suis en train de les juger au moment où je les écoute, même de façon légère, ils le sentent. Et fréquemment, je remarque que le simple fait d'être écouté avec bienveillance aide les gens à voir l'absurdité de certaines de leurs positions. Quand la personne a fini de parler, je lui demande de préciser encore : «Donc si je comprends bien, dans telle situation, vous me dites que vous vous comportez comme ça?», et j'ai l'impression que lorsque j'arrive à surseoir à tout ce qui est jugement, non seulement j'écoute mieux, mais que déjà le travail de transformation commence. À un moment donné, il va falloir bien sûr que je réagence mes idées, et d'ailleurs, je me permets parfois d'en prendre le temps – ce que je ne faisais pas avant. Je dis par exemple au patient : «Laissez-moi quelques minutes maintenant, avant de vous répondre, pour me permettre de réfléchir à ce que vous venez de me dire.»

MATTHIEU : Je comprends ton point de vue, mais ce à quoi je faisais allusion se rapproche davantage du diagnostic qu'un médecin établirait avec bienveillance, en étant attentif à tous les symptômes et en évaluant le potentiel de souffrance qui est en jeu, sans porter de jugement moral. La compassion qui sous-tend cette attitude a pour seul but de mettre fin à toute forme de souffrance. Cela dit, il est pour sûr très réconfortant pour un patient de se dire : «Voilà quelqu'un qui m'écoute et qui essaie sincèrement de me comprendre.»

CHRISTOPHE : Oui, je m'aperçois que les patients comprennent parfaitement cela. Mais avant, je n'osais pas, parce qu'il me semblait qu'en tant que technicien je devais avoir des réponses toutes faites. J'ai l'impression de faire du meilleur boulot quand j'arrive à dissocier l'écoute et l'analyse, même si c'est artificiel, même si implicitement le jugement est peut-être toujours là. D'ailleurs, c'est ce qu'on dit aux patients dans la pleine conscience : vous ne pouvez pas vous empêcher de juger, mais soyez conscient de la présence des jugements. Et du mieux que vous pouvez, ouvrez, inlassablement, votre attention à votre présence, à votre écoute, à votre souffle. Le jugement est là, les pensées sont là, mais ne soyez pas rétractés sur ce seul jugement, sur ces seules pensées.

Le visage de l'écoute

CHRISTOPHE : Il y a une vingtaine d'années, je travaillais beaucoup avec des patients qui souffraient d'anxiété, de phobies sociales. Ils sont très mal à l'aise dans les échanges et détectent vite, parfois à tort, des expressions de jugement ou de rejet sur le visage de leur interlocuteur. Je me souviens du trouble de certains patients lorsqu'ils me parlaient ; ma façon de les écouter les inquiétait : « Quand vous m'écoutez, vous froncez les sourcils et j'ai l'impression que vous n'êtes pas d'accord avec moi », me disaient-ils. Effectivement, j'étais tellement dans l'empathie que leur histoire m'était douloureuse et que j'avais une mimique crispée ! Depuis, j'ai compris que même l'expression de mon visage devait témoigner de la bienveillance. J'ai progressé et je les écoute avec compassion, en souriant doucement, en essayant de traduire sur mon visage quelque chose qui est de l'ordre de la compassion, et non de la simple empathie.

Ce quiproquo me fait penser à une anecdote que m'a racontée Aaron Beck, le fondateur des thérapies cognitives, quand il était encore psychanalyste. Il écoutait patiemment, en silence, une patiente en train de faire des associations libres. Puis, au bout d'un certain temps, il s'est aperçu qu'elle semblait très contrariée. Quand il lui a demandé ce qui la troublait, la patiente a explosé : « Cela fait une heure que je vous parle, et j'ai l'impression que vous ne faites pas du tout attention à ce que je dis ! » Aaron Beck lui dit alors : « Mais pourquoi vous ne me l'avez pas dit ? » La patiente lui répondit : «Je ne pensais pas que cela rentrait dans le cadre des associations libres.» C'est à ce moment-là qu'Aaron Beck s'est rendu compte que quelque chose clochait dans le système d'analyse. Ce qui tourmentait sa patiente au moment où il l'écoutait, ce n'était pas le fait que son frère lui avait fauché sa tarte à la framboise quand elle avait 5 ans, mais la pensée, bien sûr sans fondement, que son thérapeute ne l'écoutait pas. Il en conclut que le plus important était d'apprendre aux patients à gérer leurs émotions, à prendre conscience des distorsions de la réalité auxquelles ils se livraient, et à commencer par se libérer de ce qui les tourmentait ici et maintenant. C'est l'une des raisons pour lesquelles il décida d'abandonner la psychanalyse pour fonder une école de thérapie dite «cognitive», qui depuis a fait ses preuves sur le plan thérapeutique.

MATTHIEU : Ce que tu dis me rappelle Paul Ekman, qui distingue deux types de résonance affective, convergente et divergente. Avec la résonance convergente, je souffre quand vous souffrez, j'éprouve de la colère quand je vous vois en colère. Si, par exemple, votre femme rentre à la maison très contrariée parce que son patron s'est mal comporté avec elle, vous vous exclamez, indigné : «Quel goujat, comment a-t-il pu te traiter de la sorte!» Avec la résonance divergente, au lieu de ressentir la même émotion que votre femme, vous prenez du recul et, tout en manifestant votre sollicitude, vous dites : «Je suis vraiment désolé que tu aies eu affaire à un tel rustre. Que puis-je faire pour toi ?

Apprendre à écouter, c'est aussi repérer les parasites qui font grésiller la ligne.

Veux-tu une tasse de thé, ou préfères-tu que nous allions faire une promenade ? » Dans les deux cas, l'autre apprécie que l'on se préoccupe de ses sentiments.

Les parasites de l'écoute

ALEXANDRE : Je bois vos paroles avec gourmandise, camarades… Au fond, nous sommes livrés avec deux oreilles mais sans mode d'emploi pour nous en servir. Je me risquerai, à mon tour, à proposer quelques instruments pour les glisser dans notre boîte à outils. Écouter, c'est, comme tu le dis Christophe, lâcher prise, ne plus juger l'autre *a priori* pour reprendre tes mots, Matthieu. Rien n'est pire que la logique du boxeur qui cherche à mettre K.-O. son adversaire. Épicure fait bien de le rappeler : « Dans la recherche en commun par la discussion, celui qui est vaincu gagne plus, dans la mesure où il a accru son savoir. » Tout simplement, je peux déjà arrêter d'anticiper systématiquement les réponses de mon interlocuteur et surtout quitter cette fâcheuse tendance à parler à sa place…

Apprendre à écouter, c'est aussi repérer les parasites qui font grésiller la ligne. Heidegger, quand il mentionne la notion d'*équivoque*, m'aide assurément. Trop souvent, sans écouter l'autre à fond, je ramène tout à moi, à mon histoire, à mes catégories mentales. Affligeant réflexe qui nous pousse à balancer des : «Ça me rappelle ma belle-mère», «Tu me fais penser à mon cousin…», «J'ai vécu la même chose, enfant», etc. Je me replie alors sur *mes* opinions sans laisser l'autre réellement exister. Écouter, c'est s'arrêter, oser ne plus avoir une réponse toute faite, cesser d'ensevelir autrui sous des tonnes d'étiquettes. La notion d'équivoque vient aussi me vacciner contre le risque de banaliser la souffrance.

MATTHIEU : Pourquoi ce mot d'«équivoque»?

ALEXANDRE : Parce qu'en plaquant mon histoire sur celle de mon interlocuteur je lui nie le droit d'être différent. Je refuse qu'il puisse y avoir plusieurs interprétations du réel. Je ramène tout à moi. Je crée une sorte d'équation forcée entre l'autre et moi. Je l'enferme dans mes schémas.

C'est une véritable ascèse d'en sortir. Heureusement, nous pouvons compter sur des maîtres en la matière. Socrate, par exemple, vient nous réveiller quand nous nous enfermons dans des définitions à l'emporte-pièce. Tant de malentendus et de méprises nous coupent de l'autre. Aussi, apprendre à traquer tous les préjugés qui nous encombrent est un exercice des plus urgents.

Il faut aussi zigouiller la condescendance. Les éducateurs m'assenaient souvent des «je te comprends», qui ne sonnaient pas toujours très juste. J'avais l'impression qu'ils contemplaient du haut d'un promontoire un petit enfant qui se noyait. Ce regard surplombant, loin de me consoler, accentuait ma solitude. Oui, des phrases du type «Je te connais comme si je t'avais fait» ou «Je te comprends» sont vraiment à manipuler avec une extrême prudence. Ne pas enfermer l'autre dans nos représentations, savoir toujours nous émerveiller de la singularité de chacun représente un sacré pas vers la liberté.

Écouter, c'est surtout se taire, et oser un peu de recul face à cette radio interne, cette «Mental FM» qui vient tout commenter. Du matin au soir, elle juge, analyse, compare. Plus je lui donne d'importance, moins je me tiens disponible à l'autre. L'exercice, ici, c'est de prendre conscience des mille et une pensées qui nous éloignent d'autrui. Même si nous ne pouvons pas éteindre la radio, il *suffit* déjà de prendre conscience qu'elle grésille en permanence. Reconnaissons qu'à certains moments nous sommes tellement envahis par ces ondes que l'autre n'existe presque plus. Comment écouter un parent qui a perdu son enfant quand nous sommes nous-mêmes paralysés à l'idée qu'un tel drame puisse nous arriver?

La fatigue, le découragement, la précipitation… Il est tant d'éléments qui altèrent la qualité de notre écoute. Sans vraiment être présent, je suis alors *à côté* de mon interlocuteur. D'où la nécessité d'écouter le corps, l'esprit et le mental pour rester présent.

Les paroles tuent et guérissent. Je me souviens d'avoir un jour grondé Augustin pour une banale histoire de devoir. Ses mots m'ont édifié: « Papa, quand tu m'as engueulé, j'ai imaginé que tes mots étaient des caresses.» Depuis, face aux moqueries, à la critique ou à une mauvaise nouvelle, j'essaie de considérer les mots qui me blessent comme de simples sons, inoffensifs en soi. Pourquoi leur donner autant de force? À quoi bon leur conférer le pouvoir de détruire la joie? Laisser passer ces sons, ce vent, voilà le défi.

MATTHIEU : Dilgo Khyentsé Rinpotché disait que si l'on accorde trop de crédit à toutes les paroles qu'on entend, notre esprit ressemble aux herbes qui sont ballottées de-ci de-là au gré des vents au sommet des cols. Il conseillait aussi de ne pas se laisser envahir par la vanité quand on reçoit des compliments. Mieux vaut se dire que ce sont comme des paroles entendues en rêve, ou que ce n'est pas nous dont on fait la louange, mais les qualités que les autres pensent voir en nous. En revanche, si l'on reçoit des critiques justifiées, mieux vaut saisir cette occasion pour reconnaître ses propres défauts et faire preuve d'humilité.

ALEXANDRE : Prêter une oreille attentive, bienveillante, c'est donc repérer les parasites : la fatigue, le stress, les projections, la peur, la colère… Au fond, il s'agit de nous rendre intérieurement disponibles. Souvent, je suis à côté de la plaque quand quelqu'un me parle de sa souffrance. Impuissant, je ne sers que des platitudes faute de savoir demeurer dans le silence. Et pourquoi ne pas tout simplement avouer : « Je suis de tout cœur avec vous *mais* complètement crevé, je ne sais que vous dire » ? Quand mon père était sur le point de mourir, à l'hôpital, j'ai aussi deviné le risque de meubler le vide, de dissimuler la gêne

Quand on va voir à l'hôpital quelqu'un en train de mourir ou de se battre contre la maladie, parler de banalités rassure.

sous un flot de paroles inhabitées. Maladresse née d'une inaptitude à garder le silence…

CHRISTOPHE : Parfois, quand on va voir à l'hôpital quelqu'un en train de mourir ou de se battre contre la maladie, parler de banalités rassure. Les gens imaginent que ceux qui travaillent en soins palliatifs parlent de la vie et de la mort, mais la plupart du temps, les sujets de conversation sont ordinaires : on regarde la télé avec eux, on commente la météo, les visites, le menu… C'est compliqué pour tout le monde d'aborder des sujets graves et solennels dans ces situations. J'ai beaucoup d'admiration pour les personnes qui ont le courage d'aller visiter régulièrement des patients en soins palliatifs ; quoi qu'elles disent alors, leur présence est déjà un don extraordinaire.

MATTHIEU : Il m'est arrivé plusieurs fois de rester auprès d'un mourant, et il m'a toujours semblé que la meilleure façon de l'accompagner était simplement d'être présent, en silence, en le regardant avec affection, en lui prenant la main, sans être envahissant. Il faut être complètement disponible, avec bienveillance mais sans agenda.

ALEXANDRE : «Complètement disponible et sans agenda», quel magnifique art de vivre! Le silence s'apprend. Et il faut une sacrée dose de courage pour ne pas sauter sur la moindre occasion de le rompre. Au début, lorsque je m'entretenais avec mon père spirituel au téléphone, j'étais frappé par ses longs silences, je croyais toujours que la ligne avait été coupée. Alors je m'inquiétais : «Vous êtes toujours là ?», et inlassablement, il répondait : «Oui, je vous écoute!» Chaque fois, j'ai découvert la possibilité d'une autre qualité d'être, d'une disponibilité intérieure immense. Prier, c'est plonger totalement dans le silence, se taire, et écouter. Maître Eckhart m'initie à cette vie contemplative. Avant, ma prière se résumait à une longue suite de demandes, je meublais le vide. Maintenant, je commence à abandonner les requêtes, ou plutôt, je les élargis pour qu'elles embrassent l'humanité et tous les êtres qui souffrent. Prier procède d'une disponibilité de chaque instant, de cet éveil où l'on apprend à dire oui à ce qui vient, sans rien rejeter, sans se cramponner jamais.

Je me souviens de ce bon prêtre qui me confiait : «Dans le silence, laissez Dieu s'occuper de Dieu. Ne soyez que pure écoute.» Saint Benoît dit, au début de sa règle : «Écoute, ô mon fils, l'invitation du maître, et incline l'oreille de ton cœur.» Concrètement, à tout moment, je peux descendre au plus profond de mon être pour découvrir sous le boucan du mental le silence et la paix.

Oser le silence

ALEXANDRE : Voilà peut-être un acte éminemment révolutionnaire : oser une vie contemplative. Parfois, c'est carrément de la rébellion. Sur le chemin, les obstacles ne manquent pas. Depuis quelques années, je me suis engagé auprès de mon père spirituel à méditer une heure par jour. Et, pour tout dire, c'est une question de vie ou de mort. Sans ce temps pour oser ralentir et vivre un peu moins mécaniquement, j'aurais déjà coulé depuis longtemps. Quand je ploie sous les obligations, j'espère toujours dégotter un petit créneau pour atteindre mon quota : dans le taxi, à un arrêt de bus, partout… Mais où se réfugier pour quitter un peu le vacarme ? On dirait que le silence fait peur, qu'il rappelle le vide, la mort, qu'il réveille les fantômes, le manque. Pourtant, s'y perdre, c'est entrer dans une plénitude qui guérit. Prier, méditer, c'est abandonner les rôles, les étiquettes, pour vivre de silence en silence. Mais l'épreuve est rude. Pour que l'agitation se dissipe et qu'un calme voie le jour, il faut traverser bien des déserts.

Dans la salle de méditation, un jour de grande tempête, j'ai senti que le calme était toujours là, au fond du fond. Dehors, les éclairs et le tonnerre faisaient rage et il tombait des trombes d'eau. Soudain, j'ai pris conscience que j'écoutais la pluie au sec. J'ai vraiment perçu que rien, absolument rien ne pouvait esquinter notre esprit. Depuis, quand la colère ou la peur rapplique, je garde toujours le souvenir, le goût de cette expérience : je peux écouter la pluie au sec, laisser passer tranquillement les craintes et la mauvaise humeur.

MATTHIEU : Ma chère mère dit souvent : « Le silence est la langue de l'avenir. » Depuis mon ermitage au Népal, je vois la chaîne himalayenne qui s'étend devant moi sur plus de 200 kilomètres. Le silence est si parfait que j'entends les voix des paysans à plus d'un kilomètre, et parfois, le bruit sourd du front de pluie qui se rapproche et augmente en intensité avant d'arriver sur moi. Le silence extérieur ouvre les portes du silence intérieur. Il est alors plus facile de faire l'expérience de la fraîcheur du moment présent, qui nous rapproche de la nature ultime des choses.

Je me souviens d'un matin d'automne où je me trouvais assis, seul au bord du grand lac Manasarovar, à 4 600 mètres d'altitude, près du mont Kailash. Le ciel était d'un bleu intense et la luminosité presque aveuglante. Le silence était parfait. Soudain, j'ai entendu distinctement des cris que j'ai reconnus comme étant ceux de canards écarlates. J'ai scruté les alentours sans pouvoir localiser les canards, puis j'ai fini par les apercevoir, flottant paisiblement à deux cents mètres du rivage. Leurs cris s'étaient propagés à la surface du lac et je les avais entendus comme s'ils avaient été poussés juste à côté de moi. J'ai pris conscience que la méditation se trouvait aussi bien à l'extérieur qu'à l'intérieur. J'ai pensé à un épisode de la vie du grand yogi Shabkar, qui s'était un jour trouvé sur les rives de ce même lac, au début du XVIIIe siècle, et qui plus tard avait écrit : « Un jour, alors que je me reposais sur la rive du lac, je connus une liberté

> Dans la méditation, entre le moment où les pensées passées ont cessé et avant que les prochaines pensées ne surgissent, il y a un silence intérieur, une absence de bavardage mental, la fraîcheur du moment présent.

exempte de tout objet de concentration, un état clair, vaste et ouvert.»

Dans la méditation, entre le moment où les pensées passées ont cessé et avant que les prochaines pensées ne surgissent, il y a un silence intérieur, une absence de bavardage mental, la fraîcheur du moment présent. On peut idéalement laisser son esprit reposer dans cet état de clarté intérieure et de simplicité. Avec une grande maîtrise de la méditation, on peut rester dans ce silence au milieu des embouteillages ou dans la cohue du métro. Sinon, il est important de rechercher d'abord des conditions propices à la méditation.

ALEXANDRE : Reposer dans cette paix immense, c'est mourir de la grande mort pour renaître plus vivant, neuf. J'ai longtemps cru que seuls les saints et les sages y avaient droit. Mais l'ascèse est peut-être beaucoup plus simple qu'elle ne paraît. Cent fois par jour, je peux m'exercer à mourir au petit moi, à laisser un peu de côté le monde des idées. Le silence, comme la nature de notre esprit, ne peut être souillé. On peut gueuler, lui balancer les pires injures, rien ne saurait le troubler. De même, au fond du fond, demeure une part toujours indemne, qu'aucun coup du sort ne peut esquinter. Chacun d'entre nous, aussi blessé soit-il, peut déménager, descendre dans cette joie.

MATTHIEU : La nature de l'esprit, qu'on appelle aussi «nature de Bouddha», c'est le silence des émotions afflictives, le silence de la confusion mentale. Elle est comme l'espace que les nuages peuvent cacher au regard mais qui demeure inchangé. Ou comme l'or que la boue peut entièrement recouvrir sans jamais le souiller. La nature de l'esprit est fondamentalement pure et inaltérable. L'ignorance peut la voiler temporairement, mais elle ne peut pas la dénaturer.

ALEXANDRE : J'aime l'image de l'or inaltérable, du ciel. Comment s'y *établir* quand tout va mal ? Et d'abord où trouver l'audace de se mettre un peu à la diète des mots ? En débarquant en Corée du Sud, j'ai été très vite mis au parfum. Quand, enfin, j'ai pu rencontrer mon père spirituel, brûlant du désir de lui confesser tous mes tracas, il m'a répondu : «Alexandre, parler vous fatigue. Gardez le silence. Ne le brisez que si c'est vital.» Et dire que je venais de me coltiner presque 10 000 kilomètres. Mais j'ai retenu la leçon : ce que je cherche à exporter *du dehors*, je dois le découvrir au cœur du silence. S'épancher ne libère pas, c'est ailleurs qu'il faut trouver une véritable consolation. Justement, les mystiques nous enseignent qu'accomplir la volonté de Dieu c'est descendre vers la paix, cesser d'être le jouet de l'harassant va-et-vient des émotions, et que le silence guérit. Progresser sur le chemin du oui et stopper tout commentaire, voilà peut-être l'essence de la pratique.

La tradition du zen parle de trois formes de silence : l'immobilité du corps, l'éclipse du mental, c'est-à-dire l'arrêt ou du moins la grève de « Mental FM », et enfin le silence du cœur, la paix inaltérable. Chaque jour, il est mille occasions de nous livrer à de petites cures pour y plonger : dans un ascenseur, un lit, un train…

Prier, méditer, c'est renoncer progressivement à parler, à penser tout le temps. En somme, la pratique quotidienne révèle ce qui pollue le silence, ce qui nous empêche d'accéder à une réelle joie, d'avancer frais, libres et pleins d'amour. Aller jusqu'au bout du silence, c'est aussi découvrir en nous une part qui échappe aux blessures et reste intacte malgré les coups du sort et l'agitation.

Bien sûr, faire silence, oser se taire et ne rien faire, c'est voir rappliquer les fantômes, les obsessions, les craintes, les idées noires… Tout ce que nous réprimons dans le fond et qui pourrit sous le tintamarre quotidien. Au fond, il s'agit de tomber carrément amoureux du silence et déjà de l'apprivoiser. Une retraite peut vite virer à la torture, si nous y allons par devoir, sous la contrainte. Un jour, la sonnerie de mon téléphone portable a retenti pendant l'assise. Mon maître m'a averti : « Alexandre, si le téléphone sonne encore, vous pouvez décamper. » C'était pour moi un arrachement, carrément une amputation de laisser tomber ce gadget. Quand j'ai mis mon téléphone en mode avion, c'est terrible mais j'ai ressenti une solitude extrême, un abandon presque. Le père a repéré mon désarroi : « Alexandre, un autre lien aux autres est possible, plus intérieur, plus profond.» Vraiment, repérer mon esclavage m'a libéré tout d'un coup. Un pas de plus, et nous pouvons quitter les dépendances pour jubiler devant l'existence et aimer sans ces manques. Pourtant, pour ma part, dès que je sortais de retraite, je sautais à nouveau sur mon portable !

Sur la route, il s'agit de ne jamais dévier de l'essentiel, de cette paix qui abonde dans le cœur de chacun. Faire la diète des mots, c'est aussi savourer la joie de communier avec les autres, loin de tout bavardage. Parler est un acte sacré, sain. Au fond, je dois constamment apprendre à écouter, à me taire et à parler loin de l'excès, des exagérations.

Dès mon arrivée à Séoul, j'ai désiré confesser toutes mes erreurs à mon maître. Il me fallait repartir sur des bases neuves, oser laisser le passé s'en aller. Je me souviens avoir couché sur le papier mes travers, mes défauts, mes péchés. L'exercice fut libérateur, mais j'ai tremblé tant je redoutais le jugement du père. Sa réponse est venue, laconique : «J'ai tout lu.» Ces quatre mots ont passé au karcher la chape de plomb, la culpabilité que je traînais depuis des années. J'y ai perçu un appel à la liberté, le signe d'un amour infini. Aucune inflation verbale, nul reproche, zéro condamnation. Le zen ouvre la voie, radicale, du dépouillement. Les Évangiles m'apprennent aussi à y aller carrément, à me débarrasser de l'hypocrisie, des commérages : «Que votre langage soit : "Oui ? Oui", "Non ? Non" : ce qu'on dit de plus vient du Mauvais.» Non qu'il faille bannir toute nuance, mais simplement grandir en vérité, loin de l'emphase, de la médisance, et de la moquerie.

D'ailleurs l'amour véritable nous prémunit du blabla, du vernis, il congédie les rôles. Bêtement, j'ai longtemps évalué l'amour au nombre de « je t'aime » que je récoltais. Stupide et vain calcul… Aujourd'hui, il me faut descendre au fond au fond pour me libérer de toute idolâtrie et aimer sans pourquoi, sans chichis. La voie du zen, les Évangiles m'y conduisent. Avec une patience infinie, se laisser féconder par le silence, c'est voir que tout surgit de lui et tout y retourne, instant après instant.

MATTHIEU : Dans le bouddhisme tibétain, on dit qu'une retraite faite en silence est dix fois plus fructueuse qu'une retraite pendant laquelle on parle.

CHRISTOPHE : J'adore les retraites silencieuses ! D'ailleurs, elles révèlent exactement le même mécanisme que pour le jeûne : on s'aperçoit qu'arrêter de parler, comme cesser de manger, n'est pas difficile, même si parfois, pour les grands bavards extravertis il y a quelques difficultés au début. Et surtout, on comprend beaucoup mieux ce que signifie la parole, le rapport à la parole, aux paroles inutiles, aux paroles automatiques, aux paroles erronées, aux paroles hâtives. Quand on sort des retraites en silence, on a pris goût à la vraie parole. Tout comme après un jeûne on préfère la vraie nourriture à la *junk food*. On a pris goût à la parole qui ne s'exprime que s'il y a quelque chose à dire, et pas seulement le bavardage, le remplissage, ou le radotage.

Je me rappelle une sortie de retraite silencieuse avec Jon Kabat-Zinn. Nous avions passé quarante-huit heures sans parler, et Jon avait organisé la sortie du silence de manière très touchante : au lieu de nous dire subitement « Bon, maintenant vous pouvez vous remettre à parler… », il nous avait recommandé de nous tourner vers la personne à côté de nous, qu'on la connaisse ou non, de mettre notre bouche tout près de son oreille, et pendant cinq minutes, de lui dire à voix basse ce qui s'était passé pour nous pendant ces quarante-huit heures de silence. La personne devait être pure écoute, sans commentaire ni mimique. C'était une expérience forte – même moi qui ne suis pas un grand bavard, la parole m'avait parfois manqué –, et puis surtout, j'avais le sentiment d'une écoute extraordinaire. Quand mon tour est venu d'écouter l'autre, ce fut aussi incroyable de me dire : « Tu n'as rien à dire, rien à montrer, rien à répondre… Juste écouter. » J'avais le sentiment d'être dans une écoute encore plus forte, plus pure que celle que j'ai avec mes patients, où je montre, par mon visage, de la bienveillance ou de l'encouragement. C'était le dépouillement total de ce que peut être l'écoute, présence sans parole, sans visage, conscience totalement tournée vers l'autre, et consacrée à lui.

Être là, présent

MATTHIEU : Pour la qualité de la présence, je reviens toujours à l'exemple de mes maîtres spirituels. Quand je suis arrivé à Darjeeling, le 2 juin 1967 (c'est à peu près une des seules dates dont je me souviens avec précision), je ne parlais pas le tibétain et baragouinais à peine l'anglais. Au début, je n'ai fait que m'asseoir en présence de celui qui allait devenir mon principal maître, Kangyour Rinpotché. Au bout de deux semaines, son fils aîné est arrivé et j'ai pu lui poser quelques questions. Jusqu'alors, ce n'était que de la communication non verbale. Je passais des heures assis en silence devant ce maître, qui vivait de façon très simple dans une petite cabane de deux petites pièces, avec son épouse et deux de ses enfants. Chaque fois que j'essaie de décrire la qualité de sa présence, les mots me manquent, comme si j'essayais de cerner l'incernable. Je peux dire, par exemple, qu'il était d'une disponibilité constante et d'une bonté sans limite, que parfois il pétillait de joie et que d'autres fois il était d'une gravité impressionnante, mais j'ai bien conscience de n'avoir rien dit d'essentiel.

Ce genre de présence peut parfois être ressentie par une foule tout entière. Lors des célébrations du cinquantième anniversaire des Droits de l'homme en 1999 à Paris, Amnesty International avait organisé un concert de rock à Bercy, avec Peter Gabriel et d'autres musiciens, et avait demandé au Dalaï-lama s'il acceptait de faire une apparition surprise, ce qu'il accepta volontiers. Tandis qu'il attendait dans les coulisses, il prit la main d'un électricien comme si c'était son ami de toujours. Puis on annonça : « Et voici l'invité surprise de la soirée, le quatorzième Dalaï-lama du Tibet ! » Quand il s'est avancé sur le plateau tout illuminé, entre deux morceaux de rock, quinze mille jeunes se sont dressés comme un seul homme et lui ont fait une formidable ovation, la plus forte de la soirée selon l'applaudimètre.

Il s'est avancé jusqu'au bord de la scène en disant : « Écoutez, je ne connais rien à votre musique, mais je vois dans vos yeux cette lumière, cette jeunesse, cet enthousiasme… » Puis il a prononcé quelques mots sur les Droits de l'homme. La foule a fait « chuut ! » pour mieux l'entendre. C'était la première fois que j'assistais personnellement à un concert de rock, mais je suppose qu'on n'y entend pas beaucoup de « chuut ». Et puis, quand le Dalaï-lama a eu fini de parler, tous se sont levés et ont applaudi à tout rompre. J'avoue que l'émotion m'a fait monter les larmes aux yeux. Aucun de ces jeunes n'était venu voir le Dalaï-lama, pourtant un contact extraordinaire s'était immédiatement créé entre eux et lui. Je suppose qu'ils ont tout de suite ressenti l'authenticité de ce qu'il était et de ce qu'il disait. Ce phénomène ne peut pas être provoqué artificiellement, même à grand renfort de conseillers en communication. Il faut qu'il y ait une vraie cohérence, une présence authentique, une parole juste.

CHRISTOPHE : Concernant la question de la présence à l'autre, j'ai vécu une expérience étonnante pendant six mois, dans un service qui accueillait en pensionnat des enfants autistes. À l'époque, ils étaient un peu abandonnés à eux-mêmes ; les éducateurs, les psys, passaient beaucoup de leur temps en réunions de service. J'étais alors jeune interne, tout juste sorti de l'université, et autant je détestais les réunions de service, autant j'aimais passer du temps avec les autistes. Certains étaient des autistes sévères, et il fallait les apprivoiser : je ne sais pas si ce que je faisais était très thérapeutique, mais je leur donnais de la présence. Il n'y avait aucun objectif de thérapie, d'apprentissage ou quoi que ce soit. Mon but était juste de m'asseoir et de les apprivoiser, comme des petits animaux sauvages, en m'asseyant doucement d'abord à dix mètres d'eux, puis à neuf mètres, etc., jusqu'à pouvoir participer à leurs rituels. Et là, tout à coup, ils me prenaient la main, la mettaient sur leur visage, ou touchaient mon visage lentement. C'était une communication simple, mais extrêmement intense. Et par la présence, il y avait une communication très forte, la seule qu'ils pouvaient tolérer d'ailleurs.

Quant à la présence à soi, j'ai beaucoup progressé grâce à la méditation. Avant, j'étais dans une connaissance de moi-même un peu intellectuelle, erratique, épisodique, mais pas dans une véritable présence à moi. Or, dans les pratiques méditatives, on travaille énormément la présence à soi : présence au corps, aux pensées, aux émotions, à l'ensemble de son être. Et plus cette présence à soi est de bonne qualité, plus c'est un facteur de progrès personnel, et un facteur de capacité à mieux aider les autres. Une collègue québécoise, Patricia Dobkin, a fait des recherches, à partir des évaluations des patients, montrant que les soignants qui pratiquent la méditation avaient une qualité de présence accrue, qui bonifiait toutes leurs compétences techniques.

NOS CONSEILS
EN MATIÈRE D'ÉCOUTE

TROIS PRATIQUES IMMÉDIATES
ALEXANDRE

Les cures de silence. S'accorder, dans la journée, des cures de silence pour laisser s'en aller ce qui encombre le fond d'un cœur : laisser naître, se manifester et disparaître ce qui traverse notre esprit, congédier les idées fixes qui nous rendent décidément bien malheureux. Oser des petites retraites, pour quitter l'agitation et descendre plus en profondeur…

Les parasites de l'écoute. Repérer, quand je discute avec quelqu'un, tout ce qui parasite la véritable rencontre : la précipitation, la fatigue, les préjugés, les malentendus, le danger de l'équivoque… L'ascèse, c'est tendre vraiment l'oreille, à fond.

Se tenir entièrement disponible pour les autres. Concrètement, décrocher le téléphone pour appeler une personne dans l'épreuve ou dans la solitude. L'écouter, la soutenir sans forcément vouloir lui assener des conseils, juste lui donner la chance d'être parfaitement ce qu'elle est…

TROIS CONSEILS POUR UNE BONNE ÉCOUTE
CHRISTOPHE

🔖 On progresse beaucoup plus en écoutant qu'en parlant. Le proverbe dit : « Tu as deux oreilles et une bouche, ce qui veut dire que tu dois écouter deux fois plus que tu ne dois parler. » La parole nous transforme parce qu'elle nous force à préciser nos idées, mais l'écoute est encore plus puissante, car elle nous ouvre à d'autres univers que le nôtre.

🔖 Toujours se rappeler qu'écouter, c'est donner. Pas seulement des réponses, mais de la présence. « Écoute d'abord, et réponds ensuite, n'oublie pas qu'il s'agit de deux choses différentes. » Ce temps d'écoute préalable donne à nos réponses une authenticité, un poids, et une efficacité accrus.

🔖 Il faut se désemplir en partie de soi pour bien écouter. Se désemplir de ses peurs, peur de ne pas savoir quoi dire, peur de ne pas avoir de réponses à donner. Se désemplir de ses certitudes. Se désemplir de ses lassitudes. Mais on a des limites en matière d'écoute : il y a aussi des moments où l'on a juste besoin d'être seul, pour se ressourcer !

ÉCOUTER AVEC BIENVEILLANCE ET HUMILITÉ
MATTHIEU

🍂 Considérer l'écoute comme un don sans réserve à l'être qui est en face de soi. Même s'il est malveillant, l'écouter avec compassion, sans complaisance, mais avec le profond désir de trouver un remède aux causes de sa souffrance.

🍂 Ne pas anticiper ses paroles en pensant que l'on sait déjà où il veut en venir.

🍂 Éviter toute attitude condescendante. De même qu'on recueille l'eau à l'endroit le plus bas où elle s'écoule, c'est dans une position d'humilité qu'on reçoit de l'autre ce qui nous permettra de l'aider.

5

LE CORPS : BOULET OU IDOLE ?

ALEXANDRE : Pour s'élancer *comme il faut* sur un chemin spirituel, il s'agit de ne pas oublier le corps, sauf à vouloir foncer droit dans le mur. Nous ne sommes pas des machines, ni des âmes désincarnées, après tout. Besoins, pulsions, désirs, douleurs, plaisirs, joies et peines, il faut bâtir sa vie avec tout cela. Comment ne pas s'esquinter la santé ? Comment éviter le stress, les dépendances et l'épuisement pour oser un art de vivre qui redonne au corps sa véritable vocation : devenir un instrument de paix, le véhicule de l'Éveil ? Se montrer négligent en matière d'hygiène de vie, c'est tôt ou tard se casser la figure. Tour à tour, le corps peut devenir un boulet, un obstacle, une idole, une charge. Comment oser un sain équilibre au milieu des passions, des tiraillements ? Et surtout, comment aimer notre corps ? Pour se lancer dans une ascèse, il s'agit d'y habiter pleinement, d'y célébrer la vie.

Habiter le corps

Alexandre : Mépriser, prendre en dégoût le corps, le regarder de haut ne mène à rien. Et il faut se méfier comme de la peste de l'angélisme. Pascal a mille fois raisons de rappeler que « l'homme n'est ni ange ni bête, et le malheur veut que qui veut faire l'ange fait la bête ». À mes yeux, nier nos besoins, faire semblant d'avoir réglé, une fois pour toutes, le problème des pulsions, des contradictions, nous voue inévitablement à l'échec. Embrasser une vie spirituelle, ce n'est assurément pas fuir le corps, mais au contraire tenter d'incarner, d'enraciner une sagesse au quotidien. Comment avancer dans la paix si l'on est fourbu, harassé, si on se malmène ? Et que dire du risque de s'emmurer dans le mental ? Se couper du corps, de ses rythmes, négliger les *lois* de notre nature risquent fort de nous détruire. Un jour, mon ami, le psychiatre Christophe Massin, m'a donné un précieux outil : « Repère et évite autant que possible le sur-effort. » Depuis, quand je carbure à plein régime, dès que j'épuise mes forces, son appel me calme sur-le-champ. Enfin, j'ose ralentir un peu. Il faut tout un art pour se reposer. Et je ne suis pas sûr que celui qui a lutté toute sa vie sache s'accorder un répit, même bref.

Faire bon usage des plaisirs ne va pas non plus toujours de soi. Parfois, lorsque je rentre à la maison, mon regard s'arrête sur ces petites lumières rouges qui signalent les maisons de prostituées. À Séoul, il y en a beaucoup ; quelle tristesse de voir ce phénomène se banaliser ! Je déplore que la sexualité, ce cadeau de la vie, dégénère bien souvent et

Il y a des moments où l'on maltraite notre corps, comme on peut maltraiter la nature.

finisse par devenir le lieu d'une oppressante aliénation. Gageons que l'homme, totalement pacifié, ne vivrait plus la chair comme un tourment. En attendant, sans virer dans la répression, il me paraît utile de dessiner un art de vivre qui prenne en compte les pulsions, les désirs. Ce qui complique encore davantage notre affaire, c'est que, dans la sexualité, peuvent intervenir à la fois la psychologie, le biologique et les manques affectifs. Bref, tout peut y passer.

CHRISTOPHE : Le corps, tu l'as évoqué, est souvent ignoré ou maltraité, comme si l'on disposait d'un corps éternel, de même qu'on a imaginé pendant longtemps que la nature allait résister à nos pollutions et indéfiniment réparer nos négligences à son égard. Il y a des moments où l'on maltraite notre corps, comme on peut maltraiter la nature ; par négligence, par inconscience de ses besoins, de ses limites, de sa fragilité. J'avais été frappé lors d'un voyage en Inde, dans la région de Bénarès, nous avions croisé des sadhous qui faisaient leur toilette très soigneusement, et le guide m'avait expliqué qu'ils appartenaient à un courant religieux dans lequel on considérait que le corps était un temple qu'il fallait honorer. J'aime beaucoup l'idée de respecter son corps comme un temple, d'en faire le lieu de rituels sacrés : ce n'est pas forcément de l'obsession de soi ou de l'hypocondrie, mais de la déférence envers une entité extraordinaire que la Nature a patiemment élaborée et nous a confiée pour quelques années.

Il est important aussi d'évoquer la sexualité quand on parle du corps. Tu disais que la sexualité connaît des influences psychologiques, biologiques, mais je crois qu'il y a aussi des influences sociologiques très puissantes. C'est hallucinant de voir que la société actuelle a fait du sexe un objet de marchandise : on vend des accès à des films pornos, à des rencontres purement sexuelles, pour le « fun », sans engagements ni obligations, on a désacralisé, déspiritualisé, « dérelationnalisé » la sexualité. C'est indirectement une façon de ne pas respecter le corps, qui n'est pas juste un outil, un véhicule qu'on va dominer pour satisfaire nos plaisirs, mais une entité qui nous incarne en partie – comme d'ailleurs le corps des autres !

ALEXANDRE : Sur le chemin de l'acceptation du corps, la rencontre avec Joachim m'a libéré d'un énorme poids. Longtemps, la mort m'a terrifié. Il suffisait que mon regard croise un corbillard pour me plonger dans un étonnant mal-être. Mais la vie m'a un peu guéri en me donnant comme ami un croque-mort. Des heures durant, je l'ai écouté parler de son métier. Peu à peu est née, presque malgré moi, une grande confiance. Puis j'ai franchi le pas pour l'accompagner quelques jours dans son travail. Sa douceur, sa foi en la vie m'ont délivré de bien des tourments. Dans la chambre froide, je l'ai vu, avec une infinie tendresse, prendre soin d'hommes et de femmes, de papas, de mamans. Au début, je m'étonnais qu'il ne mette pas de gants pour s'occuper des morts. Ses mots m'ont converti : « Cette femme, il y a une heure, était dans les bras de son mari, de son fils ou de ses petits-enfants. Pourquoi je mettrais des gants ? » Joachim m'a révélé, là où je m'y attendais le moins, la bonté de la vie. Soudain, j'ai regardé cette bouche édentée en songeant aux paroles tendres qu'elle avait prononcées. Au milieu des cercueils, j'ai compris que le corps tenait du miracle. Je suis ressorti de la morgue avec dans le cœur un espoir inattendu. Je reconnaissais enfin que le corps n'était pas un boulet, qu'il était l'instrument de l'Éveil, et que désormais la tâche serait d'y célébrer la vie.

Toujours le même appel s'impose : il n'y a pas de temps à perdre, il faut pratiquer. Joachim m'a raconté l'histoire de cette serveuse, foudroyée par une crise cardiaque tandis qu'elle apportait un repas à un client. La précarité de l'existence n'a pas fini de m'étonner. Elle m'effraie et m'émerveille tour à tour. J'imagine cette jeune fille se lever le matin et se rendre à son travail. À aucun moment, sans doute, cette femme n'a pensé qu'elle allait mourir ce jour-là. La vie est fragile. Chaque instant est un cadeau qu'il nous incombe d'apprécier à fond. Dépêchons-nous de nous convertir et de devenir plus généreux !

Le corps m'a fait médecin

CHRISTOPHE : En tant que médecin, j'ai évidemment un rapport particulier au corps, qui est au cœur de notre métier. La première année des études de médecine était très théorique : certes, nous apprenions la biochimie, l'anatomie, mais nous n'étions pas en contact avec le « vrai » corps. Je suis véritablement entré en médecine quand j'ai pénétré dans la salle de dissection, en deuxième année : sur une table en zinc, il y avait un cadavre qui avait été conservé dans le formol. C'était assez impressionnant de regarder ce visage et de s'exercer sur ce corps qui avait été une personne. Nous étions quatre étudiants pour un cadavre. Après le concours de première année, ce moment était un second « tamis », impitoyable : un certain nombre se sont évanouis et sont partis faire des études de droit, dont le major de ma promotion ! C'est un immense paradoxe, mais rien ne fait davantage réfléchir à la vie qu'un cadavre. Je pense que je suis devenu médecin dans ces instants, sans bien le comprendre, mais en côtoyant, en manipulant, en dissé-quant ces cadavres : au-delà des savoir-faire techniques, cela faisait entrer en moi une foule de réflexions sur la vie et la mort.

Une autre chose m'a beaucoup marqué : j'ai fait partie des dernières générations d'étudiants où l'on sacrifiait des chiens, lors de travaux dirigés de physiologie, pour nous montrer notamment les mécanismes de la tension artérielle ou de la digestion. Ils étaient ramassés par la fourrière et destinés à cette triste fin de cobayes. Un jour, un pauvre chien mal anesthésié s'est à moitié réveillé et s'est mis à hurler de douleur. Nous étions indignés et nous sommes mis à protester. Nous étions parmi les premiers à considérer qu'il fallait arrêter ces expériences, que les cours suffisaient. Je me souviens encore de la tête de l'assistant de physiolo-gie, étonné qu'on ne supporte pas les cris du chien : je pense que pour lui – il était en fin de carrière – c'était son quotidien depuis des années, qu'il ne se rendait plus compte.

En médecine, la rencontre avec le corps est souvent violente. Je me souviens du premier malade dont j'ai eu la charge, quand j'étais externe en troisième année ; je revois le service où j'étais en stage, le grand soleil d'automne, la chambre, la tête du monsieur, un homme de 35 ans, fumeur, qu'on venait d'amputer de la jambe à cause d'une maladie de Leo Buerger, une artérite grave liée au tabac. J'ai découvert que, dans nos sociétés, on masquait volontiers toutes ces réalités. Dans les sociétés traditionnelles, les enfants voient davantage de corps souffrants et de cadavres. Nous, petits Occidentaux, avions été très protégés.

À l'époque où j'ai commencé la médecine, l'organicisme était triomphant, c'est-à-dire que le corps était considéré comme une somme d'organes vaguement en interaction entre eux. Le principe des « spécialités » (cardiologie, dermatologie, néphrologie…) incarne parfaitement cette médecine des organes isolés plutôt qu'une médecine des personnes globales. Cette approche a permis de grands progrès, mais elle montre aussi ses limites. Aujourd'hui, nous sommes en train de repenser le corps comme une entité subtile, compliquée et intelligente, où tous les organes s'influencent et dialoguent entre eux, possèdent des capacités d'autoréparation et parfois d'autoguérison qu'il faut respecter. Je reviens à cette comparaison entre corps et nature, puisqu'on voit désormais la nature comme un ensemble intelligent qu'il faut observer et respecter au lieu de le dominer et de le maltraiter. C'est un tout en

> Dans ce soin du corps, il y a un équilibre à trouver entre d'une part déni et mépris, et d'autre part obsession du corps.

interaction étroite : dès qu'on agit sur un élément, le reste est bouleversé.

Selon un processus analogue, on ne s'intéressait pas du tout au corps quand j'ai démarré en psychiatrie : les patients étaient souvent considérés comme de purs esprits qu'on couchait sur un divan. La psychanalyse, dominante à l'époque, était une discipline intellectuelle, fondée sur le concept, le verbe. Plus tard, en travaillant de mon côté sur les émotions, sur lesquelles on ne nous avait à peu près rien dit à l'université, j'ai découvert qu'elles étaient le trait d'union entre le corps et l'esprit, enracinées à la fois dans l'un et dans l'autre. Aujourd'hui, tous ceux qui travaillent dans le champ de la psychologie ont enfin compris que le corps n'était pas juste un outil ni une somme d'organes qu'il fallait réduire au silence pour ne pas être dérangé par lui, mais une porte d'entrée vers notre esprit, une entité complexe, intelligente, et dont il faut prendre soin par diverses approches comme la méditation, l'alimentation, l'exercice physique, etc.

Dans ce soin du corps, il y a un équilibre à trouver entre d'une part déni et mépris et d'autre part obsession du corps. Là aussi, comme beaucoup de jeunes garçons occidentaux, j'avais un relatif mépris de mon corps. Je me souviens que je m'étais fracturé le péroné au ski. J'avais tellement de travail que pendant une semaine j'ai marché sur ma fracture, me persuadant moi-même que ce n'était qu'une entorse. Mais j'avais tellement mal que j'ai fini par aller voir le radiologue, dans le service voisin du mien. Le confrère a longuement observé les radios, admirant la magnifique fracture, puis il s'est tourné vers moi l'air suspicieux, se demandant comment j'avais pu marcher pendant huit jours : « Vous faites quoi comme spécialité ? » Je lui ai répondu que j'étais psychiatre, et j'ai vu sur son visage une expression à la fois perplexe et soulagée : « Ah, vous êtes psychiatre, je comprends… » Aujourd'hui, l'expérience et l'âge aidant, j'essaie d'être plus attentif et de respecter mon corps. De façon à ne pas être obligé de trop m'occuper de lui.

Le mouvement naturel de la mort du corps survient après un autre mouvement naturel qui est le vieillissement. Personnellement, je ne suis pas touché par les seuils chronologiques – avoir 30 ans, 40 ans, 50 ans –, mais plutôt par les étapes dans la vie de mon corps : quand j'ai commencé à perdre mes cheveux, quand les poils de ma barbe ont blanchi, quand j'ai commencé à ne plus pouvoir jouer au rugby, à ne plus pouvoir faire de haute montagne, quand j'ai senti mes premières douleurs articulaires durables… Ce vieillissement du corps m'apprend le détachement, c'est-à-dire que toutes ces petites limitations me forcent à accepter de vieillir et me préparent à accepter un jour de quitter mon corps. Se résoudre à vieillir normalement peut nous aider à avoir moins peur de la mort. Il me semble que le vieillissement est fait pour cela, pour qu'à la fin on ne regrette pas de quitter notre corps. Mais on en reparlera quand j'aurai 90 ans. Si j'y arrive !

Le corps dans le bouddhisme

MATTHIEU : Dans le bouddhisme, le corps est décrit de façons différentes selon le niveau des enseignements et des pratiques spirituelles. Cette diversité répond à celle des facultés et des dispositions mentales de chacun, tout comme la diversité des remèdes répond à celle des maladies.

Dans le bouddhisme du Petit Véhicule, le corps est surtout perçu comme un objet d'attachement, puisque c'est par l'intermédiaire du corps qu'on s'attache aux sensations agréables enregistrées par les sens. Ces attachements ont vite fait de se transformer en soif, en saisie, puis en dépendance. Pour éviter de traiter notre corps comme une idole et passer notre temps à le pomponner, et pour ne pas percevoir le corps d'autrui comme un simple objet de désir, le Petit Véhicule enseigne différentes méditations. L'une d'elles consiste à imaginer qu'on ouvre un corps et qu'on regarde ce qu'il y a sous sa peau douce et derrière son visage avenant. Cela rappelle un peu les séances de dissection dont Christophe parlait, bien que le but soit différent. On se représente les organes, les veines, le sang, les os, la chair, etc., et on les extrait mentalement les uns après les autres pour les mettre en tas devant soi. L'objectif est bien sûr de conclure qu'il n'y a pas de quoi s'amouracher de ce tas de chair. Pour prendre conscience de la nature éphémère du corps, on le visualise aussi comme le squelette qu'il va bientôt devenir.

Dans le Grand Véhicule, celui des bodhisattvas, on considère le corps humain comme éminemment précieux, car il permet d'atteindre l'Éveil. Bien sûr, il n'est vraiment précieux que si on met à profit les avantages qu'il nous procure. On le compare alors à un navire qui permet de traverser l'océan des existences conditionnées par la souffrance. Sans faire du corps une idole, on le respecte comme on prend soin d'un bateau. Il serait absurde de le mépriser, de ne pas l'entretenir ou de le soumettre à des mortifications.

Enfin, dans le Véhicule Adamantin, ou Vajrayana, on identifie le corps à une déité de sagesse qui symbolise les qualités de l'Éveil : sagesse, compassion, activité altruiste, etc. Comme les sadhous indiens que tu mentionnais, Christophe, le Vajrayana considère parfois aussi le corps comme un mandala qui est le siège d'un grand nombre de déités représentant ces qualités spirituelles. Il ne s'agit pas ici de se construire un super-ego, c'est plutôt le contraire. La déité de sagesse à laquelle on s'identifie n'a pas plus de substance qu'un arc-en-ciel, ce n'est qu'un moyen habile dont le but est de réduire notre attachement habituel à un ego et à une forme physique grossière, et de permettre à la nature de Bouddha qui se trouve en nous de se manifester.

Quant à la sexualité, c'est l'expression normale d'un désir biologique, comme la faim et la soif. Elle éveille en nous des émotions très intenses car elle implique tous les sens à la fois. Chez ceux qui n'ont pas atteint un certain degré de liberté intérieure, elle engendre, comme les autres expériences sensorielles très fortes, de puissants attachements qui enchaînent encore davantage l'esprit au cycle de la souffrance. Pour ceux qui maîtrisent leur esprit et connaissent une parfaite liberté intérieure, ces sensations sont vécues dans la simplicité du moment présent, dans la félicité de l'esprit affranchi de tout attachement et de toute attente. Elles deviennent alors des moyens de progrès spirituel.

En fin de compte, c'est bien l'esprit qui est le maître du corps et de la parole. Même si le désir est inscrit dans notre constitution physique, il ne peut pas s'exprimer sans une représentation mentale. Celle-ci peut être volontaire ou s'imposer à nous, se former lentement ou apparaître soudain, mais elle précède toujours le désir, car l'objet du désir se reflète d'abord dans nos pensées. La compréhension de ce processus allié à l'entraînement de l'esprit permet de gérer l'apparition du désir de façon libératrice.

Du point de vue du bouddhisme, le corps a bien sûr une influence sur l'esprit, mais en tant que dépositaire d'énergies, de schémas et de tendances dont l'origine première est dans l'esprit. Ces tendances, selon le bouddhisme, peuvent parfois remonter à des renaissances très lointaines, l'équivalent, sur le plan de la conscience, de l'hérédité sur le plan physique. Dans la pratique spirituelle, on peut accessoirement mettre l'accent sur le corps au moyen d'exercices physiques particuliers, mais ceux-ci visent, en dernier ressort, à transformer l'esprit.

Les textes disent que, dans un corps bien droit, les canaux d'énergie subtile sont également droits, et que cela favorise la clarté de l'esprit.

Le corps et la méditation

MATTHIEU : Toutes les pratiques liées au corps et à la parole ne sont donc que des moyens accessoires d'affranchir l'esprit des émotions conflictuelles et de l'ignorance. Pour la parole, le mot sanskrit *mantra* veut justement dire «ce qui protège l'esprit». Il le protège des pensées vagabondes et des états mentaux qui perpétuent la confusion mentale et la souffrance. Pour ce qui est du corps, il est certain que la posture, par exemple, a une influence sur nos états mentaux. Si on médite dans une position trop relâchée, on a de fortes chances de somnoler. À l'inverse, avec une posture trop tendue, on favorise l'agitation mentale. Il faut trouver un juste milieu. Quand on peut difficilement s'asseoir les jambes croisées, on peut méditer sur une chaise ou un coussin surélevé, ou même couché, comme le fait souvent Alexandre à cause de ses douleurs. Il faut éviter de laisser le corps pencher à gauche ou à droite, en avant ou en arrière. Les textes disent que, dans un corps bien droit, les canaux d'énergie subtile sont également droits, et que cela favorise la clarté de l'esprit.

ALEXANDRE : Dans son magnifique livre, *Bouddha, mode d'emploi*, Jack Kornfield relate l'histoire d'un pratiquant atteint d'une maladie incurable. Alors que les médecins ont déclaré forfait, il se rend chez son maître Taungpulu Sayadaw, sûr que le temps est venu pour lui de se préparer à mourir. La leçon est lumineuse. À cent lieues de la résignation et du découragement, le saint homme lui conseille de tout mettre en œuvre pour essayer de se soigner. Car, si la maladie étend ses ravages, il s'agit de progresser toujours. Et, avec une infinie douceur, il le réconforte : « Ne meurs pas encore. » Pas encore ! Il est vivant, et cette vie, bien que fragile et éphémère, offre jusqu'au bout la possibilité, même infime, de cheminer vers l'Éveil. J'aime cette invitation à vivre jusqu'au bout. Le corps n'est ni un fardeau ni une entrave. Dans *Le Phédon*, Platon compare la chair à une prison, un tombeau. Sans l'idolâtrer, je préfère considérer le corps comme un véhicule pour accomplir le voyage vers la joie, l'amour, l'Éveil et l'union à Dieu.

CHRISTOPHE : Pour aller plus loin au sujet de l'importance du corps, dans le domaine alimentaire, c'est très frappant : les problèmes semblent naître dans le corps, prédominer dans le corps, et les solutions sont aussi dans le corps. Par exemple, réguler les troubles des conduites alimentaires comme l'hyperphagie ou la boulimie uniquement en réfléchissant ne peut pas fonctionner : la puissance de notre esprit ne suffira pas, il faut réhabiliter le corps. Et souvent, on s'aperçoit que les patients qui sont l'objet de ce type de dérèglements connaissent mal leur corps :

ils ne font pas la différence entre la véritable faim et la simple envie de manger – parce que c'est l'heure, parce qu'on s'ennuie ou qu'on est stressé, parce qu'on voit d'autres personnes manger, etc. Les pratiques de type méditatif, tout comme d'autres pratiques d'observation, sont non seulement les premières étapes des améliorations, mais souvent des passages obligés pour toute forme de travail sur les impulsions.

À l'inverse, *l'incarnation* de nos intentions leur donne une force incroyable, comme je l'ai découvert avec les pratiques méditatives. L'exemple qui me touche le plus, ce sont les méditations d'amour altruiste et les méditations centrées sur la compassion où l'on prend le temps de coupler la respiration aux intentions d'amour altruiste : on éprouve la façon dont ces sentiments peuvent s'inscrire charnellement en nous, dans toutes les parties de notre corps. Peu à peu, on est dans un état de compréhension, de clarification, d'apaisement, de force intérieure lié à ces intentions d'amour altruistes. La plupart d'entre nous n'y arriveraient pas sans le soutien du corps. C'est lui qui fait la différence entre la réflexion et la méditation.

Le lien corps-esprit

ALEXANDRE : L'expérience du handicap, inscrite à perpétuité au cœur de ma chair, me donne pas mal de fil à retordre. Les médecins me plombent quand, sans même m'examiner, ils décrètent que la douleur physique vient du stress. Ce genre d'interprétations hâtives et un brin

> Si je me sens en paix, bien entouré, la souffrance physique est un peu moins amère. Il s'agit de travailler sur les deux plans : prendre soin du corps et apaiser le mental.

réductrices se rapprochent de la maltraitance, ce qui ne m'empêche pas, dans le même temps, de constater l'importance énorme du mental sur la manière d'assumer la peine. Si je me sens en paix, bien entouré, il me semble que la souffrance physique est un peu moins amère. Il s'agit de travailler sur les deux plans : prendre soin du corps et apaiser le mental. C'est terrible de dire à quelqu'un qui souffre d'un mal chronique : « Vous en avez vu d'autres… », « Ce n'est pas ça qui va vous tuer. » C'est un peu comme si un homme avait dix épines enfoncées dans le pied et qu'il marchait sur une écharde. Qui oserait lui dire qu'il n'en est pas à une près ? Surtout, restons attentifs à la goutte d'eau qui peut faire déborder le vase. Repérons les limites de chacun afin de ne pas donner dans le sur-effort.

Si nous négligeons le corps, la facture sera tôt ou tard salée. Et il suffit d'une rage de dents ou d'une grande fatigue pour me montrer la fragilité de ma patience, de mon amour. D'où l'importance, par amour des autres, d'écouter et de respecter son rythme naturel.

Quant à ton exercice, Matthieu, je ne suis pas sûr que si le désir atteint son paroxysme, imaginer les boyaux et les os de la fille qui m'attire ne parvienne à calmer la bête.

MATTHIEU : Cela ne se fait pas en quelques secondes. Il faut se familiariser avec cet exercice jusqu'à ce que, spontanément, on se demande comment il est possible de s'attacher à tel ou tel corps. On peut aussi poursuivre l'examen jusqu'au niveau des atomes, et se dire en fin de compte qu'on ne peut pas s'attacher à des particules infinitésimales. Mais ce n'est qu'une méthode parmi d'autres. On considère comme plus efficace et plus profond de s'entraîner, par exemple, à gérer les émotions à mesure qu'elles surviennent, de la façon que j'ai déjà mentionnée.

Quant aux rapports entre le corps et l'esprit, il y a une trentaine d'années, la communauté scientifique considérait qu'il était totalement farfelu d'envisager une influence majeure des événements mentaux sur le corps. La méditation était perçue comme une pratique exotique rapportée d'Orient par des hippies qui avaient trop fumé la moquette. Les choses ont beaucoup changé depuis. Grâce aux efforts de Jon Kabat-Zinn, la technique de réduction du stress par la pleine conscience (MBSR) est maintenant utilisée dans des centaines d'hôpitaux du monde. Sur le plan de la recherche, il y a vingt ans on ne trouvait qu'une dizaine de publications annuelles sur les effets de la méditation, alors que de nos jours on publie chaque année 400 à 500 travaux sur ce sujet dans des revues scientifiques sérieuses.

En comprenant l'effet des états mentaux sur le corps, on comprend mieux l'effet placebo, un concept dont il faudrait redorer le blason. Bien souvent, les gens ont l'impression qu'il s'agit d'un piège ou d'un leurre. «Vous allez mieux? Ha! ha! Savez-vous qu'il n'y avait rien dans les pilules que vous avez prises?» En réalité, l'effet placebo, qui donne 15 à 40 % de résultats positifs selon les maladies traitées, ne fait que montrer l'influence de l'esprit sur le corps. On ne devrait plus lui donner de connotation péjorative. Quand on dit à quelqu'un qui va mieux après avoir ingéré une poudre quelconque que c'est un effet placebo, il est souvent vexé et vous traite de scientifique borné. Mais quoi de plus noble que les effets de l'esprit sur le corps? Il n'est pas nécessaire pour en démontrer l'importance de prendre des petites pilules dépourvues de substance active. Pourquoi ne pas travailler directement sur notre esprit pour améliorer les effets qu'il a sur notre corps? Cela me semble plus direct et plus intelligent, même si les gens aiment bien qu'on leur donne un mélange de gentianes de l'Himalaya et de poudre de rubis. La méditation est le plus noble des placebos.

Par ailleurs, les travaux de Paul Ekman montrent que la relation corps-esprit fonctionne dans les deux sens. Ce grand spécialiste des émotions et des expressions faciales a découvert qu'une cinquantaine de muscles faciaux étaient impliqués dans les différentes expressions faciales associées à la joie, à la surprise, à la peur, etc. Généralement, lorsqu'on ressent une émotion particulière, un ensemble de muscles bien définis est activé. Mais cela marche aussi dans l'autre sens. Paul a demandé à un groupe de sujets d'activer progressivement un certain nombre de muscles de leur visage – lever les sourcils, écarquiller les yeux, baisser la commissure des lèvres, etc. – sans leur dire à quelles émotions cela correspondait. Puis il leur a demandé ce qu'ils ressentaient. Ce qui est fascinant, c'est qu'ils ont presque toujours éprouvé le sentiment normalement associé aux muscles stimulés. Le simple fait d'adopter une expression faciale peut donc déclencher un état mental spécifique.

Pour finir, je voudrais mentionner le concept d'«inscription corporelle de l'esprit» proposé par le neuroscientifique Francisco Varela, l'un des fondateurs de l'institut Mind and Life, dont je fais partie. Il explique que la conscience se manifeste pleinement lorsqu'elle est associée à un corps intégré dans un environnement physique et social. Un cerveau qui resterait dans un bocal serait incapable de concevoir le monde.

CHRISTOPHE : C'est toujours étonnant, ces histoires de placebo. Tu as parfaitement raison de souligner, Matthieu, cette tendance à associer l'effet placebo à un piège ou à une erreur... alors que ce sont les pouvoirs de l'esprit, tout simplement! Lorsque notre esprit se met au service de notre corps, à l'écoute de notre corps, cela peut avoir des effets considérables. Et les études sont innombrables. Concernant les rétroactions corps-esprit, on a aussi des tas d'études sur le sourire, par exemple, qui montrent qu'en souriant – à condition de ne pas avoir à ce moment-là de raison de pleurer, à condition que notre vie soit «normale» – on améliore légèrement son humeur. Pour les raisons que démontrait Paul Ekman, il y a une harmonie totale entre notre corps et notre esprit, qui marche dans les deux sens :

un cerveau heureux va provoquer un visage heureux, mais un visage souriant facilite en retour les émotions positives. On a aussi les mêmes types de travaux sur la posture : quand on fait passer des questionnaires d'estime de soi ou de satisfaction existentielle, selon qu'on force les gens à se tenir rabougris ou droits, on modifie légèrement les notes. Respecter notre corps fait du bien à notre esprit.

NOS CONSEILS POUR CHEMINER AVEC SON CORPS

LES DEUX MESSAGES QUE JE VOUDRAIS TRANSMETTRE
CHRISTOPHE

Respectons notre corps comme on respecte la nature. Il ne nous appartient pas, pas exclusivement, pas plus que la nature. Nous sommes des locataires de la terre tout comme nous sommes les locataires de notre corps. Notre corps nous sera repris comme la nature nous survivra quand nous ne serons plus là. J'aime cette phrase de Nietzsche : «J'ai un mot à dire à ceux qui méprisent le corps. Je ne leur demande pas de changer d'avis ni de doctrine, mais de se défaire de leur propre corps ; ce qui les rendra muets.»

Acceptons et aimons notre vieillissement, voyons-le comme une aide à ne pas nous attacher à notre corps, comme le moyen de nous préparer à le quitter, sans regret, tout doucement, comme quelque chose qui nous a été prêté transitoirement, et qui sera recyclé pour les générations futures.

PRENDRE SOIN DE SON CORPS SANS IDOLÂTRIE
ALEXANDRE

🖐 Suivre saint François de Sales, qui conseille : «Prends soin de ton corps pour que l'âme s'y plaise», et considérer notre corps comme un enfant qui nous est confié.

🖐 Considérer son corps comme une maison qui nous est prêtée. Nous en sommes les heureux locataires, nous devons veiller à l'entretenir tous les jours. Je peux consacrer quelques minutes dans la journée à faire le ménage dans les recoins de la maison et à écouter les signaux qui me préviennent de l'usure : la fatigue, le stress, l'épuisement… bref, ce qui contrarie la joie.

POUR UN BON USAGE DU CORPS
MATTHIEU

🖐 Quand le corps va bien, le respecter sans s'y attacher excessivement. L'utiliser comme support pour progresser vers la connaissance et la liberté intérieure, ou comme instrument pour s'épanouir et contribuer au bien des autres.

🖐 Quand le corps va mal, au lieu de sombrer dans le désespoir, faire de ce mal une occasion de se transformer et de grandir en dépassant l'obstacle de la maladie.

6
AUX ORIGINES
DE LA SOUFFRANCE

CHRISTOPHE : En tant qu'êtres humains nous sommes tous des experts de la souffrance. Qu'il s'agisse de la nôtre ou de celle de nos proches, nous l'avons tous intimement connue. Mais, comme le médecin apparaît souvent comme celui à qui l'on vient demander d'alléger ou de faire cesser les souffrances, je vais me lancer et parler le premier sur ce sujet.

Cartographie de la souffrance

CHRISTOPHE : Pour expliquer la souffrance à mes patients et leur montrer comment nous allons travailler, j'essaie d'établir une différence – certainement réductrice mais pédagogique – entre la douleur et la souffrance.

La douleur est la partie biologique, organique ou existentielle de la souffrance : une dent cariée procure des modifications biologiques qui entraînent une sensation lancinante. Parfois, la douleur est aussi incarnée par un événement qui survient : la perte d'un enfant, d'un ami, d'un proche. Finalement, la douleur, c'est le réel lorsqu'il nous blesse. La souffrance désigne l'impact de la douleur sur notre esprit, sur notre vision du monde. Prenons l'exemple des acouphènes : ces bourdonnements ou sifflements d'oreille sont une forme de douleur relativement minime (il y a effectivement des difficultés bien pires) mais qui peut engendrer de grandes souffrances parce que l'impact de cette petite perturbation va entraîner des obsessions, occuper tout l'esprit et nécessiter parfois une aide psychologique. Je ne peux pas faire disparaître la douleur de mes patients par mes seuls mots – il faut parfois des médicaments, parfois du temps, comme pour un deuil –, mais je peux les aider à comprendre leur souffrance et à la diminuer avec certaines approches comme la psychothérapie ou la méditation.

La deuxième façon de comprendre la souffrance consiste à définir son opposé. L'inverse de la souffrance pourrait être la jouissance, mais quand on souffre, on ne souhaite pas jouir, on veut juste ne plus souffrir. L'opposé de la souffrance est donc la paix, la tranquillité, la sérénité, la possibilité de s'oublier et de profiter de la vie.

On en vient au troisième point : ce qui caractérise la souffrance, c'est qu'elle nous coupe du monde. Simone Weil parle très justement du « degré de douleur où l'on perd le monde ». Elle nous isole et, au fond, le contraire de souffrir, c'est renouer avec le monde, retrouver un lien harmonieux et apaisé avec lui.

ALEXANDRE : Si je suis entré en philosophie, un peu comme on entre dans les ordres, c'est précisément pour tenter de trouver un remède à la souffrance. Je voulais à tout prix lui tordre le cou et sauver ma peau. Très jeune, j'ai côtoyé des êtres qui, au cœur de l'épreuve, nourrissaient une immense joie de vivre. J'ai souhaité à mon tour découvrir cette joie, tout faire pour y accéder. Voilà l'énigme de ma vie ! À propos de la souffrance, il faut bien distinguer le mal lié à notre condition humaine, auquel on n'échappe que difficilement, voire pas du tout (la maladie, la mort, un tremblement de terre, la perte d'un proche), des tourments de l'âme. Sur les inévitables coups du sort vient se greffer tout un fatras émotionnel : les refus, les frustrations, l'insatisfaction… La bonne nouvelle, c'est que tout ce fatras de tiraillements n'est pas sans remède. Dès lors, la vraie question est : comment traverser cet océan de souffrances sans couler et sans ramener sur la barque tous ces soucis inutiles qui nous bouffent et nous laissent exsangues ? Sur ce point, le handicap agit comme un puissant révélateur qui m'apprend combien la peine est accentuée, exagérée, voire créée de toutes pièces par le mental. Si je m'en tenais aux faits, si je restais les deux pieds sur terre sans suivre mes peurs et mes projections, je souffrirais nettement moins. En traversant une foule, quand je ne m'attarde pas sur les regards qui me dévisagent et viennent me rappeler que je ne suis pas tout à fait comme les autres, je demeure dans une joie profonde. Mais dès que je commence à prendre au sérieux tous ces yeux qui se fixent sur moi, je suis foutu. En ce sens, ma petite fille de 4 ans me *soigne*, elle qui n'a pas encore plaqué un attirail d'étiquettes sur son papa infirme.

Le diagnostic que posent le bouddhisme et les mystiques chrétiens me réjouit : si nous nous débattons dans le malheur, c'est ultimement parce que nous sommes exilés et qu'une épaisse couche d'illusions, de désirs et de peurs est venue voiler notre véritable nature, le fond du fond. La psychologie positive aussi, comme le bouddhisme, délivre un message proprement révolutionnaire : nos tiraillements sont loin d'être une fatalité. Ce mal-être peut être adouci, voire carrément évité. Une fois le diagnostic posé, nous pouvons nous lancer allégrement dans un art de vivre et une ascèse qui font reculer progressivement ce qui encombre, ce qui pèse sur une vie. Je trouve aussi dans la lecture de Maître Eckhart ou dans les écrits d'Angelus Silesius une audacieuse invitation à nous déprendre de ce petit moi qui nous tyrannise, à vider le temple de l'esprit pour que la joie puisse enfin y rayonner. J'aime la notion d'ascèse, car elle chasse toute idée de résignation et permet à chaque pratiquant d'avancer, de progresser. Elle autorise un immense espoir en dessinant une voie très concrète pour y accéder.

La philosophie antique évoque l'image du gymnaste, du soldat, bref de celui qui s'entraîne chaque jour pour parfaire son art. *Askein* signifie « s'exercer », en grec, d'où le mot d'« ascèse », dans lequel on voit souvent, à tort, le renoncement, la privation. S'exercer, c'est se mettre en route, se convertir, se familiariser avec la sagesse. Comment ne pas y voir une joie, celle du captif qui s'évade de prison, qui devient libre ? Tout devient alors occasion de progrès, de délivrance.

Très concrètement, je peux faire feu de tout bois pour me délester, me libérer. Par exemple, la moquerie, la peur du qu'en-dira-t-on m'ont vraiment pourri la vie en m'éloignant d'un « oui » joyeux au réel tel qu'il se présente. D'où ce puissant remède qu'est la non-fixation : dès que je me réduis à une représentation, à une image que je forge de moi, je souffre. Pour tenter d'enrayer ce mécanisme malsain, il faudrait ne jamais s'identifier à quoi que ce soit. Au milieu des railleries, à chaque fois que je me prenais trop au sérieux, mille fois par jour, je revenais à cet exercice qui décape et qui vient nous extraire des rôles, des blessures et des attentes.

Celui qui se lance dans une ascèse risque tôt ou tard de se confronter au danger du volontarisme : croire que tout dépend de nous, que la volonté et la raison règnent en maîtres. Lors d'un bref passage dans un service de soins palliatifs, j'ai découvert une flagrante injustice : justement, la volonté ne suffit pas. Certains patients avaient beau nourrir un état d'esprit fabuleux, déployer une énergie considérable, la maladie l'emportait. D'autres avaient plus de chance. Le défi, c'est de faire l'éloge des exercices spirituels, de leurs effets considérables sur notre humeur, notre santé, et même notre système immunitaire, en gardant à l'esprit que tout ne dépend pas de nous. Je me méfie toujours des diktats. Ce serait tomber dans la maltraitance que de banaliser la souffrance et de condamner celui qui ne s'en sort pas. J'ai bien rigolé, l'autre jour, chez le dentiste, qui m'avertissait : « Surtout ne bougez pas ! Sinon ça va être le désastre. » C'est un peu comme si nous balancions à un enfant : « Tu vas dormir, bon sang ! » Avec mon infirmité, plus j'essaie de contrôler mes mouvements, plus le corps se révolte, se crispe et fait des siennes. Quelle plus pressante invitation, une fois de plus, à oser l'abandon ? D'ailleurs, sur ce fichu fauteuil dentaire, j'ai court-circuité les mots du docteur en me rassurant : « Tu peux bouger autant que tu veux, ne maîtrise rien, n'essaie même pas de te détendre. » Et le miracle s'est produit, je suis resté parfaitement immobile. De même, il est dangereux de brusquer une personne qui souffre avec des « Réveille-toi » et des « Bouge-toi », aussi contre-productifs qu'inhumains.

Pour celui qui se coltine au quotidien une souffrance physique ou un mal-être intérieur, un art de vivre est indispensable pour éviter que les problèmes ne deviennent le centre de la vie. D'abord, je comprends avec Schopenhauer qu'il ne suffit pas que la peine cesse pour que je nage forcément dans le bonheur. Souvent, je donnerais tout pour me débarrasser d'une douleur et, quand le répit advient enfin, je ne suis même pas heureux. Ingrat que je suis ! À force de lorgner vers l'avenir, j'en oublie les mille et un cadeaux qui sont là, à portée de main… L'exercice, dès lors, c'est de pratiquer la gratitude, et ce, du fond du cœur. Regarder ce sourire unique, apprécier ce plat, jeter un regard vers le ciel. En un mot, s'ouvrir à ce qui nous est donné. Assumer jour après jour une blessure relève plus du marathon que du sprint. Et l'épuisement ne rôde jamais très loin. D'où une extrême vigilance pour ne pas devenir aigri et amer.

L'ascèse réclame de tout mettre en œuvre pour que le mal n'ait pas le dernier mot. Simone Weil vient débusquer les cruels rouages de la souffrance. Dans *La Pesanteur et la Grâce*, elle confesse avec une honnêteté déconcertante la brutalité qui l'étreignait lors de violentes migraines allant jusqu'à lui faire désirer, pour s'en libérer, de frapper autrui au front, là précisément où la douleur devenait insupportable. C'est dire comme le mal peut rendre fou, méchant. Comment, dès lors, ne pas se défouler sur le premier venu du trop-plein des blessures, des échecs ? Cette décapante lucidité me délivre. Et la philosophe me prête main-forte pour déjouer des pièges comme le désir de vengeance, la tendance à pointer des coupables et à répandre autour de moi la peine que je ne peux plus assumer.

Un jour, en pleine crise d'otite, mon fils criait si fort que je ne savais plus quoi faire. Impuissant, je me suis surpris à déceler dans mon emportement de la colère contre lui. Je me trompais décidément de cible ! C'est fou comme la souffrance peut nous faire perdre les pédales. Mon amour pour ce petit enfant était si grand que, désemparé, paniqué devant ces cris que je ne savais soulager, je me suis surpris à tomber dans ce stupide réflexe : « Arrête de crier, ça me fait trop mal au cœur ! » Singulier paradoxe : au lieu d'être complètement désarmé, de prendre ce petit être dans mes bras pour le consoler à fond, je lui reprochais inconsciemment de me faire de la peine. Il me faut donc tout faire pour désamorcer ces peurs, ces mécanismes de défense. Identifier les causes de la souffrance et ne plus nuire sont alors des actes éminemment altruistes.

MATTHIEU : Pour commencer par le plus simple, on peut dire que le terme de «souffrance» englobe tous les états mentaux perçus comme indésirables. La souffrance peut avoir comme point de départ une douleur physique ou un état d'esprit comme la détresse, la peur ou tout autre sentiment que l'on voudrait voir disparaître. Elle peut être éphémère, comme dans le cas de certains maux de tête, ou durable, comme dans le cas du désespoir, de la perte de sens ou d'un mal-être profond.

Pourquoi avons-nous cette faculté de souffrir? Du point de vue de l'évolution, la faculté de ressentir la souffrance favorise la survie. La douleur physique est un signal d'alerte nous informant que quelque chose menace notre intégrité physique. Ceux qui n'ont aucune sensibilité à la douleur sont en danger de mort. Les lépreux, par exemple, dont les membres deviennent insensibles, continuent de marcher sur leurs moignons, ce qui aggrave la dégradation de leur corps. D'autres peuvent se brûler terriblement sans s'en rendre compte. La souffrance mentale est aussi un signal d'alerte intérieur. Elle m'avertit qu'il y a quelque chose auquel je dois remédier pour rétablir mon équilibre mental.

La souffrance se manifeste à plusieurs niveaux, que le bouddhisme a clairement identifiés. Elle ne se limite pas à ce qui apparaît comme désagréable : la douleur physique intense ou un événement tragique qui fait irruption dans notre vie. Elle a des aspects plus subtils, qui ne sont pas du domaine du ressenti immédiat. Il y a, par exemple, «la souf-france liée au changement», due au caractère impermanent de ce qui nous apparaît momentanément comme du plaisir

On a parfois l'intuition, confusément,
que rien n'est jamais satisfaisant, même quand
on a, soit-disant, tout pour être heureux.

ou du bonheur. Si on est beau et en bonne santé, et que tout
va bien pour nous, on est inconsciemment attaché à l'idée
que cette situation va durer, et cet attachement est le point
de départ d'un processus de souffrance inévitable, puisque
tout change continuellement, même si on ne s'en aperçoit
pas. L'un de mes maîtres spirituels exprimait cette vérité
de façon plus brutale : « Ce que vous appelez généralement
bonheur, nous l'appelons souffrance. »

Le bouddhisme parle aussi d'un autre type de souffrance, encore plus imperceptible que celle du changement.
On a parfois l'intuition, confusément, que rien n'est jamais
satisfaisant, même quand on a, soit-disant, tout pour être
heureux. C'est la souffrance latente, liée à notre perception
distordue de la réalité. Cette perception erronée, dans le
bouddhisme, est l'une des définitions de l'ignorance. Si l'on
pense que les choses durent et qu'elles sont *en soi* désirables
ou indésirables, belles ou laides, bénéfiques ou nuisibles,
on est en inadéquation avec la réalité, et la conséquence
ne peut être que l'insatisfaction. Tant qu'on n'a pas dissipé
l'ignorance fondamentale qui engendre ce fossé entre nos
perceptions et la réalité, nous sommes voués à la souffrance.

Selon le bouddhisme, la souffrance a au moins une qualité : elle suscite le désenchantement à l'égard du bonheur

factice et nous incite à nous libérer des causes profondes du mal-être.

Les souffrances que l'on s'inflige à soi-même

CHRISTOPHE : Tu as rappelé quelque chose de fondamental, Matthieu. De même qu'une douleur est un signal d'alerte qui nous pousse à rapidement modifier notre comportement ou notre environnement, ou encore à consulter un médecin, la souffrance nous informe que nous sommes sur une voie à l'encontre de ce qui ferait notre équilibre, notre harmonie. Par exemple, le ressentiment ou la colère sont douloureux. Et c'est une bonne nouvelle ! Imagine une colère indolore ou une haine froide et jubilatoire – c'est peut-être d'ailleurs un problème que présentent certaines personnes authentiquement malades. Que l'envie, la jalousie, la haine, ces émotions qu'on dit « négatives » soient aussi des émotions douloureuses est une bénédiction puisqu'elles nous éloignent de ce que nous avons à faire pour les autres, pour nous. Sur ce point, le bouddhisme est clair, et il faudrait que nous nous en inspirions davantage en médecine ou dans notre culture en général. Souvent, nous aimerions dire aux patients : « Écoutez la souffrance, respectez-la, elle a un message à vous apporter. » Mais c'est difficile à accepter, parce que, quand on souffre, on veut d'abord que ça s'arrête. Là est le premier rôle du médecin. Et une fois la douleur apaisée, on peut lever le capot du moteur, inviter le patient à comprendre ce que la douleur signifiait.

La souffrance peut-elle nous aider à corriger les erreurs de notre vision du monde ? En t'écoutant, je pensais à une patiente que j'aime bien. C'est une dame qui commence à prendre de l'âge et qui vit dans une angoisse terrible du vieillissement. Elle est belle et ne veut tout simplement pas vieillir. Du coup, elle recourt beaucoup à la chirurgie plastique pour continuer de plaire et de séduire par son physique. Quand on la voit dans la salle d'attente, d'un peu loin, c'est une jolie femme qui attire le regard. Mais de plus près, on voit que c'est une dame âgée, même si elle garde beaucoup d'allure. Son attitude lui inflige d'innombrables sources de souffrance : d'abord la souffrance, tous les matins, de constater que son âge se lit sur son visage. Quand elle a des aventures, ça se complique : comment permettre un accès à son intimité physique, être vue sans maquillage, au réveil, ou sous une lumière crue ? Quelle souffrance ! Et pour quel gain ? En cherchant à éviter les tourments du vieillissement, elle s'en inflige de bien pires – à mon sens, en tout cas.

Cela doit faire trois ou quatre ans que je la suis, et j'ai commencé à lui dire gentiment : « Vous savez, vouloir garder une apparence aussi jeune, c'est beaucoup d'efforts pour vous, beaucoup de soucis. Est-ce qu'il n'y a pas une autre façon de plaire, de séduire, de partager votre intimité ? D'autres choses que vous pourriez faire de votre vie qui vous apporteraient aussi du plaisir ? » C'est un peu direct, et pas très « psychothérapeutique » mais, vu sa manière de vivre et sa relative solitude, je crois être le seul à pouvoir le lui dire. Comme elle m'aime bien, comme elle sent que je ne la juge pas et que j'ai de la compassion pour elle, elle m'écoute poliment. Mais c'est difficile de changer de cap. De l'extérieur, je vois bien l'erreur de sa vision du monde et de ses priorités existentielles, et j'essaie indirectement, par de petites astuces, de l'amener à modifier cette illusion fondamentale qui engendre beaucoup de souffrance. Je n'ai pas l'impression de l'aider de façon miraculeuse, mais il me semble que, peu à peu, elle évolue ; par exemple, elle sort avec des hommes de moins en moins jeunes, de plus en plus proches de son âge. Bref, il y a des moments où j'ai le sentiment que l'aide que l'on peut lui apporter ne relève pas seulement de la psychologie. Cette dame me met moi, psychiatre comportementaliste, un peu en difficulté. Et surtout, il y a un moment où j'ai peur de trop la secouer. Si je lui disais : « Vous voyez que ce n'est plus de votre âge, votre obsession de la jeunesse est une aliénation », évidemment, ce serait une catastrophe. Quels exercices proposerais-tu, toi, Matthieu, moine bouddhiste ?

MATTHIEU : On doit toujours essayer de remédier aux souffrances immédiates, mais si on n'agit pas sur leurs causes profondes, elles resurgiront immanquablement. C'est comme prendre un cachet d'aspirine quand la douleur est due à une maladie plus sérieuse. Cela ne fait que masquer le problème. On est souvent leurré par l'idée que, si on était beau, riche, célèbre et puissant, on serait automatiquement heureux, alors qu'en fait ces situations donnent autant de chances d'être heureux que de gagner à la loterie. Il y a déjà assez à faire avec les souffrances inévitables et imprévisibles de l'existence, sans rajouter la souffrance inutile de se désoler de ne plus avoir 20 ans quand on en a 80. Tu pourrais peut-être dire à cette patiente : « Vous voudriez être heureuse et souffrir le moins possible, vous avez tout à fait raison. Mais, pour le rendre possible, et surtout durable, il n'y a pas d'autre moyen que de regarder sincèrement en soi et de faire l'inventaire de ce qui contribue *vraiment* au bien-être et de ce qui cause la souffrance. »

CHRISTOPHE : C'est vrai, mais je la comprends, finalement. Nous vivons dans une société où l'on valorise avant tout les femmes jeunes et jolies. À mes yeux, cette patiente a d'énormes circonstances atténuantes : et, à partir du moment où les femmes de plus de 50 ans que l'on voit dans les médias sont toutes botoxées, liposucées et retapées, nous subissons tous ces diktats. Mais elle me pose un vrai problème pédagogique : comment lui faire entendre que son déni d'âge est désormais sa plus grande source de souffrance ? Je sais que, tant qu'elle n'aura pas admis et compris cela, elle continuera d'être malheureuse. Peut-être la thérapie ne peut-elle pas l'aider. Peut-être faudrait-il un choc, un bouleversement terrible dans sa vie, ou qu'elle arrête tout et rentre dans un monastère !

MATTHIEU : Heureusement, il y a d'autres moyens que de rentrer dans un monastère !

CHRISTOPHE : Bref, face à de telles situations, je suis sans arrêt en train de louvoyer. Je t'écoute, je bois tes paroles et je vois bien à quel point toute cette sagesse bouddhiste, toute cette psychologie seraient immensément précieuses pour cette dame mais, à quelle dose les lui transmettre ?...

MATTHIEU : Sans lui parler de philosophie ou de bouddhisme, tu pourrais aider ta patiente à identifier d'autres sources de bien-être, comme se promener dans la forêt ou au bord d'un lac, ou toute autre joie simple qui lui apporterait une paix intérieure et lui permettrait de prendre un peu de distance par rapport à l'obsession de son apparence.

CHRISTOPHE : Absolument, et j'essaie régulièrement de lui faire goûter la qualité de ce type d'échange.

ALEXANDRE : J'aime cette notion de « circonstance atténuante ». La patiente qui refuse de vieillir et redoute la mort révèle une certaine tendance à valoriser à l'excès la réussite, une santé resplendissante et l'hyper-performance. Aussi, quand la machine commence à grincer, le cortège de peurs revient au galop, et ce d'autant plus que nous avons progressivement évincé les traditions religieuses et fait de la mort un tabou. Oui, nous avons des circonstances atténuantes, et ce n'est pas une mince affaire que de s'extraire de ce matraquage médiatique qui nous laisse croire que le bonheur est un objet de consommation. Il n'y a qu'une urgence, c'est de pratiquer, de se mettre en route, et déjà, se demander à quoi ressemble la joie véritable. Sans idéaliser le passé, il faut bien voir ce qu'on nous sert aujourd'hui comme modèles de vies réussies. Si notre vision du bonheur est étriquée, c'est peut-être parce qu'elle est conditionnée par les modes, la publicité, et qu'elle nous coupe de la félicité véritable proposée notamment par les traditions spirituelles. Autant de fantasmes qui nous arrachent au réel qui, aussi dur soit-il, nous guérit. Paradoxalement, je crois que c'est ce contact avec la réalité qui sauve. Le monde est hyper-dur, tragique en un sens, mais dès qu'on le fuit, dès qu'on se réfugie dans l'illusion, on se voue tôt ou tard à un douloureux atterrissage.

Parmi les causes de notre mal-être, il y a cette nécessité, aussitôt sortis de chez nous, d'enfiler un costard et de jouer un rôle pour ne pas déplaire, pour ne pas décevoir. Oser une approche plus contemplative, c'est essayer de rejoindre un niveau plus profond, écouter la boussole intérieure, et quitter les mille et une influences qui m'agitent. Quand, dès le matin, je trouve le monde triste, je peux déjà m'exercer à discerner tout ce que mon esprit projette sur la réalité. Dans la tradition ignacienne, on distingue la *consolation* et la *désolation*. Avant d'accuser qui que ce soit, il s'agit de repérer toutes les pensées qui m'empêchent de vivre simplement. Si je traverse une période de grandes turbulences, en pleine désolation, je me surprends à voir le mal partout, incapable de trouver la moindre occasion de me réjouir. Au contraire, si je vis une période de consolation, tout baigne. L'exercice, c'est de se rendre compte que le monde est indépendant de mes humeurs. L'ascèse consiste à purifier son regard pour l'apprécier comme il se donne.

> Voir que l'écrasante majorité de mes représentations sont du vent m'aide à m'extraire de la souffrance et m'apaise illico.

MATTHIEU : Dans le bouddhisme, on dit que, parfois, le monde entier nous semble surgir en ennemi. Ce n'est, bien sûr, que le résultat de nos fabrications mentales.

ALEXANDRE : C'est fou le cortège d'illusions que je nourris à mon égard ! À ce sujet, un maître zen m'a gentiment mis en garde : « 99 % de vos pensées relèvent de l'illusion totale. » Voir que l'écrasante majorité de mes représentations sont du vent, de la buée, m'aide à m'extraire de la souffrance et m'apaise illico. Dès qu'une angoisse se présente, pour mon malheur je crois dur comme fer qu'elle est réelle. Mais ce n'est qu'une illusion, un fantôme sans consistance. Ça devient presque un jeu que de laisser l'esprit produire à sa guise les pensées. Sans les prendre trop au sérieux, on peut s'amuser avec un brin de détachement à les voir naître, puis disparaître. Souvent, devant une obsession qui traîne, je me dis que ce n'est qu'une pensée parmi les milliers qui vont me traverser l'esprit aujourd'hui.

MATTHIEU : Il est malheureusement très facile de s'identifier aux pensées, quand on oublie de les observer dans l'espace libre de la pleine conscience.

ALEXANDRE : La quête intérieure libère aussi du qu'en-dira-t-on pour nous rapprocher du pur amour. Ce qui me fascine, chez les maîtres spirituels, outre leur bonté infinie, c'est qu'ils sont parfaitement libérés de ce que les autres pensent d'eux. Tandis que, pour ma part, je peux, du matin au soir, être gouverné par un désir de plaire, ou du moins de ne pas décevoir. Leur exemple renforce mon désir de me consacrer à fond à la pratique en écartant les arguments fallacieux du genre : «Je n'ai pas le temps.» En prenant conscience des heures gaspillées devant Facebook, je me dis que je serais peut-être un saint si je m'étais voué corps et âme à l'ascèse tout le temps. Aujourd'hui, ça devient un défi que d'échapper aux écrans de télé et aux sollicitations de la publicité. Chez ceux qui nous devancent sur le chemin, je devine aussi une immense détermination : à leurs yeux, rien ne doit passer avant la vie spirituelle. Finalement, je maîtrise peu de chose en cette vie, mais consacrer vingt minutes par jour à méditer, à prier, à arracher les racines de la souffrance, reste quand même de l'ordre du possible. Pourquoi la vie spirituelle est-elle devenue presque un luxe, alors qu'il n'y a rien de plus essentiel au monde ?

MATTHIEU : L'un de mes maîtres disait : « En gros, vous travaillez huit heures et vous dormez huit heures. Il vous reste donc encore huit heures. Vous devez en consacrer quelques-unes à vous détendre, à vous laver, aux tâches quotidiennes, mais si vous me dites que vous n'avez pas vingt minutes pour la méditation, j'aurai du mal à vous croire.»

Décortiquer le mal-être : les causes de la souffrance

ALEXANDRE : J'ai toujours voulu poser une question à un psychiatre : d'où vient le mal que nous nous infligeons ? Pourquoi nous obstinons-nous dans la culpabilité et la rumination ? Pourquoi cette torture intime ? D'où vient cette capacité à s'infliger de la souffrance alors que la vie est déjà si dure ?

CHRISTOPHE : Je me pose plus souvent la question du « comment » que celle du « pourquoi » – *comment* aider les gens à sortir de la souffrance ? La réponse au pourquoi n'est malheureusement pas toujours suivie d'amélioration des symptômes.

Les ruminations sont souvent une fausse route que l'on emprunte quand on est obsédé par le « pourquoi ». Car il n'y a pas toujours de réponse évidente ou apaisante au « pourquoi ». Alors que le « comment » nous pousse vers l'action, le « pourquoi » peut nous amener à tourner en rond : on croit réfléchir à ses problèmes et à leurs solutions, mais on est en train de ruminer. On est comme un serpent en train de se mordre la queue. Et on ne voit pas qu'à force de ressasser ou de chercher des solutions à des situations qui n'ont pas de solution immédiate ou accessible on augmente sa souffrance.

On peut également se faire souffrir pour se punir, parce qu'à un moment donné on se sent impuissant à résoudre un problème et qu'on va alors se meurtrir, se critiquer, se violenter.

MATTHIEU : Pour le bouddhisme, cela relève aussi du désarroi qui règne dans notre esprit à cause de l'ignorance. Nous sommes ignorants non parce que nous ne possédons pas de connaissance encyclopédique des choses, mais parce que nous ne faisons pas la différence entre ce qui crée plus de souffrance et ce qui permet de s'en libérer. On pourrait aussi dire que l'ignorance est une sorte d'addiction dont on recrée sans cesse les causes. Comme si l'on mettait continuellement sa main dans le feu alors qu'on ne veut pas être brûlé.

Récemment, je marchais au petit matin avec un ami sur une plage presque déserte, près de Los Angeles, et nous avons vu arriver de loin un promeneur. Lorsqu'il nous a croisés, nous nous sommes salués et, sans doute intrigué par mon habit de moine, il a engagé la conversation. Il avait la soixantaine. Très vite, il m'a dit : « Mon problème, c'est les femmes. Je pense tout le temps à elles. Avez-vous un conseil ? » J'ai fait de mon mieux pour lui offrir quelques suggestions. Montrant l'océan si vaste et le ciel immaculé qui s'ouvraient devant nous, je lui ai dit : « Regardez cette immensité, si limpide, si lumineuse et si simple. Si vous laissez votre regard et votre esprit s'y fondre, n'avez-vous pas le sentiment d'être bien loin de votre obsession ? » Il m'a regardé d'un air vaguement inquiet et s'est exclamé : « Mais il n'y a pas de femmes dans le ciel ! » Il ne souhaitait clairement pas s'éloigner des causes de son tourment.

Si on ne veut pas accepter le fait qu'on a vieilli, on perpé-tue une illusion qui s'écroulera tôt ou tard, et l'on en souffre bien inutilement. Quand le Bouddha enseigne la première des « quatre nobles vérités », la vérité de la souffrance, son but n'est pas de plonger ses auditeurs dans une vision pessimiste de la vie, mais de leur faire prendre conscience de leur mal-être. Ensuite, en bon médecin, il explique les causes de ce mal-être. C'est la deuxième noble vérité, celle des causes de la souffrance, c'est-à-dire l'ignorance et les poisons mentaux. Puis il montre que comprendre les causes ne sert à rien à moins d'entreprendre de s'en libérer. Si cette tâche était impossible, il vaudrait mieux, comme dit le Dalaï-lama, « prendre une bonne bière, aller sur la plage, et surtout ne pas penser à la souffrance ». Or, comme toutes choses, les causes de la souffrance sont impermanentes, ce qui veut dire qu'on peut s'en débarrasser. La troisième noble vérité met donc l'accent sur le fait que la souffrance n'est pas irrémédiable. Elle n'est due ni au hasard ni à une volonté divine, elle provient d'une erreur fondamentale. Or l'erreur n'a pas de réalité en soi, elle n'est qu'absence de vérité. Il suffit de prendre conscience de la vérité pour que l'erreur, aussi profonde soit-elle, disparaisse, tout comme il suffit d'allumer une lampe pour dissiper les ténèbres d'une grotte, même si elle est plongée dans l'obscurité depuis des millions d'années. S'il est possible de remédier aux causes de la souffrance, la prochaine étape consiste à mettre en œuvre les moyens d'y parvenir. C'est l'objet de la quatrième noble vérité, qui décrit le chemin conduisant de l'ignorance à la connaissance, de l'asservissement à la liberté, de la souffrance à la félicité.

Au passage, quand j'ai écrit *Plaidoyer pour le bonheur*, une amie m'a dit que j'étais la dernière personne à pouvoir écrire un livre sur ce sujet, car je n'avais jamais connu de grandes souffrances. C'est vrai, j'ai au plus passé quelques années dans l'environnement un peu fruste d'un ermitage de montagne, sans eau courante, ni électricité, ni chauffage mais, rétrospectivement, ces années comptent parmi les plus heureuses de ma vie. Je vivais à côté de mon maître spirituel en m'adonnant à la méditation. Je n'ai donc pas connu de grandes souffrances, et je ne peux pas vous offrir un témoignage aussi poignant et édifiant que celui d'Alexandre. Je sais quand même, comme tout le monde, ce qu'est la souffrance, et j'ai été témoin d'immenses douleurs. Mon humble contribution à notre discussion sur la souffrance est de l'examiner à la lumière des êtres qui en ont découvert les causes profondes, et qui se sont libérés de celles-ci. On compare souvent le Bouddha à un médecin. Le médecin, même s'il est en bonne santé, peut diagnostiquer la maladie qui frappe ses patients, comprendre l'intensité de leurs souffrances, réfléchir au traitement le plus approprié et l'appliquer avec dévouement et compassion.

Le regard de l'autre peut nous guérir ou nous tuer

ALEXANDRE : La première fois que je suis sorti de l'institut en compagnie d'une amie, nous sommes tombés sur un garçon qui lui a balancé : « Ah, tu as oublié la laisse ! » Une autre fois, je suis parti en escapade à vélo accompagné d'un copain handicapé. À notre passage, les voisins se sont alarmés pour finir par alerter les flics, qui nous ont ramenés direct au bercail. Autant dire que la problématique du regard d'autrui est un grand chantier de ma vie, et j'ai très vite compris qu'il peut tout à la fois tuer et guérir.

Le poids du qu'en-dira-t-on se faufile parfois là où l'on ne l'attend pas. Avec un handicap, ou une autre forme de blessure, nous sommes peut-être portés à vouloir surcompenser, et pour obtenir une reconnaissance, il nous faut nous surpasser, s'arracher à tout prix à l'anonymat, voire épater la galerie. Cet engrenage nous précipite dans une recherche effrénée de valorisation, qui crée bientôt une souffrance supplémentaire : la dépendance, le besoin d'être approuvé, reconnu et consolé.

Comment rester vigilant, attentif à ce mécanisme sans tomber toujours dans les rôles, ni instrumentaliser l'autre ? Pour oser une vraie rencontre, il sied de déposer les carapaces et toutes nos protections. D'ailleurs, à l'institut, j'ai appris que par un simple « comment ça va ? », nous pouvions réellement nous intéresser à autrui, essayer de le comprendre, lui tendre une oreille bienveillante. Aujourd'hui, quand nous déprécions cette question pour n'en faire qu'une sorte de salutation, de réflexe poli, je n'oublie pas que l'essentiel, c'est de s'approcher de l'autre, de créer des ponts et d'aimer. Depuis, j'aime bien me servir d'un « comment ça va ? » ou d'un « tu es content de ta vie ? » pour bâtir une relation qui va directement à l'essentiel, au-delà des masques et des rôles.

CHRISTOPHE : Se dire « si on se moque de moi et que j'arrive à ne pas m'identifier à mon image, alors je ne souffrirai pas » me semble une mission bien difficile, voire impossible ! Car cette souffrance est de l'ordre du rejet, du désamour, du manque de bienveillance, et de ce fait, elle n'est pas subjective, elle est biologique : c'est une violence d'être rejeté, comme une claque. Si l'on me gifle, je ne peux pas dire : « Je maîtrise, ce n'est pas grave, je ne souffre pas. » Il y a une douleur physique de la claque, comme, je crois, il y a une douleur physique de l'exclusion. Nous sommes des êtres sociaux, et le désamour comme le rejet nous blessent dans notre corps, avant même d'affecter notre esprit et d'ébranler l'image que nous avons de nous.

En revanche, l'opération que tu accomplis ensuite, tes efforts pour ne pas sombrer dans la souffrance liée au rejet sont effectivement un boulot extraordinaire par rapport à l'égoïsme, la sottise ou l'incompréhension de certains vis-à-vis du handicap. Mais il me semble que tu ne peux pas nier l'existence de cette douleur. Même si, par ton intelligence, ta pratique, ta grandeur et ce que tu peux apporter au lecteur, tu évites de t'embourber dans le marécage de la souffrance.

ALEXANDRE : Quand on en bave, la tentation est grande de se blinder et de s'enfermer derrière une carapace. Oui, la moquerie m'atteindra toujours, ce serait mentir et me leurrer de prétendre que je suis bien au-delà. Faire le spirituel comme on fait le beau ne mène à rien, sinon à beaucoup de mensonges et de souffrances. Il faut un sacré courage pour renoncer à adopter une posture définitive face à ce qui nous blesse, et pour accepter d'être vulnérable. Un jour, je ne sais quelle critique récoltée sur Facebook m'a fait courir, ventre à terre, vers mon père spirituel pour glaner quelques consolations. Sa réponse m'a guéri : « Si vous fondez votre identité sur les ragots, les rumeurs et le qu'en-dira-t-on, vous n'avez pas fini de souffrir ! » Mais comment diminuer cette aliénation, cette hypersensibilité aux remarques et aux reproches ? Les yeux de mes enfants, ceux de ma femme et de mes amis me délivrent et m'aident à accorder moins d'importance aux moqueries, à tous ces malentendus que tissent certaines situations. Ainsi, quand dans le métro j'entends des ricanements autour de moi, je ferme les yeux et je m'imprègne du regard bienveillant de mes proches pour pulvériser ce petit pincement au cœur qui, non digéré, peut faire des ravages au long cours.

Le rôle des projections n'a pas fini de me surprendre. Parfois, tout se passe comme si chacun vivait dans *son* monde et non dans *le* monde. Souvent, je suis étonné, après une conférence, quand on vient me confier : « J'ai adoré quand vous avez dit ça. » Plus d'une fois, c'est l'exact opposé de ce que j'avais voulu partager. Au début, je partais en guerre contre les malentendus, j'essayais de corriger les méprises avant de m'apercevoir que chacun comprend en fonction de son vécu, de ses convictions, de son parcours. Notre boulot, c'est déjà de s'effacer un peu, de mettre de côté tous les *a priori* pour laisser le réel être ce qu'il est.

Mille fois par jour, je songe aux mots de mon père spirituel. Dès que je prends le métro, tandis que je veux avoir la paix, il y a toujours quelque chose qui coince. Une claque succède à une autre, mais, précisément, tout peut devenir un appel à la pratique, une occasion de se décentrer et de me rappeler que je ne suis pas ce que les autres perçoivent de moi. Un pas de plus, et je peux me réjouir qu'on me tourne en ridicule…

MATTHIEU : Pour trouver la paix intérieure, on ne peut pas dépendre de l'opinion des autres et de l'image qu'ils ont de nous, à tort ou à raison. Mon deuxième maître, Dilgo Khyentsé Rinpotché, disait souvent que toute parole, plaisante ou déplaisante, amicale ou hostile, est comme un écho. Si on crie des insultes ou des compliments devant une falaise, peut-on se sentir blessé ou flatté quand l'écho revient à nos oreilles ? Certains prononcent des mots doux avec une intention malveillante, d'autres laissent échapper des paroles déplaisantes avec une bonne intention. On peut recevoir des louanges le matin et être insulté le soir. Si chaque fois on colle à ces paroles, on est sans cesse perturbé.

Assimiler ce qu'on entend à des échos ne veut pas dire tomber dans l'indifférence, devenir comme un légume. Cela veut dire ne plus offrir l'ego comme cible aux flatteries et aux

La véritable nature de l'esprit est comparable au ciel, qui n'est pas affecté par la poussière qu'on lui jette.

sarcasmes. Le Dalaï-lama dit souvent : «Quand certains me traitent de dieu vivant, c'est absurde, et quand d'autres me traitent de loup ou de démon en habit de moine, c'est encore absurde.» Cela signifie qu'il ne s'identifie ni à un dieu vivant, ni à un démon, ni à aucune autre représentation de l'ego. Il sait qu'au fond de lui-même réside une paix intérieure fermement établie dans la compréhension de la nature de son esprit. Cette paix est insensible aux critiques et aux louanges, qui ne peuvent affecter que l'ego. Or, à cet ego, il ne s'identifie justement pas.

Il est évident que l'identification à un moi imaginaire qui serait l'essence même de notre être est au cœur de nos problèmes. La véritable nature de l'esprit est comparable au ciel, qui n'est pas affecté par la poussière qu'on lui jette. C'est bien sûr plus facile à dire qu'à vivre au jour le jour, mais une chose est certaine : plus on va dans cette direction, moins on est vulnérable aux paroles et au regard des autres.

CHRISTOPHE : En t'écoutant, Matthieu, je me dis qu'au quotidien c'est une attitude presque surhumaine! Je m'imagine qu'il ne doit pas y avoir plus de vingt personnes qui en sont capables dans le monde.

ALEXANDRE : Au besoin, je m'imprègne de l'attitude du Christ, consignée dans l'Évangile de Matthieu qui, pour moi, est encore loin d'être naturelle tant le cœur peut se crisper dans une logique de vengeance, de calcul : « Quelqu'un te donne-t-il un soufflet sur la joue droite, tends-lui encore l'autre. » Cet exemple n'a pas fini de m'inspirer. Ce qu'il y a de plus dur peut-être dans ce monde, c'est de concilier une infinie douceur avec la fermeté. Concrètement, comment puis-je réagir aux moqueries ? Pourquoi le qu'en-dira-t-on devient-il un des soucis majeurs de l'existence ? Pourquoi je m'accroche à ce petit moi et m'y enferme ? Progressivement, je peux me déprendre de ces mille et un attachements qui me laissent accroire que je suis ce paquet de réactions, d'émotions et d'opinions. Certes, un puissant mécanisme veut que je m'identifie à mon corps et à mes pensées, notamment quand je souffre. Mais pourquoi ne pas jouer à contrer cet instinct et à le repérer partout où il étend ses ravages ? Et ne jamais oublier les mots de Marc Aurèle : « Nous sommes nés les uns pour les autres. »

MATTHIEU : Ce n'est pas si surhumain que ça en a l'air. Tout est une question de degré de développement intérieur et de vision des choses. Si quelqu'un attache une grande importance à son image et ne cesse d'être préoccupé par ce qu'en pensent les autres, il sera particulièrement sensible à ce qu'ils disent de lui. Mais celui qui, sans être parfait, s'habitue à considérer ces paroles comme semblables à des illusions, des échos ou des répliques d'acteurs dans une pièce de théâtre comprendra qu'il n'a aucune raison d'en souffrir, même s'il est momentanément affecté, par habitude.

Si, comme dans le cas fréquent que mentionne Alexandre, les autres sont insensibles ou durs envers nous, nous pouvons, dans un premier temps, nous en attrister, mais dans un deuxième temps, nous trouverons un certain réconfort en comprenant que l'attitude méprisante des autres ne peut en aucun cas affecter notre être profond. Nous éprouverons aussi de la compassion pour ceux qui veulent nous faire du tort, parce qu'ils sont sous l'emprise de l'ignorance et de la stupidité. Car s'ils font du tort aux autres, ils en font surtout à eux-mêmes.

Réagir de cette façon, ce n'est pas faire preuve de faiblesse mais de force et de liberté intérieure. Cela n'implique pas qu'on se laisse constamment marcher sur les pieds, mais qu'on réagisse avec détermination, dignité et compassion, sans se laisser déstabiliser. Pour répondre à Christophe, il n'y a peut-être que vingt personnes qui aient atteint un degré de développement suffisant pour réagir ainsi à la perfection, mais n'importe qui peut cultiver la même vision du monde qu'eux et l'intégrer graduellement à son être, jusqu'à ce qu'un jour elle devienne une seconde nature.

CHRISTOPHE : Mais ça me paraît tellement difficile ! J'essaie d'accompagner mes patients ou de cheminer moi-même vers cela, mais je pense que, déjà, un progrès énorme est accompli quand on accepte que les moqueries ou l'injustice existent et qu'elles sont douloureuses. Nous sommes des animaux sociaux : quand un humain est l'objet de méchanceté, de moquerie, de violences physiques ou morales, c'est normal qu'il souffre, ce n'est pas une erreur dans sa vision du monde. Si on me casse l'orteil à coups de marteau, ma douleur est normale. En revanche, le vrai travail consiste à empêcher l'extension de cette douleur à toute la personne, puis à contenir les généralisations et contaminations sur notre vision du monde, des autres, et de nous-mêmes. Il faut éviter de penser : «Tous les humains sont des ordures», ou «Je suis un minable». Nous sommes capables de limiter la douleur liée à ces violences, pour qu'elle ne s'empare pas de tout notre être et ne nous coupe pas du monde. Mais nous en sommes d'autant mieux capables que, d'une part, nous avons effectué ce travail psychologique que vous décrivez très bien tous les deux, que vous incarnez et dont vous nous citez des exemples particulièrement accomplis, comme le Dalaï-lama, et que, d'autre part, nous éprouvons de l'amour et de la compassion, tant pour nous que pour les autres.

MATTHIEU : Pardonne-moi d'insister, mais l'expérience montre, en particulier chez ceux qui pratiquent un peu de méditation, que même si l'on est loin d'avoir atteint une maîtrise parfaite, il est plus facile qu'il n'y paraît de cesser de toujours s'identifier à son ego. S'il est normal de souffrir des moqueries et de l'injustice comme on souffre d'un mal physique, il est tout aussi normal de chercher les moyens de ne plus réagir à ces comportements, ou de s'immuniser contre eux, de la même façon qu'on se vaccine contre une maladie. Cela ne veut pas dire qu'on devient un robot

> Une poignée de sel versée dans un verre d'eau le rend imbuvable, mais jetée dans un grand lac, elle n'en change pas le goût.

déshumanisé, ou qu'on ne perçoit plus l'aspect malveillant ou abusif des moqueries et de l'injustice, on n'en souffre plus de façon aussi disproportionnée qu'avant. On y gagne en liberté intérieure. Notre esprit devient assez vaste pour accueillir les mauvaises circonstances sans qu'elles nous ébranlent. Une poignée de sel versée dans un verre d'eau le rend imbuvable, mais jetée dans un grand lac, elle n'en change pas le goût.

Peut-on sortir du mal-être ?

MATTHIEU : Pour sortir du mal-être, il est indispensable d'en chercher honnêtement les causes, de comprendre quels sont les actes, les paroles et les pensées qui le provoquent. Si je pense avoir « tout pour être heureux » et que je ne le suis pas, c'est que je me suis trompé sur les causes du bonheur et de la souffrance.

Il faut aussi, je crois, faire une différence entre la souffrance et le mal-être. Nos souffrances sont provoquées par un grand nombre de causes sur lesquelles nous n'avons souvent aucun pouvoir. Naître avec un handicap, tomber malade, perdre un être cher, se trouver pris dans une guerre ou être victime d'une catastrophe naturelle, tout cela échappe à notre volonté. Le mal-être, lui, n'est pas fondamentalement lié aux conditions extérieures. Il dépend de la manière dont fonctionne notre esprit. Un changement, même infime, dans notre façon de gérer nos pensées et d'interpréter les circonstances extérieures peut considérablement transformer la qualité de notre vie.

Bien souvent, on considère comme du bonheur ce qui n'est que de la souffrance déguisée. Ce dysfonctionnement de l'esprit nous empêche d'identifier les causes de la souffrance et d'y remédier. Ne plus être écrasé par les obstacles qui parsèment notre vie ne veut pas dire que ces obstacles ne nous affectent plus, mais qu'ils ne peuvent plus entraver notre paix intérieure, ou au moins notre progression vers cette paix.

En chemin, il est essentiel de ne jamais se décourager. Il m'arrive comme tout le monde de rencontrer des problèmes. L'un de nos projets humanitaires échoue, quelqu'un se conduit avec malveillance sur le terrain, je m'aperçois que je n'ai pas été aussi aimable que j'aurais pu l'être. Pendant quelques heures cela m'affecte, je me le reproche. Mais je sais que ça ne durera pas parce que, grâce aux enseignements de mes maîtres, je dispose des outils et des ressources intérieures qui me permettront de surmonter ces obstacles et de retrouver mon équilibre intérieur, ma détermination à m'améliorer et ma joie de vivre.

ALEXANDRE : Quel magnifique espoir de prendre conscience que la souffrance mentale n'est qu'un dysfonctionnement, car quoi de plus terrible que l'absence de tout horizon ? C'est un peu comme si nous souffrions dans notre chair : nous avons mal à en crever, et après un tas d'analyses et de radios, le médecin arrive et nous annonce : «Il n'y a rien à faire.» Au mal s'ajoute alors la culpabilité : «Je ne *devrais pas* avoir mal.» Pourquoi ne pas commencer par voir que le malheur, le *samsāra* qui nous plonge dans une insatisfaction chronique, n'est qu'une sorte de dérangement intérieur ?

Un jour, j'attendais d'un maître zen un conseil qui me libère sur-le-champ. Il s'est contenté de me répondre : «Alexandre, n'oubliez pas que c'est dans le chaos et la pagaille que se cache la joie, que c'est au cœur du *samsāra* que rayonne le *nirvāna*.» Il est donc possible de trouver le bonheur même au cœur de nos blessures et de nos troubles psychologiques. Qui a dit que nous devions être parfaits pour accéder à une authentique joie de vivre ? À la surface peuvent s'élever des vagues de quatorze mètres de hauteur, pourtant au fond du fond règne un calme. Chacun, quelles que soient les circonstances extérieures, peut effectuer ce déménagement intérieur. La voie est accessible à tous : les personnes handicapées, les riches, les pauvres, les malades, les exclus… Voilà ce qui est proprement révolutionnaire.

MATTHIEU : Il y a bien, comme tu le dis, deux niveaux d'expérience, que l'on compare souvent à la profondeur tranquille de l'océan et aux vagues qui l'agitent en surface. Même si une tempête fait rage au-dessus, au-dessous l'océan reste calme. Celui qui ne voit que la surface et ignore la paix profonde de l'esprit se trouve désemparé quand les vagues de l'adversité le secouent.

Les remèdes à la souffrance et quelques pièges

CHRISTOPHE : Alexandre parlait de l'amour de ses enfants. On ne peut pas espérer limiter la souffrance s'il n'y a pas de l'amour autour de nous. J'ai souvent des patients dont la solitude est le problème majeur. Ils feraient beaucoup mieux face à leurs difficultés s'ils étaient entourés de personnes aimantes, pour éviter, chaque fois qu'ils sont soumis à des grandes souffrances, de tomber dans le désespoir, le nihilisme, l'hostilité envers le genre humain. Tout est alors bon à prendre, la moindre miette d'affection! Je pense qu'un soignant peut donner de l'amour à ses patients, que des voisins peuvent donner de l'amour aux gens qui habitent à côté d'eux, que des inconnus dans la rue peuvent donner de l'amour avec un sourire. Alexandre, tu as parfois été moqué, mais il y a aussi des gens qui sont venus te consoler d'une certaine façon, par un regard de gentillesse. Comme dans la chanson de Brassens *L'Auvergnat* (« Elle est à toi cette chanson/Toi, l'étranger qui, sans façon/D'un air malheureux m'as souri/Lorsque les gendarmes m'ont pris »). Toutes ces petites choses n'effacent pas la douleur, mais elles nous aident à ne pas basculer dans un incendie total de tout notre être et vers une démolition de notre lien au monde.

MATTHIEU : Donner et recevoir de l'amour réduit l'envergure de l'ego, ce qui fait qu'on est moins vulnérable. Est-ce parce que «je» deviens «nous», qu'il y a une sorte d'ouverture, qu'on est moins focalisé sur notre « moi » ? Quand un enfant fait un caprice, il peut frapper sa mère, mais ce n'est pas pareil que si un inconnu, ou un collègue de bureau, le faisait. La mère, dans son amour de l'enfant, reçoit les coups différemment. Le fait que l'amour réduise la barrière entre moi et l'autre fait que la cible des coups, l'ego, est beaucoup moins présente. Et plus la cible de l'ego est transparente, plus les flèches passent à travers elle sans l'affecter. En revanche, plus l'ego est perçu comme réel et solide, plus les flèches le percutent de plein fouet. C'est pour cela que l'amour et la compassion sont les remèdes suprêmes aux souffrances causées par l'ego.

Quant au désir d'échapper au cercle vicieux de la souffrance, encore une fois, le mot tibétain souvent traduit par « renoncement » signifie « détermination à s'en sortir », à se libérer de la souffrance dans laquelle l'ignorance nous a plongés. Ce n'est que lorsque cette détermination est présente que le processus de libération peut vraiment s'enclencher.

ALEXANDRE : Ici encore, il ne s'agit pas d'un volontarisme acharné ou d'un ego raidi qui s'attribuerait les pleins pouvoirs. La détermination n'a rien à voir avec cette crispation. Plus souple, plus ouverte, elle s'adapte parfaitement au réel, elle épouse instant après instant le cours de la vie.

MATTHIEU : C'est une réaction réfléchie, associée à une grande détermination. On se dit : « Cette situation est insatisfaisante, basta, ça suffit, j'ai assez galéré, je vais faire tout ce que je peux pour m'en libérer, quels que soient le temps et les efforts que ça demande.»

CHRISTOPHE : Et est-ce que ça s'applique aussi au découragement par rapport à soi? Toutes ces personnes déprimées, désespérées de ne pas arriver à reprendre leur vie en main, est-ce que la solution est du côté du supplément d'autocompassion? Comment verrais-tu ça?

MATTHIEU : Les deux formes de compassion, la compassion pour soi et la compassion pour autrui, vont de pair. La compassion pour soi-même permet à ceux qui se haïssent de découvrir que, au fond d'eux-mêmes, ils préfèrent ne pas souffrir et doivent donc être plus bienveillants, moins méprisants ou intransigeants envers eux-mêmes. S'ils s'entraînent aussi à éprouver de la compassion pour les autres, ils incluent les autres dans leurs préoccupations quotidiennes et cessent de se focaliser uniquement sur soi. Ces deux formes de compassion pratiquées ensemble sont inséparables de la compréhension de l'interdépendance de tous les êtres, et du fait qu'on n'est pas seuls à souffrir et à vouloir être heureux. On sort de l'égocentrisme et de la division du monde entre ce qui est «de mon côté» et ce qui est «en face».

ALEXANDRE : Pour nous lancer dans une voie spirituelle, il faut inévitablement nous pencher sur cette question épineuse : peut-on maîtriser notre esprit? Avons-nous un pouvoir sur ce flot de pensées qui nous traversent du matin au soir ? Un jour, en pleine crise d'angoisse, j'ai consulté un médecin pour lui faire part d'un état d'anxiété généralisé. Quand je l'ai informé que j'avais peur de tout, il m'a répondu : «Il ne faut pas.» Prier un anxieux de ne pas s'inquiéter, c'est comme pisser dans un violon – ce qui n'arrange rien, au contraire. Toujours, la tentation du volontarisme plane, comme s'il suffisait de vouloir s'en sortir pour *réellement* y parvenir. Le défi, c'est de découvrir et de pratiquer l'exercice : laisser passer. Je rêve d'un médecin qui invite à l'entraînement de l'esprit, qui transmette des outils concrets pour nous aider à traverser les tourments.

MATTHIEU : Le mot qu'on traduit par «méditer» veut en fait dire «cultiver» ou «s'habituer». Dans le cas que tu mentionnes, il s'agit d'acquérir peu à peu la capacité de gérer ses pensées et ses émotions. Avec l'habitude, on arrive à repérer les émotions perturbatrices dès qu'elles commencent à poindre. C'est comme s'entraîner à reconnaître un pickpocket. Au bout d'un certain temps, même s'il se mêle à la foule, on n'aura pas de difficulté à le repérer, il ne pourra pas nous voler notre portefeuille. La méditation en tant qu'habituation permet aussi de faire face aux émotions avant qu'elles ne prennent trop de force. Au début, cela peut paraître difficile et un peu artificiel. Puis, avec l'entraînement, ce processus devient naturel et on le met en œuvre facilement.

Accepter n'est pas se résigner

CHRISTOPHE : C'est terriblement difficile de dire à des gens qui ont souffert toute leur vie que, dans la souffrance, il y a de la lumière, et que «là où croît le péril croît aussi ce qui sauve», comme le dit Hölderlin. Quand j'ai commencé à parler d'acceptation aux patients, ça les rendait dingues : ils avaient l'impression d'en avoir suffisamment bavé depuis leur naissance. J'ai vite fait machine arrière. Et, personnellement, j'en suis toujours à un stade de débutant perpétuel, toujours en train de réapprendre à accepter la souffrance, à l'héberger, à lui faire une place dans ma vie. Comment transposer ces sagesses, ces expériences, ou ces données adossées à la science, que nous connaissons, en outils réconfortants, encourageants et utilisables par ceux qui vont lire notre livre : nous sommes sûrs que ces choses-là sont importantes, mais nous ne sommes pas sûrs que nos lecteurs vont pouvoir les recevoir, au stade précis où ils en seront face à ces lignes.

MATTHIEU : J'ai remarqué que l'on confond souvent l'acceptation, ou l'adaptation, avec la résignation. Récemment, lors d'une conversation avec des universitaires nord-américains, j'ai expliqué que l'entraînement de l'esprit au moyen de la méditation permettait de modifier notre perception des situations douloureuses et nous aidait à acquérir les facultés nécessaires pour mieux affronter les hauts et les bas de l'existence. On m'a répondu catégoriquement qu'il était dangereux de préconiser une telle adaptation à la souffrance. Pour eux, cela revenait à dire aux gens qui souffrent qu'ils n'ont qu'à s'habituer à leur condition, aux esclaves, aux femmes battues, à ceux qui croupissent injustement dans des prisons et aux autres opprimés que ce qu'ils ont de mieux à faire, c'est de méditer pour apprendre à se satisfaire de leur sort, plutôt que de réclamer la justice et la fin de leur oppression.

Cette réaction est fondée sur un malentendu. Acquérir la capacité de faire face avec courage et sérénité aux circonstances douloureuses, c'est se doter d'un atout précieux pour moins souffrir, cela ne signifie pas du tout se résigner. On évite simplement d'ajouter la détresse ou l'exaspération aux autres maux dont on souffre déjà. On s'évite de souffrir doublement.

Bien sûr, on ne peut pas lancer à un patient : «Je vous conseille d'accepter votre souffrance, et maintenant je vous laisse vous débrouiller.» On doit lui dire qu'on va mettre en œuvre tous les moyens possibles pour mettre fin à sa situation, mais qu'il lui sera très utile, de son côté, d'avoir une attitude différente envers cette situation.

CHRISTOPHE : Mais concrètement, quels ont été les moments dans nos vies où nous avons eu à consoler quelqu'un, ou à se consoler soi-même ? Quelles ont été les souffrances que nous avons eu à affronter nous-mêmes, ou que des proches ont eu à affronter ? Comment nous y sommes-nous pris à ce moment-là ?

Prodiguer des conseils à quelqu'un qui souffre est un exercice extrêmement périlleux : on peut agacer, déranger, désespérer les gens en délivrant de bon cœur des paroles sur la manière d'affronter la souffrance. Il faut enrober cela de beaucoup d'affection, de douceur, de précaution, et attendre le bon moment – il me semble d'ailleurs qu'on ne peut travailler sur la souffrance que lorsqu'on ne souffre pas trop soi-même. Au cœur de la tourmente, la personne éprouvée n'a qu'une envie : ne plus souffrir. Et elle n'est pas très réceptive aux messages pédagogiques, elle veut juste des antalgiques : des médicaments, de l'affection, de l'amour, de la distraction. Donc je déploie des ruses de Sioux pour aborder ces questions de souffrance avec mes patients et mes proches.

Matthieu : En tant que thérapeute, tu peux nous donner quelques exemples ?

Christophe : J'ai été très touché par une expérience récente, lors d'un colloque sur la souffrance dans un monastère zen. Il devait y avoir cent cinquante personnes dans la salle, et un monsieur dévasté se lève pour raconter que son fils est schizophrène, qu'il délire régulièrement, casse tout à la maison et qu'il est hospitalisé en ce moment. Il ne sait pas que faire et nous demande conseil. Je suis bien embêté, parce que, dans les cas compliqués et lourds comme celui-ci, il faudrait des heures pour comprendre, et une vie pour accompagner. Mais se dérober et esquiver en disant « c'est trop compliqué pour me contenter de quelques mots, ou pour conseiller » n'est qu'une solution de facilité, une dérobade.

Un des maîtres zen présents lui dit alors quelque chose que je trouve juste, conceptuellement, mais dur humainement : il lui parle d'impermanence et d'acceptation, si je me souviens bien. Je vois à la tête du monsieur que cela ne le console guère, et je pense intérieurement : « Qu'est-ce que je pourrais dire qui l'aide, en peu de mots et de temps ? » J'ai pris la parole sans savoir et je me suis entendu lui dire quelque chose comme : « Écoutez, vous êtes impuissant à l'aider, ça fait des années que vous n'y arrivez pas, alors acceptez cette impuissance, sans renoncer à être présent à ses côtés, lui montrer que vous l'aimez même si vous ne pouvez pas l'aider, et l'accepter tout au fond de vous. Car, pour l'instant, rien d'autre ne semble possible. » C'est une attitude qu'on adopte souvent en médecine : d'abord accepter d'être impuissant à aider comme on voudrait le faire. Le papa souhaite légitimement que son enfant souffre moins, mais tant qu'il n'accepte pas de ne rien pouvoir faire, il souffre doublement : il est affecté par la situation de son enfant et il s'inflige une autre dose de souffrance en n'acceptant pas son impuissance. Ensuite, être le plus présent possible. J'ai dit ensuite à ce papa endolori : « Quoi que vous fassiez, chaque fois que vous serez aux côtés de votre fils, que vous lui parlerez, que vous tenterez d'établir un lien avec lui, cette présence sera quelque chose d'important pour lui, à un point sans doute que lui, vous, moi, ne mesurons pas. » J'ai eu l'impression que ces mots l'avaient apaisé et, à la fin de la journée, il est venu me parler pour me remercier. Je ne sais pas ce qu'il est devenu : c'est compliqué, parfois

Il y a deux dangers : tout miser sur la volonté, ou, au contraire, abdiquer et démissionner.

on fait du bien aux gens sur le moment, mais dans le temps ? Est-ce que ces paroles lui ont finalement ouvert un chemin et ont diminué durablement son tourment ?

ALEXANDRE : J'aurais rêvé d'un thérapeute aussi bienveillant et juste, parce qu'il y a deux dangers : tout miser sur la volonté, ou, au contraire, abdiquer et démissionner. Le volontarisme, en nous attribuant les pleins pouvoirs, ignore nos limites. C'est le fameux problème de la faiblesse de la volonté traité par maints philosophes, et de la difficulté à changer au quotidien, comme si de lourdes forces d'inertie nous empêchaient de progresser, comme s'il y avait un thermostat en nous qui maintenait contre vents et marées d'anciennes habitudes, un *statu quo* qui nous fait mal. J'ai beau savoir qu'un comportement est nocif, pourtant j'y cours ! La résignation n'est pas meilleure, car baisser les bras procède de la maltraitance. Rien n'est pire, lorsque nous souffrons, que de nous sentir paralysés. Quand je consulte un médecin, je suis rassuré de quitter son cabinet avec une solution, aussi minime soit-elle : un conseil, un outil, un exercice. Durant toute notre vie subsiste la possibilité du progrès. Même sur notre lit de mort, nous pouvons nous libérer, nous transformer intérieurement. La pratique de la méditation reste accessible quelles que soient nos difficultés. Souvent, quand la médecine ne pouvait plus rien faire, j'ai trouvé dans les pratiques spirituelles de quoi dégager un horizon.

Afin d'avancer, pourquoi ne pas imiter le Bouddha, qui, comme un médecin, pose un diagnostic ? C'est un mal-être qui m'a d'abord poussé vers la sagesse. Si j'examine mon parcours, je dois bien avouer qu'au départ je n'ai pas pratiqué la méditation pour des raisons altruistes, mais à cause d'une insatisfaction radicale et d'une incapacité à vivre le moment présent. Paradoxalement, je crois avoir plus de facilités à affronter les coups du sort qu'à assumer les petits tracas du quotidien et à apprécier le bonheur quand il est là. C'est presque tragique, mais il me semble beaucoup plus facile d'accepter le handicap, car je n'ai pas le choix, c'est sans remède. Si j'entrevoyais le moindre espoir de guérison, j'irais sonner à toutes les portes en lançant partout mes SOS. Il y a un côté rassurant, apaisant presque, de me dire qu'il est inutile de m'agiter. En revanche, là où je devine que je pourrais améliorer les choses, je cours en tous sens. Il faut un sacré discernement, et Épictète me prête un précieux outil en montrant que, chaque jour, je dois bien distinguer ce qui dépend de moi de ce qui n'en dépend pas. En parlant d'Épictète, il se présentait comme « un esclave en voie de libération ». À mon tour, je peux me demander : de quoi suis-je esclave ? Quelles sont les maladies de mon âme ? Le handicap m'a très tôt placé sur le terrain de la lutte, du joyeux combat. Mais, s'il est important de toujours progresser, avoir les yeux braqués sur le futur, sur l'après, m'a considérablement fragilisé.

Récemment, un de mes amis s'est donné la mort alors même qu'il allait un peu mieux. Ancien toxicomane, quelques mois après s'être libéré de cette dépendance, il a *choisi* de quitter ce monde. Après avoir tant lutté, il peut être dur de s'apercevoir que la vie et la routine ne sont pas à la hauteur de nos espérances. Et que d'efforts pour arriver à survivre... Bref, je retiens qu'il faut rester éminemment attentif, que la fragilité n'est pas toujours là où l'on croit, et que même les bons moments exigent une ascèse, un art de vivre.

Sur la route, mes enfants me donnent de sacrés coups de main et me transmettent beaucoup de confiance. Lorsque je me promène dans un quartier bondé de Séoul, il me suffit de regarder les yeux de ma petite fille pour désapprendre la crainte. Céleste ne se dit pas : « Papa est handicapé, on va claquer au milieu de toutes ces voitures ! » Le bouddhisme et la psychologie positive autorisent aussi un espoir : nous avons tous la possibilité de déprogrammer la peur, la méfiance, le sentiment d'insécurité. Chaque jour, nous devons nous renouveler et réitérer ce lent désapprentissage. Je n'ai pas fini de m'interroger sur la ténacité de nos travers et sur la difficulté de quitter une bonne fois pour toutes les poisons du mental.

MATTHIEU : Pour revenir à l'exemple que tu as donné, Christophe, il me rappelle les rencontres publiques où l'on pose ce genre de question au Dalaï-lama. Certains viennent avec une souffrance qui n'a pas de solution évidente, comme ce père dont le fils est schizophrène. Ils s'attendent à ce que quelqu'un qui a médité pendant soixante ans et qui est une grande figure morale et spirituelle leur donne des conseils très spécifiques et nouveaux. Mais, bien souvent, le Dalaï-lama commence par répondre : *I don't know* (je ne sais pas), puis il reste silencieux, comme absorbé. On pourrait se dire : « C'est bizarre, il n'a donc jamais réfléchi à la maladie, au deuil, au handicap, à l'euthanasie, à l'avortement et aux autres problèmes dont lui parlent les gens. » En fait, quand il dit « je ne sais pas », il veut dire qu'il n'y a pas de réponse toute faite. Après quelques instants de silence, il ajoute : « Chaque situation humaine est différente. Sans connaître les tenants et les aboutissants de la vôtre, comment pourrais-je vous donner un conseil approprié ? » Il n'essaie pas de faire croire qu'il a une recette miracle pour que votre enfant ne soit plus handicapé ou malade. En revanche, il y a une phrase qu'il dit souvent : « Une chose est certaine ; dans tous les cas, être présent avec amour et bienveillance ne peut que faire du bien à la personne que l'on désespère de pouvoir aider. »

En général, on sous-estime les bienfaits de cette présence.

CHRISTOPHE : Quand on encourage les gens à renoncer à leurs désirs d'être efficaces et à basculer plutôt sur un mode de présence aimante, on veut modifier leur regard. Finalement, tout ce que le papa du jeune homme schizo-phrène tentait, avec un sentiment d'impuissance (l'amener chez un nouveau médecin, le pousser à sortir de chez lui au lieu de rester allongé à fumer, etc.), je lui suggérais de continuer à le faire en acceptant que cela n'aiderait pas forcément son fils à guérir, mais seulement dans un esprit d'amour. J'espérais que ça l'aiderait à se dire : « Voilà, c'est mon boulot de père, quand il est allongé et qu'il fume, de lui rappeler que ce serait mieux de sortir. » L'important est de ne pas le faire avec angoisse, désespoir ou crispation, ou en se répétant : « S'il ne m'écoute pas, il va être encore plus fou. » Se dire juste : « À cet instant, voilà ce que je peux faire, que ça marche ou non. » Avec ce genre de conseils, nous n'incitons pas forcément les gens à faire autre chose que ce qu'ils faisaient déjà, mais nous les conduisons à agir dans un esprit différent : sans l'obsession d'être écouté, sans chercher de résultats immédiats.

MATTHIEU : Il ne faut pas sous-estimer la portée de cette attitude. On peut avoir l'impression que ce n'est qu'un accessoire insignifiant. On met une petite touche de bienveillance, ce sera un peu mieux, comme un bout de Scotch sur un pot cassé. Mais au fond, la qualité, bonne ou mauvaise, de notre existence est déterminée par celle de chaque instant de notre relation aux autres et au monde. Et si cette relation est dans le registre de la bienveillance, cela fait une énorme différence pour celui qui la vit.

CHRISTOPHE : Oui, et je pense qu'il y a un effet libérateur de l'acceptation ; elle ouvre l'horizon à la bienveillance. Quand ce papa essaie de s'occuper de son fils dans cet état de désespoir (« mon Dieu, c'est affreux ! »), la bienveillance est là, mais elle est obscurcie par le désir que ça change,

l'obsession qu'il n'en fait pas assez, la culpabilité. S'il se dit « OK, il souffre de schizophrénie, tu es son père, fais ce que tu peux, sois présent et aimant de ton mieux… », cela permet à la bienveillance, qui était déjà présente, d'émerger, et d'apaiser le père ; peut-être aussi, peu à peu, de mieux aider le fils.

MATTHIEU : Il ne s'agit pas de se résigner, mais simplement d'accepter que, pour le moment du moins, on n'y puisse rien. Cette acceptation, au lieu de boucher l'horizon, comme c'est le cas avec la résignation, permet d'ajouter quelque chose de positif. Un écrivain canadien, Rémi Tremblay, vient de publier un livre très touchant intitulé *La Chaise rouge devant le fleuve*, dans lequel il parle de son fils qui n'arrive pas à se libérer de sa toxicomanie. Il explique comment pendant longtemps il a tenté de mettre sa souffrance « sous le tapis », alors qu'il était pris dans le cercle vicieux de l'espoir, de l'attente et de la déception. On ne voudrait jamais voir ses enfants souffrir, mais il a appris, dit-il, à accueillir sa souffrance sans la nourrir ni la fuir, sans l'ignorer ni se jeter dans l'action. Il arrive plus facilement maintenant à rester présent, à l'écoute de son fils, et il parle de la présence comme d'une « posture d'amour ». Être plus présent pour son fils l'invite à être plus aimant et plus tranquille, et donc plus capable de discernement et d'action juste.

Autrement dit, l'acceptation d'une situation qui ne peut pas changer, ou qui mettra du temps à changer, laisse la porte ouverte à la possibilité d'ajouter la dimension libératrice de l'amour.

CHRISTOPHE : Et plus que d'*ajouter*, il s'agit aussi de *libérer* la possibilité d'aimer. La bienveillance était bien là, mais elle ne pouvait pas s'exprimer parce qu'il n'y avait pas l'acceptation. Et souvent, l'acceptation fait le ménage : on arrête de se battre contre des choses vis-à-vis desquelles on est impuissant, et tout d'un coup, tout ce qu'on portait de bon peut enfin s'exprimer.

Nos pratiques de l'acceptation au quotidien

ALEXANDRE : L'acceptation peut faire peur si elle est comprise comme une exigence absolue. Accepter toute la vie en bloc relève de l'impossible. Sur ce point, j'emprunte une pratique hyper-efficace chez les Alcooliques anonymes : pour une personne dépendante, dire «j'arrête de boire pour toujours» a quelque chose d'écrasant, d'insurmontable. Et, du coup, pour passer le cap, on se servirait bien un verre de vin… L'exercice consiste alors à s'engager heure après heure à ne pas boire. Je peux appliquer ce principe aux grands chantiers de ma vie. Ainsi, au lieu de vouloir régler une fois pour toutes les troubles de mon âme, je peux concentrer mes efforts, instant après instant. Pareil pour nos petits travers, le gourmand peut tout à fait se dire : «Cet après-midi, je ne touche pas à ce gâteau.»

MATTHIEU : J'aime bien cette parole d'un lord anglais à son fils : «Prends soin des minutes et les heures prendront soin d'elles-mêmes.»

ALEXANDRE : L'acceptation représente un gros morceau de la vie spirituelle. Mieux vaut donc nous préparer à fond, ou plutôt, nous rendre disponibles à ce «oui» joyeux à la vie. Pourquoi toujours associer l'acceptation à un effort ou à la résignation ? Spinoza écrivait dans l'*Éthique* que ce n'est pas le renoncement qui mène à la béatitude, mais au contraire la béatitude qui conduit au détachement. Le philosophe hollandais me fait comprendre qu'il faut un minimum de paix intérieure pour se libérer et accepter le réel. Donc, l'ascèse, paradoxalement, c'est d'abord nous faire du bien, repérer ce qui nous réjouit vraiment et nous permet d'avancer. La joie, et non la crispation, mène à l'acceptation. Et le premier pas, c'est de voir que je n'accepte pas que traînent en mon cœur mille et un refus. Il s'agit de dire oui à tout, même à mes résistances. Déjà, accepter que je n'accepte pas…

Rien ne s'oppose plus à l'acceptation que la résignation, le fatalisme. Et les malentendus à ce sujet sont légion. Dans *Ecce homo*, Nietzsche dit que la grandeur de l'homme réside dans l'*amor fati* (littéralement, l'«amour du destin»), ne rien vouloir d'autre que ce qui est, et mieux encore aimer ce qui advient.

MATTHIEU : Il n'y a rien de plus contre-productif que de se dire que le présent aurait *dû* être autrement que ce qu'il est. Il faut l'accepter avec lucidité et fortitude, ce qui n'empêche nullement de construire le futur.

ALEXANDRE : Il faut aussi se rappeler que, seul, sans un réseau d'amis, sans une famille, il serait encore beaucoup plus difficile de dire oui à nos tourments. Quand je vais hyper mal, je décroche le téléphone pour appeler un ami dans la souffrance. Je l'écoute et j'essaie de ne me consacrer qu'à lui. Ce petit exercice me décentre de moi-même, m'extrait pour un temps du marasme. À la fin de la conversation, je suis presque toujours régénéré. Plus prosaïquement, devant une imprimante foutue ou un train manqué, au lieu de fulminer et de me perdre dans des « ah si j'avais… », je me demande immédiatement quelle action je peux mettre en œuvre pour limiter les dégâts. Accepter, ce n'est pas baisser les bras, mais au contraire prendre appui sur ce qui est, sur ce que je peux changer, pour avancer. Si ma maison brûle, qu'ai-je de mieux à faire ? Me perdre dans l'inquiétude, engueuler celui qui a oublié de couper le gaz ou, tout de suite, aller chercher un seau ?

CHRISTOPHE : Alexandre, tu disais que quand tu vas mal, tu appelles quelqu'un, pas pour te plaindre, pas pour te réconforter, mais pour créer un lien. Du coup, cela m'a fait réfléchir à ce que je fais quand je vais très mal. Plus je vais mal, et plus j'ai besoin d'être seul : il faut absolument que je me pose et que je descende dans la souffrance. En ce sens, la méditation a été pour moi quelque chose de révolutionnaire et de salvateur : prendre le temps d'explorer pourquoi je souffre, ce qui se passe dans mon corps, les pensées que cela engendre, les impulsions, envies, projections vers lesquelles je suis entraîné, regarder tout cela à la lumière de la pleine conscience. Accepter la souffrance, c'est donc d'abord observer les ramifications et le pouvoir qu'elle est en train d'exercer sur moi, et ensuite voir ce que je vais faire : est-ce que je vais aller marcher dans les bois ? appeler un ami ? écrire ? m'occuper de quelqu'un d'autre, comme tu le disais ? Dans tous les cas, j'ai besoin d'être seul pour m'y retrouver, pour conduire ce travail de discernement.

J'essaie de transmettre cette attitude à mes patients, avec les pratiques de pleine conscience. Quand on transforme la notion d'acceptation en *pratique* d'acceptation, et qu'on travaille d'abord sur de toutes petites souffrances, on montre au patient comment accepter de minuscules contrariétés, des souffrances infinitésimales : «Je voulais sortir et il pleut», «Je voulais faire un bon repas avec des amis et je suis malade.» C'est notre obsession, en psychothérapie comportementale : quand on veut apprendre à skier à quelqu'un, on ne commence pas sur une piste noire un jour de mauvais temps. Si nous voulons travailler avec quelqu'un sur l'acceptation, nous cherchons avec lui, dans son quotidien, des choses qu'il lui sera facile d'accepter. C'est facile, mais aussi salvateur. Par exemple, le jour où l'on accepte que son petit garçon ou sa petite fille ne comprenne pas les explications qu'on lui donne pour comprendre son devoir de maths, on arrive à se dire : «OK, c'est une situation normale ; respire et accepte ça pour voir comment faire avec ses difficultés, au lieu de t'irriter, de vouloir faire contre, de vouloir qu'elles n'existent pas, de les considérer comme anormales.» Si l'on arrive à se dire ça, à respirer, à sourire, au lieu de s'énerver, alors ce pas de côté ouvre à une infinité de changements possibles. Puis, peu à peu, on va vers d'autres exercices. Car il s'agit de véritables exercices d'acceptation, pour transmettre pédagogiquement, expérientiellement cette notion.

ALEXANDRE : Pourquoi avoir fait de l'acceptation une pratique complètement désincarnée, un concept lointain ? Elle ouvre le champ à une joie sans pareille et la tradition du zen, comme les grands mystiques chrétiens dégagent une voie pour y accéder. Paradoxalement, le chemin est très concret. Au lieu de se perdre dans les théories, poser des actes qui nous libèrent peu à peu. Et sans cesse dire oui à ce qui est. Là aussi, quand la maison brûle, mettre la main à la pâte, foncer sur un seau d'eau pour nous en sortir sains et saufs. Disserter sur l'acceptation sans œuvrer, c'est comme regarder un immeuble en flammes, pérorer alors que des gens sont en train de mourir.

L'acceptation procède de l'amour inconditionnel. Il faut une sacrée liberté intérieure pour cesser de vouloir transformer l'autre à sa guise, lui dicter ses conduites, façonner ses opinions. Toujours subsiste la tentation de prendre le pouvoir, même inconsciemment. En ce sens, le mariage se rapproche du lien que l'on peut aussi nourrir avec un père spirituel, lien dépourvu de tout esprit de calcul et de vengeance. Une des expériences qui soigne le plus, c'est d'aimer l'autre et d'être aimé de lui sans avoir à rendre compte de qui nous sommes au fond du fond. Durant de longues années, je me suis réveillé chaque matin avec un «J'en ai marre!». En examinant les causes de ma lassitude, j'ai compris que la pression sociale y était pour beaucoup : la peur de décevoir peut finir par écraser. Se libérer, s'en extraire, c'est remplacer ce désir par un pur amour, gratuit.

Et Matthieu, tu m'as donné un fabuleux exemple à l'occasion d'une conférence. Quand une personne s'est embourbée dans une question qui s'éternisait, tu lui as répondu simplement : «Sans vouloir vous interrompre le moins du monde, je crois qu'on va conclure ici.» La leçon fut magistrale! Alors que j'essayais d'écouter péniblement, j'ai compris qu'il y avait une attitude plus juste, plus libre. Le désir de ne pas décevoir nous égare et il faut bien plus de courage pour poser un acte juste. Au fond, je n'avais pas pensé aux milliers de personnes qui, comme moi, voulaient que ça s'arrête. Dans notre société, il faut être sacrément libre pour ne plus être noyauté par le désir de plaire sans tomber pour autant dans une indifférence.

MATTHIEU : Personnellement, lorsque je ne me sens pas bien, c'est souvent parce que quelqu'un, en dehors de mes maîtres spirituels, m'a dit des paroles dures, qu'elles soient ou non justifiées. Dans les deux cas, j'ai besoin d'un moment de silence solitaire. Si ces reproches sont justifiés, ne serait-ce qu'en partie, ce silence me permet d'aller au fond de moi, de prendre lucidement la mesure de mes imperfections et de souhaiter sincèrement m'en défaire. Si ces reproches sont injustes, je vais aussi au fond de moi-même, mais pour y reconnaître ce qui ne change pas et qui est inaccessible à l'injustice et à l'opinion des autres, à savoir la présence dans mon cœur de mes bienveillants maîtres et la nature lumineuse de mon esprit, paisible et immuable.

Persévérer après la tourmente

MATTHIEU : Lorsqu'on est confronté à une grande souffrance, il arrive qu'on perde courage et qu'on sombre dans le désespoir. Mais si l'on arrive à surmonter cet obstacle, on peut en faire une source d'accomplissement. Beaucoup de gens ne disent-ils pas : « Je suis sorti grandi de cette tragédie, de cette maladie » ? La souffrance n'est jamais désirable en soi, mais une fois qu'elle est présente, autant mobiliser toutes nos ressources et tirer avantage de tous nos liens avec autrui pour faire de cette souffrance un moyen de nous transformer. C'est un peu comme lorsqu'on tombe à l'eau et que, au lieu de se laisser couler, on prend l'eau comme support pour nager et revenir sur la berge : on se sert de la souffrance elle-même pour trouver la force de lui faire face. Une fois que l'on a acquis cette résilience, nos futures confrontations avec les épreuves ne seront plus les mêmes.

Après avoir rencontré mon maître Kangyour Rinpotché en 1967, l'année suivante j'ai traversé quelques bouleversements dans ma vie affective. Je me suis alors aperçu que, si je regardais au plus profond de moi, au-delà de l'atmosphère de tristesse qui dominait mes pensées, je trouvais un espace de paix inaltérable et lumineux, dans lequel je me sentais en parfaite communion avec mon maître. Cette expérience a été pour moi une grande ouverture. Elle m'a donné un sentiment de confiance si grand que je me suis dit : quels que soient les obstacles que je rencontrerai doré-navant, il me sera toujours possible de revenir à cet espace de paix intérieure.

CHRISTOPHE : Cette notion est fondamentale. J'aime bien parler de «l'après-guerre», une notion que tu déve-loppes dans un de tes livres, Alex, *La Construction de soi*. Quand on a échappé à la souffrance ou traversé des épreuves, on peut se préparer à affronter les souffrances ou les épreuves suivantes (il y en a toujours dans nos vies) : on reste en guerre. Ou bien on peut prendre le temps de savourer l'apaisement et de jeter sur notre existence un regard différent, de construire avec elle un rapport diffé-rent : c'est l'après-guerre, qui prépare la paix véritable. Ni amnésie ni insouciance : juste la conscience que l'adversité nous a appris à mieux savourer la non-adversité.

MATTHIEU : Après avoir trouvé cette force intérieure nouvelle, on sait que, dorénavant, on a la capacité de retomber sur ses pieds. On a également une plus grande liberté intérieure, qui nous rend moins vulnérable à l'ad-versité.

CHRISTOPHE : Quand on a surmonté l'adversité ou la souffrance, plutôt que de vouloir l'oublier, c'est intéressant d'aller vers une mise à plat de ce qui s'est passé. Par exemple, quand je prescris des antidépresseurs ou des anxiolytiques aux patients, et qu'ils vont mieux, à chaque fois, j'insiste pour qu'on passe plusieurs séances à travailler sur : qu'est-ce qui s'est passé ? Je leur demande : Comment êtes-vous maintenant avec le médicament ? Pourquoi n'est-ce pas pareil qu'avant ? Comment voyez-vous le monde ? Qu'est-ce qui a changé ? Le monde ou vous ? Que peut-on alors en penser ? La psychologie positive délivre aussi ce message : chaque fois qu'on a mobilisé des forces, des énergies pour affronter de l'adversité, c'est un phénomène formidable qu'il faut s'attacher à mieux comprendre. Dans notre travail, il ne faut pas juste analyser la souffrance, mais aussi la manière dont on a pu répondre à la souffrance, puis s'en sortir, pour s'en nourrir.

MATTHIEU : On pense souvent à la résilience – un concept qui a été rendu populaire en France grâce à Boris Cyrulnik en particulier – à propos des personnes, des enfants souvent, qui s'en sortent mieux que les autres après avoir été confrontés à de sévères épreuves. Au Festival des sciences de New York, j'ai participé à une discussion sur la résilience. J'ai essayé de mettre l'accent sur un point important : la résilience n'est pas seulement une capacité que l'on acquiert (ou pas) par la force des choses, quand on est confronté à des situations cruelles et douloureuses, mais elle peut être cultivée volontairement par un entraînement de l'esprit, de même, d'ailleurs, qu'un certain nombre d'autres qualités intérieures. On peut y inclure la faculté dont j'ai parlé, de trouver en soi, au cœur

La résilience n'est pas seulement une capacité que l'on acquiert (ou pas), quand on est confronté à des situations douloureuses. Elle peut être cultivée.

même de notre vécu, un lieu de paix et de liberté auquel on peut revenir à tout moment, et dans lequel on peut laisser reposer son esprit, même au milieu de circonstances difficiles. Dans le bouddhisme, on parle aussi de revêtir l'armure de la patience, ce mot étant compris dans le sens de résilience et de fortitude. L'amour et la compassion sont deux autres facteurs importants de cette force d'âme : plus notre esprit s'emplit de bienveillance, moins nos pensées tournent en rond, obsédées par nos propres tracas. Au fond, la résilience est le sentiment d'être mieux équipé pour faire face à de nouvelles épreuves. Un peu comme un bon cavalier ou un champion de cyclo-cross qui se disent que, même si le terrain devient brusquement très accidenté, ils parviendront à maintenir leur équilibre et à passer l'obstacle.

ALEXANDRE : J'aime beaucoup le concept de résilience, qui a pulvérisé une foule de préjugés et inauguré un chemin de guérison pour des milliers de gens. N'en faisons cependant pas un impératif ! Plane toujours le danger de classer les gens : d'un côté les super-héros, les résilients, ceux qui s'en sortent contre vents et marées et de l'autre les *loosers*. La vie n'est pas aussi simple. En chemin, nous pouvons tous capituler à un moment ou à un autre, nous relever et progresser. La guérison n'est jamais acquise une fois pour toutes. Il faut aussi, pour nous en sortir, des ressources, un environnement plus ou moins clément et puis un peu de chance. Souvent, se présentent des épreuves qui nous fragilisent, et la résilience, c'est précisément de faire avec les moyens du bord et de continuer à avancer toujours.

MATTHIEU : Ce n'est pas un jour de tempête qu'on apprend à nager ou à naviguer, mais par beau temps, dans des conditions qui permettent de ne pas être submergé par la difficulté de la tâche. Si, chaque fois qu'on est pris dans une bourrasque, on fait naufrage et que l'on est incapable de faire face aux défis de l'existence, c'est en partie parce qu'on ne s'est pas entraîné quand les choses allaient bien.

Quoi qu'il en soit, la véritable plénitude ne peut se manifester que lorsqu'on s'est libéré de l'obscurité mentale et des émotions conflictuelles, quand on perçoit le monde tel qu'il est, sans voiles ni déformations. Et pour cela, il faut commencer par acquérir une meilleure connaissance de la façon dont fonctionne notre esprit.

Il faut aussi se libérer des fixations engendrées par notre mode de pensée égocentrique, celui qui nous pousse à vouloir que le monde soit conforme à nos désirs. Le monde n'est pas un catalogue de vente en ligne sur lequel commander tout ce dont on a envie. Et même si la satisfaction de tous nos caprices du moment était possible, elle ne conduirait pas à une satisfaction profonde mais à l'apparition de nouveaux désirs, si ce n'est à l'indifférence et la lassitude.

Que l'on veuille vaincre la souffrance ou atteindre un sentiment de plénitude durable, la poursuite du bonheur égoïste est vouée à l'échec. Toute satisfaction égoïste ne peut être qu'éphémère, comme un château bâti en hiver sur un lac gelé.

Le lâcher-prise sur nos fixations égocentriques va de pair avec une plus grande ouverture aux autres, et avec la prise de conscience que notre bonheur et notre malheur dépendent des autres. L'amour altruiste fondé sur la compréhension de l'interdépendance de tous les êtres permet d'établir des relations harmonieuses avec tous ceux qui nous entourent. Quand nous souffrons nous-mêmes, si nous nous rendons compte que d'innombrables êtres sont eux aussi plongés dans la souffrance, nous ressentons de la compassion pour eux, nos souffrances personnelles sont replacées dans une perspective beaucoup plus vaste, et cela nous donne du courage.

Ce changement d'attitude et l'entraînement de l'esprit qui doit l'accompagner et le soutenir nous semblent peut-être trop difficiles. Pourtant, comme l'écrit Shantideva, le grand maître bouddhiste du VIIe siècle, «il n'y a pas de grande tâche difficile qui ne puisse être décomposée en petites tâches faciles». C'est donc pas à pas, moment après moment, pensée après pensée, émotion après émotion, dans la joie comme dans la peine, que l'on doit poursuivre cette transformation graduelle.

NOS CONSEILS EN TEMPS D'ÉPREUVE

AVIS DE TEMPÊTE
ALEXANDRE

Pratiquer au quotidien : ne pas attendre d'être en pleine mer pour apprendre à nager. Commencer, quand tout va mal, à pratiquer une voie spirituelle, c'est comme vouloir marquer un penalty lors du Mondial de football sans s'entraîner auparavant.

Poser des actes : au cœur de la souffrance, ce qui m'aide, c'est de poser des actes. Il n'y a rien de pire que l'immobilisme. C'est désormais un réflexe : « Qu'est-ce que je peux mettre en place ici et maintenant pour aller un tout petit peu mieux ? » Et surtout, ne jamais s'enfermer sur soi-même. Sans les autres, sans ma famille, sans mes amis dans le bien, je n'avancerais pas d'un pouce sur le chemin de l'acceptation.

Ne pas surréagir : saint Ignace de Loyola invite, en cas de désolation, quand tout va mal, à ne pas surréagir mais à rester fidèle au quotidien, à bien faire son jour. En plein tourment, il est périlleux de vouloir tout changer. Et il faut un sacré courage pour ne pas nous agiter dans les vagues et laisser passer l'ouragan.

L'INVENTION DES CHAUSSURES
MATTHIEU

On ne peut pas vouloir à tout prix changer le décor. Shantideva écrit : «Comment trouver assez de cuir pour en recouvrir toute la terre ? Avec le cuir d'une simple semelle, on parvient au même résultat.» Si on perçoit le monde entier comme un ennemi, vouloir le transformer pour qu'il ne nous nuise plus est une tâche sans fin. Il est infiniment plus simple de changer notre perception des choses !

QUELQUES MESSAGES FONDAMENTAUX, ET PAS FORCÉMENT TRÈS DRÔLES
CHRISTOPHE

Premier message : Je vois la souffrance comme la violence dans le monde; nous rêvons tous qu'elle disparaisse, mais nous savons bien que nous en avons encore pour un bon bout de temps. Plutôt que de nous en affliger ou de nous révolter, il faut se dire : «OK, elle est là, qu'est-ce que je peux faire à mon échelle, et puis tout autour de moi ? Qu'est-ce que je peux encourager par mes propres comportements ou par mes actions, par mes dons ?»

Deuxième message : «Reste en lien avec le monde, dans le bonheur comme dans le malheur ; ce lien sera ce qui te sauvera.» La souffrance nous coupe du monde, elle nous prive de ce dont on aurait le plus besoin, le lien avec le monde, la capacité d'aimer, de nous nourrir de tout ce qu'il y a autour de nous car nous sommes focalisés sur la souffrance, sur l'idée que c'est sans solution. L'entraînement le plus précieux, quand on ne va pas trop mal, c'est de cultiver ce rapport au monde et aux autres.

Troisième message : «Quand la souffrance est là, arrête-toi, accepte-la, explore-la, donne-lui tout l'espace possible pour observer ce vers quoi elle va te pousser.» C'est la distinction que j'aime beaucoup chez Jon Kabat-Zinn, entre réponse et réaction : quand on souffre, il y a la *réaction* impulsive qui vient de notre histoire, des pressions sociales – c'est le pilotage automatique, qui nous mène parfois dans le mur. Et puis il y a la *réponse*, adaptée et intelligente, qui tient compte du présent et du contexte. Mais pour *répondre*, il faut avoir exploré, accepté de ressentir ce qui se passait dans notre corps, dans notre esprit.

7

LA COHÉRENCE :
UNE QUESTION
DE FIDÉLITÉ

CHRISTOPHE : Comment vivre en accord avec ses aspirations ? Peut-on dire une chose et en faire une autre, comme si les exigences s'appliquaient aux autres et non à soi-même ? Ceux qui s'engagent publiquement pour des valeurs suivent-ils ce qu'ils professent dans l'intimité de leur cœur et de leurs actes ? La cohérence est un sujet qui me touche et dont Alexandre et moi parlons souvent. Nous sommes mal à l'aise chaque fois que nous constatons des divergences entre les propos de certains et leur comportement privé. Quand on voit un député français vilipender la fraude fiscale, encourager à la rectitude administrative et ne pas payer ses propres impôts, on est évidemment en pleine incohérence. Il ne s'agit pas de faire une chasse aux sorcières et d'exiger que tous les personnages publics soient parfaits. Mais qu'au moins la parole et l'attitude extérieures soient cohérentes avec le comportement privé. Et si ce n'est pas le cas, soit avouer son imperfection, soit se taire et cesser de donner des leçons ; et dans les deux cas, revenir au travail sur soi !

Des humains haute-fidélité

CHRISTOPHE : Pourquoi la cohérence a-t-elle tant de valeur à nos yeux ? Il y a sans doute de nombreuses explications. Une première piste de réflexion qui me vient à l'esprit est celle de la différence entre un « maître » et un professeur : un professeur peut enseigner un certain nombre de connaissances et être lui-même assez éloigné de la perfection quant à ce qu'il enseigne, là où on attend d'un maître qu'il soit exemplaire dans sa parole et dans son comportement. Il me semble qu'on peut parler de cohérence quand il y a un équilibre entre différents éléments d'une même entité : la cohérence d'un raisonnement, la cohérence d'une personne, la cohérence d'une attitude existentielle. Pour nous trois, ici réunis, l'enjeu est la cohérence avec nos valeurs et nos idéaux. Et pourquoi est-ce difficile, pour beaucoup d'entre nous, de rester cohérent avec ses idéaux, ses valeurs, ses engagements ? Il me tarde d'écouter vos réponses !

La fidélité est une autre forme de constance par rapport à ses engagements. Il s'agit de résister à toutes les tentations, à toutes les facilités, à toutes les lâchetés, à tous les abandons qui peuvent nous éloigner de nos idéaux. Un peu comme les appareils qui sont dits « hi-fi », car ils restituent un son haute-fidélité, je me dis que nous voudrions tous être des «humains haute-fidélité», des humains capables de garder notre voie par rapport à nos idéaux. Bien sûr, il n'y a pas que la question de la cohérence ou de fidélité à des idéaux, mais aussi celle du choix des idéaux.

MATTHIEU : La fidélité à soi-même est une notion dont Michel Terestchenko a beaucoup parlé dans son livre *Un si fragile vernis d'humanité* : certains sacrifient cette fidé-lité, renient leurs principes moraux fondamentaux en faisant peu à peu des concessions, et ils finissent par se trouver pris dans un enchaînement irréversible qui les conduit à l'opposé de ce qu'ils voulaient être. C'est de cette façon que le simple policier Franz Stangl est peu à peu devenu le chef du camp de concentration de Tre-blinka et a été considéré comme responsable de la mort de 900 000 Juifs. Quand il essayait de refuser une nou-velle promotion dans la hiérarchie nazie, on le menaçait, lui et sa famille, et chaque fois il franchissait un pas de plus dans l'ignominie. Pendant les soixante-dix heures d'entretiens qu'il a accordées à la journaliste Gitta Sereny en 1971, il confiait qu'il aurait dû se suicider en 1938, la première fois qu'on l'a obligé à faire quelque chose qu'il désapprouvait. Michel Terestchenko cite, par contraste, la fidélité à soi du pasteur Trocmé et de sa femme, qui avaient décidé de ne jamais faire la moindre entorse à leurs principes moraux, et qui ont ouvertement déclaré qu'ils protégeraient des familles juives, quel que soit le prix à payer. Ils parvinrent à sauver 3 500 personnes.

Il faut bien sûr savoir à quoi l'on veut rester fidèle. Peut-on parler de cohérence à propos de quelqu'un convaincu qu'il faut éliminer une race «impure»? S'il passe aux actes, il sera certes fidèle à sa vision aberrante du monde, mais infidèle à sa nature profonde, ce que le bouddhisme appelle «nature de Bouddha», qui est présente en chacun de nous, libre de la haine, du désir et des autres états mentaux négatifs qui obscurcissent l'esprit.

Quand on me demande quelles sont les qualités principales du Dalaï-lama, l'une des premières réponses qui me vient à l'esprit est qu'il est exactement le même en privé qu'en public. Il se comporte de la même façon avec un chef d'État et avec les gens qui nettoient sa chambre d'hôtel. Il voit avant tout en eux des êtres humains et leur accorde la même attention et la même valeur. Lors du cinquantième anniversaire des Droits de l'homme auquel Robert Badinter l'avait invité, de nombreuses rencontres avaient été organisées avec des personnages officiels. Un soir, en revenant d'une conférence, l'un des motards qui accompagnaient le cortège, une femme, a fait une chute. Dès que le Dalaï-lama est arrivé à l'hôtel, il a pris de ses nouvelles. On lui a dit qu'elle souffrait de contusions au bras. Le Dalaï-lama, qui devait prendre un avion le lendemain matin, a demandé s'il pourrait la revoir avant de partir. Elle est venue vers 7 h 30 avec son bras en bandeau. Il lui a donné un livre et l'a prise dans ses bras. Il semblait se préoccuper plus d'elle que des personnages importants qu'il avait rencontrés.

Un jour, il a laissé le président Mitterrand interloqué sur le perron de l'Élysée pour serrer la main d'un garde républicain qui se trouvait à une vingtaine de mètres plus loin. C'est une façon de dire que nous sommes tous égaux. Il répète souvent : « Si vous me regardez comme "le Dalaï-lama", vous créez un fossé entre nous. Je suis d'abord un être humain, et vous êtes des êtres humains. Au deuxième degré je suis tibétain, au troisième je suis moine, et au quatrième le Dalaï-lama. Restons donc au niveau de notre humanité commune ! »

Jouer la comédie sociale ou dire toute la vérité ?

ALEXANDRE : Il faut quand même une sacrée audace pour en arriver là. Je ne suis même pas sûr de parvenir à passer une demi-journée sans un chapelet de pieux mensonges. Et qui peut se targuer d'avoir décollé entièrement le vernis social et d'avancer nu ? C'est fou comme, sans relâche, tout au long du jour, nous sommes enclins à jouer un rôle pour nous protéger, ne pas décevoir et répondre aux attentes… À la longue, cette comédie peut user, miner. Si, du matin au soir, nous enfilons un costard pour faire le beau, comment ne pas finir complètement vidés ? Dès lors, quelle plus belle invitation à la liberté que d'imiter le Dalaï-lama et les sages des différentes traditions pour devenir qui nous sommes véritablement ? Par où commencer ? Peut-être en osant être un peu plus vrai, en rejetant déjà tout mensonge. Cette redoutable étape, préalable à toute vie spirituelle, j'ai tendance à la remettre toujours à plus tard… Par exemple, j'ose à peine le dire, mais je crois que je n'ai jamais été à 100 % handicapé. Toujours, j'essaie de corriger, de faire des efforts pour cacher qui je suis réellement. Comment vivre l'acceptation si je me déguise sans cesse ? Ôter les masques, arrêter de jouer au caméléon, voilà une conversion radicale. Pourquoi ne pas déjà repérer quand je fausse compagnie à la sincérité, lorsque, de peur qu'autrui ne me juge, je me trahis carrément ? Pourquoi ne pas en rire et, sans nous fixer nulle part, arracher l'un après l'autre les masques ? Plus que tout, c'est l'amour inconditionnel qui me vaccine contre cette mascarade. Avec mes proches, pas besoin de costume ni de posture. Se sentir profondément aimé guérit. Chaque jour, je suis donc appelé à vivre beaucoup plus simplement, à cesser d'exister uniquement sous le regard de l'autre pour aimer sans calcul.

Aimer gratuitement, sans pourquoi ne signifie pas forcément dire « amen » à tout. Je peux pardonner à un meurtrier sans pour autant cautionner des horreurs. Personne ne se réduit à ses actes, ni l'assassin ni le méchant. L'amour inconditionnel n'empêche pas d'affirmer haut et fort qu'il y a des gestes inacceptables, au contraire… Et quelle liberté de quitter la logique du donnant-donnant ?

Pour laisser tomber les masques, j'ai trouvé mon maître : une de mes amies, une jeune fille atteinte d'autisme, partage avec le Dalaï-lama cette force, presque surhumaine : elle ne ment jamais. Et c'est assez troublant de voir que, dans notre société, cette liberté s'apparenterait presque à une tare. Comment réagir si, par exemple,

Sur le chemin de la vie spirituelle,
je décèle un autre danger :
vouloir jouer au super-héros, prétendre
avoir surmonté les blessures.

invité au restaurant, nous trouvons le repas carrément infect ? Celui qui dirait toute la vérité, rien que la vérité, passerait illico pour un dingue. Mais l'hypocrite qui, du matin au soir, dissimule le fond de ses pensées, n'est-ce pas lui, en vérité, le grand malade ? Plus d'une fois, je me surprends à dire plein de mensonges insignifiants : je n'ai pas fermé l'œil et je m'entends dire que tout va bien, que je suis en pleine forme. Sans bazarder une bienfaisante politesse, je peux juste me demander si je ne suis pas en train de tomber dans la compromission. Dès aujourd'hui, je suis libre aussi de faire le vœu de mentir déjà un tout petit peu moins.

Sur le chemin de la vie spirituelle, je décèle un autre danger : vouloir jouer au super-héros, prétendre avoir sur-monté les blessures. Il n'est peut-être pas inutile de se rap-peler les paroles de Nietzsche : «Il faut porter du chaos en soi pour accoucher d'une étoile dansante.» Sans croupir dans la contradiction, il est bon de voir que nos blessures peuvent aussi devenir le haut lieu de la fécondité. Le défi que lance Nietzsche libère assurément : ne plus regarder les plaies du passé avec mépris et s'exercer à trouver en chaque instant une chance de progresser.

Tenter un peu de cohérence, c'est aussi faire un brin de ménage, abandonner les préjugés comme on jetterait des habits trop usés. Et si nous commencions par traquer la nostalgie qui nous ligote à ces erreurs cent fois répétées. Nous accrocher au passé, faire un absolu de ce qui est provisoire, réactive le mal-être. Ici-bas, tout est éphémère, impermanent, même l'enseignement du Bouddha, comme le disent les textes, ce radeau qui peut nous conduire sur l'autre rive. La vie est semée d'étapes. En chemin, il s'agit de larguer beaucoup de réflexes, d'*a priori* et ces idées purgatives qui nous soutiennent un temps mais finissent par nous pourrir l'existence. Avant d'aller dormir, j'examine parfois les opinions auxquelles je suis enchaîné. À quoi bon traîner tout cet attirail ? Sans tout bazarder, je peux déjà voir que la majorité de mes pensées procèdent de l'illusion.

D'ailleurs, en fréquentant des maîtres, ce qui m'a le plus frappé, c'est que je n'ai jamais décelé chez eux le moindre désir de plaire. Ils rayonnent de leur cœur une profonde adéquation au réel et un amour inconditionnel pour chaque être. Tandis que les blessures peuvent nous transformer en mendiants avides d'affection, prêts à tout pour être consolés. Si ce n'est pas par la violence que l'on tue l'ego, mais bien par la douceur, alors, il nous faut accueillir sans sévérité nos paradoxes. Voilà une étape qui nous rapproche de la cohérence, cette fidélité à ce qui est le plus profond en nous. Et, au lieu de pointer du doigt le moindre faux pas chez l'autre, d'instant en instant, nous pouvons nous nourrir dans l'amour inconditionnel.

Et là, tout de suite, virons les accessoires inutiles, tout ce qui nous empêche de progresser dans la joie, la paix et l'amour ! Et puisque je parlais de vêtements usés, pourquoi ne pas nous risquer à un petit déshabillage spirituel ? Mais trop de fois, au lieu de quitter les rôles et d'oser vivre nu, c'est l'autre que nous déshabillons du regard… Sur cette voie, le Dalaï-lama reste un modèle, lui qui demeure, comme tu le dis Matthieu, fidèle à lui-même où qu'il se trouve, qu'il côtoie un chef d'État ou une femme de ménage. Dépêchons-nous de l'imiter.

MATTHIEU : Être vrai, ce n'est pas nécessairement toujours dire toute la vérité, surtout si cela crée de la souffrance, c'est ne pas mentir pour cacher ses erreurs et ses défauts ou, pire, pour tromper autrui par malice. La fidélité à soi exige de rester conforme à sa propre éthique et à la nature profonde dont j'ai parlé précédemment, mais cela ne veut pas dire qu'il faut suivre à tout prix une règle ou un dogme immuable. Il faut aussi prendre en compte les conséquences heureuses ou malheureuses que la fidélité à ses principes peut avoir sur les autres. Si je me précipite pour annoncer à quelqu'un que sa femme ou son mari le trompe, ou que les gens racontent qu'il est le dernier des imbéciles, je dis sans doute la vérité, mais je trahis mon idéal de bienveillance, et par la même occasion ma nature profonde.

Alexandre, tu dis que tu peux rarement être handicapé à 100 %, parce que tu prends toujours conscience de la volonté de corriger quelque chose pour être vu différemment. Le handicap est une réalité incontournable, mais il ne définit pas ta vraie nature. Au fond de toi, tu n'es pas handicapé, de même que le Dalaï-lama n'est pas le Dalaï-lama, ou qu'un bel Apollon n'est pas un bel Apollon. Le Dalaï-lama est d'abord un être humain et, à un niveau plus profond, il a, comme toi et moi, la nature de Bouddha.

Pour revenir à la cohérence, je peux dire que chez mon maître Dilgo Khyentsé Rinpotché, c'était une qualité qu'on pouvait vérifier dans les moindres détails de sa vie. Je suis incapable de voir quelles étaient la profondeur de sa sagesse et l'étendue de sa compassion, mais pendant les treize années que j'ai passées près de lui, quasiment jour et nuit puisque je dormais dans sa chambre pour l'assister du fait de son grand âge, je n'ai jamais observé dans son comportement quoi que ce soit qui différait de ce qu'il enseignait. Je n'ai jamais vu un geste ni entendu une parole qui évoque, de près ou de loin, la malveillance. Il pouvait être sévère avec ses disciples, car ménager leur ego ne les aurait pas aidé à progresser, mais avec tous les gens qui venaient le rencontrer, depuis les rois ou les ministres du Bhoutan et du Népal jusqu'aux simples fermiers, il était toujours d'une immense gentillesse et d'une totale disponibilité. Devant une telle cohérence, j'ai fini par éprouver une confiance inébranlable.

Les charlatans qui se conduisent selon le principe «faites ce que je dis mais ne dites pas ce que je fais», font beaucoup de mal en décourageant ceux qui cherchent des modèles de vie. On le voit dans de nombreuses sectes : le guide s'affiche en modèle de vertu, alors qu'en privé tous ses comportements trahissent l'idéal qu'il enseigne. C'est aussi souvent le cas, malheureusement, en politique.

CHRISTOPHE : Ces mensonges et faux-semblants, notamment de la part de personnages publics, posent un problème très grave à mes yeux, parce qu'en tant qu'espèce sociale les humains ont un besoin absolu de modèles fiables et crédibles. L'un des outils de transformation personnelle les plus puissants, outre les messages et les valeurs que l'on reçoit au travers d'un enseignement, c'est la valeur de l'exemplarité, ce qu'on appelle en psychologie « l'apprentissage par imitation de modèles ». Il ne s'agit pas de se transformer en Torquemada de la rectitude personnelle, mais d'établir lucidement la différence entre ce qui est de l'ordre de l'imperfection – sans être une trahison de la parole et des engagements publics – et ce qui relève de la duplicité ou des faux-semblants.

MATTHIEU : Le manque de cohérence est souvent lié au sentiment exacerbé de l'importance de soi. Celui qui veut absolument afficher une image flatteuse ou trompeuse de lui-même a du mal à admettre ses fautes et à se montrer tel qu'il est. Il a tendance à tricher quand ses paroles et ses actes ne sont pas à la hauteur de l'apparence qu'il veut donner.

Cette attitude fausse nos rapports avec les autres. Elle empêche aussi tout progrès intérieur. Dans le bouddhisme, on dit que le maître le plus bienveillant est celui qui met le doigt sur nos défauts cachés, nous permettant ainsi de corriger nos incohérences.

Les ravages de l'intolérance

CHRISTOPHE : J'entrevois un autre problème sur ce sujet. J'ai des amis très cohérents par rapport à leurs valeurs, qui ont des engagements politiques, confessionnels ou autres, que je respecte tout à fait, mais qui sont intransigeants et affirment parfois leurs convictions de façon violente. Et je perçois obscurément qu'au fond cette cohérence les fige sur leur position. Jusqu'où la fidélité à des valeurs peut-elle être une lumière qui nous guide vers le meilleur, et à quel moment va-t-elle nous empêcher de changer et de nous ouvrir ? Alors, Matthieu, tu vas me dire qu'il faut bien choisir ses engagements, et ne pas se tromper dans les étoiles auxquelles on accroche sa charrue…

MATTHIEU : Il y a une différence entre, d'une part, la fidélité à nos valeurs et à leur application en tenant compte des circonstances et de l'effet de notre comportement sur les autres et, d'autre part, une intransigeance dogmatique qui ne tiendrait pas compte de la situation. C'est pour cette raison que, souvent, le Dalaï-lama ne répond pas tout de suite aux questions d'ordre éthique sur lesquelles on pourrait croire qu'il a une opinion bien tranchée. Il prend le temps de se demander ce qui, en fonction des circonstances, lui paraît le plus juste et le moins susceptible d'engendrer de la souffrance. Francisco Varela parlait d'« éthique incarnée », une éthique qui tient toujours compte du contexte particulier de chaque situation humaine. C'est le contraire de l'éthique du « devoir », de type kantien, dans laquelle des principes absolus doivent s'appliquer à tous les cas de figure.

Incarner une éthique

CHRISTOPHE : Pour revenir à la question des petits mensonges que soulevait Alexandre, peut-on dire à quelqu'un qui nous a préparé un repas «Désolé, mais non, vraiment, ce n'est pas bon!»? Et si l'on ne ment pas, que peut-on dire? En psychologie positive, on encourage nos patients à mettre l'accent ailleurs, à ne pas répondre à la question : «C'était bon?» On dira plutôt : «C'était un délicieux moment en votre compagnie» – du moins si c'est le cas – ou : «Merci, ça m'a fait vraiment plaisir de partager ce repas.» Peut-être est-ce hypocrite, mais c'est aussi une façon de garder une part de sincérité sans heurter l'autre.

Quant aux travaux pratiques de cohérence qu'on peut se fixer à soi-même, j'ai pour ma part un vaste terrain d'exercice avec les invitations : on m'invite fréquemment à une conférence, un dîner, une soirée, et cela me ferait plaisir de pouvoir faire plaisir, mais au fond de moi, je n'ai pas envie de dire oui parce que je suis fatigué, parce que ce n'est pas au sommet de mes priorités existentielles. Être fidèle à mes valeurs, c'est ne pas faire de mal à ceux qui me sollicitent, mais c'est aussi ne pas me faire de mal à moi-même. Comment le dire? Mentir est la solution de simplicité, et j'y ai eu souvent recours : «Ah, je suis désolé, je suis déjà pris.» Mais, de plus en plus, je réponds : «Je suis désolé, j'ai besoin de me reposer» ou : «Si j'avais plus de temps, ça me ferait plaisir, mais là, je ne peux pas », etc. Et quand je réponds par écrit, en général je formule les choses ainsi : « Je souhaite être cohérent avec ce que j'écris. J'encourage tout le monde à prendre soin de soi, à se respecter, à s'écouter. Il faut que je fasse pareil, et donc je ne peux pas répondre à votre invitation. Je vous aime beaucoup, c'est très sympathique, c'est une belle cause, mais je ne peux pas. » Et parfois, les jours où je suis vraiment en forme, je prends modèle sur Jules Renard qui écrivait dans son journal : « L'homme vraiment libre, c'est celui qui peut refuser une invitation à dîner sans donner de prétexte. » Alors je réponds simplement, sans me justifier : « Merci beaucoup pour votre invitation, mais cela m'est impossible. »

MATTHIEU : La bienveillance apporte une solution simple aux problèmes de cohérence. Si le repas est mauvais, doit-on à tout prix dire la vérité ? Est-ce plus important de lâcher un petit mensonge ou de dire la vérité en blessant quelqu'un ? Le mensonge et le vol sont généralement des actes nuisibles, et donc *a priori* répréhensibles, mais on peut aussi mentir pour sauver la vie de quelqu'un poursuivi par un tueur, ou s'emparer des réserves alimentaires d'un potentat égoïste pour épargner la mort à des gens menacés de famine. On est ici à l'opposé de Kant, selon qui on ne peut, par exemple, mentir en aucune circonstance, même pour sauver quelqu'un, car en s'autorisant à mentir on détruit la crédibilité de toute parole en général, ce qui constitue une injustice envers l'humanité tout entière.

On revient à la notion d'éthique contextuelle, incarnée, c'est-à-dire fondée sur la bienveillance. Comme disait le philosophe canadien Charles Taylor, « l'éthique, ce n'est pas seulement ce qu'il est bien de faire, mais ce qu'il est bon d'être ». Quelqu'un de bon va spontanément réagir de façon bienveillante. Son comportement pourra prendre des formes diverses, mais du point de vue de la bienveillance, il sera toujours cohérent. Ce n'est que d'un point de vue dogmatique qu'il peut sembler incohérent. On peut bien sûr agir maladroitement, manquer de discernement, être incapable de prévoir toutes les conséquences de ce qu'on fait, mais du point de vue de l'altruisme, on aura agi au mieux pour faire le plus grand bien possible dans une situation donnée.

NOS CONSEILS DE COHÉRENCE

VIVRE LA COHÉRENCE
(MÊME DANS LES TOUTES PETITES CHOSES)
ET ÉVITER DE SE FAIRE DU MAL
CHRISTOPHE

🍃 Il est plus efficace de s'efforcer d'incarner soi-même ses valeurs que de se contenter d'en parler et de les recommander.

🍃 Un exemple de pratique importante que j'essaie d'appliquer : tout faire pour ne pas dire du mal des gens ; et si je le fais quand même, m'efforcer de ne dire que ce que j'oserais leur dire en face.

🍃 Les idéaux et le souci de cohérence ne doivent pas se transformer en autotyrannie : l'exigence doit aussi s'accompagner de bienveillance envers nous-mêmes, de tolérance envers nos erreurs et nos imperfections. Présentons-nous bien comme des personnes qui font des efforts pour progresser, et non comme des modèles qui ont atteint leur but.

ÉVITER LA TYRANNIE VIS-À-VIS DE SOI-MÊME ET L'INTOLÉRANCE VIS-À-VIS DES AUTRES
MATTHIEU

🍃 Ne pas s'accrocher à des dogmes invariables. Les situations humaines étant toujours complexes, être trop rigide peut aboutir à des réactions en porte-à-faux avec la réalité, et créer plus de souffrance que de bonheur.

🍃 Donner la primauté à la bienveillance. Cela simplifie considérablement le problème de la cohérence, car la bienveillance devient le seul critère auquel nos pensées, nos paroles et nos actes doivent répondre.

ESSAYER DE VIVRE AU-DELÀ DES RÔLES
ALEXANDRE

🍃 Vivre à partir de l'intime et envoyer se promener le moi social, le désir de plaire et la soif de réussir à tout prix. Quel malentendu nous fait associer l'intimité à ce qui est honteux et doit être caché ? Au fond du fond, il n'y a plus d'ego, de masque. Nous rejoignons l'humanité tout entière.

🍃 S'entourer d'amis spirituels : un véritable compagnon de route ne détale pas quand le ciel s'assombrit. Il ne se gêne pas non plus pour dire la vérité. Son désir ultime, c'est de nous épauler et de nous aider à avancer quand la guerre fait rage en nos cœurs.

Cheminer vers la grande santé, c'est aussi intégrer nos contradictions et en tout cas cesser de les considérer comme des ennemis : qui a dit qu'il fallait être à 100 % équilibré pour goûter à la joie ? Il existe mille et une façons de vivre la santé et la paix. Ni le handicap ni les tourments n'ont le dernier mot.

8

ALTRUISME : TOUT LE MONDE Y GAGNE

ALEXANDRE : Comment tordre le cou aux caricatures qui galvaudent l'altruisme ? Disons-le tout de suite, il faut un sacré courage pour s'opposer à la pente qui nous incline presque irrésistiblement vers l'égoïsme ! Et le cœur qui, de toutes ses forces, s'engage pour son prochain, est tout sauf mièvre ou lâche. L'individualisme effréné conduit au malheur... La chose est entendue, et pourtant il est bien difficile de s'en extraire. Et si nous commencions déjà par nourrir un authentique goût de l'autre et tâchions, sans condescendance, de vraiment nous intéresser à lui ? À mes yeux, les grands chantiers d'une vie se ramassent en quelques mots : de ton âme, de ton corps, et de l'autre, tu prendras grand soin.

D'abord, voir que nous sommes tous embarqués sur le même bateau, d'où l'extrême danger de nous tirer dans les pattes... Pourquoi diable considérer autrui comme un adversaire, un concurrent et oublier que tous les hommes, que toutes les femmes sont des coéquipiers qui aspirent au bonheur ? Pour Aristote, c'est en pratiquant la vertu que nous devenons vertueux. La générosité, la charité, le véritable amour du prochain s'exercent dans le quotidien, tout simplement : savoir accueillir la voisine de palier, consoler un enfant, rencontrer sans pitié un clochard, et en toute occasion nous abstenir de nuire.

La joie de l'altruisme

ALEXANDRE : Dostoïevski raconte avec humour qu'il est plus facile d'aimer l'humanité tout entière que de supporter son voisin. Or c'est dans le concret que l'amour s'incarne. La véritable bonté embrasse toute l'humanité. Il y a toujours le risque d'en faire des tonnes pour le malheureux qui traverse une terrible épreuve et d'oublier celui qui se coltine depuis des années une maladie chronique. Comme si l'élan de notre cœur s'usait au contact du réel... N'attendons pas les catastrophes ni les coups du sort pour nous attendrir. Nous pouvons nous approcher de l'autre dès à présent. Qui a dit qu'il fallait nécessairement attendre que les grands malheurs s'abattent autour de nous pour réveiller notre compassion ? L'acte le plus banal peut être empreint d'une immense générosité : la manière de dire bonjour, la façon de répondre au téléphone, l'attention aux autres... Tout devient exercice spirituel. À l'heure d'enfiler notre pantalon le matin, nous pouvons tout simplement nous demander à qui dédier cette journée.

Les petits actes renouvelés au quotidien m'aident infiniment plus que les tonnes de résolutions jamais mises en œuvre.

MATTHIEU : Quand on parle d'altruisme, de compassion, de solidarité, de bons sentiments en général, on rencontre, c'est vrai, toutes sortes de préjugés. Est-ce que l'altruisme n'est pas pour les faibles, ceux qui ont tendance à se sacrifier bêtement, qui ne savent pas s'imposer ? La réalité, aussi dure soit-elle, n'est-elle pas faite d'egos triomphants, de passions dévorantes, de colères destructrices ? Certains pensent que l'altruisme n'est qu'un devoir artificiellement inculqué par la famille ou l'Église : il faudrait être bon parce qu'on nous l'a dit, parce que c'est enseigné dans les Écritures saintes. D'autres pensent qu'on ne peut être véritablement altruiste que si cela nous coûte, si cela implique des sacrifices douloureux. Lorsqu'on y trouve de la joie, c'est louche.

ALEXANDRE : Les petits actes renouvelés au quotidien m'aident infiniment plus que les tonnes de résolutions jamais mises en œuvre. Les Évangiles nous montrent qu'il n'est pas de plus grand amour que de donner sa vie pour les autres. Comment, sans forcément mourir en martyr, puis-je répondre à cet appel jour après jour ? Les nouveaux cyniques me cassent les pieds quand ils font passer l'altruisme pour de la niaiserie. Ta vie, Matthieu, me convainc du contraire. Et que dire des grands saints qui ont consacré leur existence entière aux autres? Ce n'est pas l'égoïsme qui conduit au bonheur mais bien cet engagement, cette générosité vécue dans la joie et la liberté.

Un certain mépris entache la psychologie positive, comme si les désabusés, les blasés, ceux qui justifient le malheur, avaient forcément raison. Ce n'est pas être un doux rêveur que de croire en la force de la générosité. Au contraire, les progrès sociaux, la lutte contre l'injustice ont toujours été menés par des cœurs ardents à éradiquer le mal. Je ne suis pas sûr que l'indifférence du cynique mène à grand-chose...

Dans les transports publics, je dis souvent aux enfants : «Essayez de repérer celui qui tire le plus la gueule et demandez-vous ce qu'on peut faire pour lui.» L'exercice peut prêter à rire, pourtant quoi de plus simple que de sourire, tenir une porte, céder son siège à une personne âgée, ne jamais succomber à la colère?

Merci, Christophe, de rappeler qu'il y a une pente *presque* irrésistible qui nous tire souvent vers l'égoïsme. Si nous nous laissons aller, c'est le début de la fin... Justement, tous ces petits actes permettent d'inverser la machine, de rediriger le cap millimètre par millimètre vers la générosité.

À l'institut, des éducateurs m'invitaient à l'autonomie, à l'indépendance, mais quand je les voyais si distants, je ne trouvais pas le courage de me lancer sur la voie du progrès. En revanche, les gens qui m'ont le plus rapproché de la joie sont aussi ceux qui m'ont le plus aimé. Pas d'un amour tiède, mièvre, mais tonique, exigeant, sans réserve. Sur ce chapitre, mon maître me prodigue chaque jour de lumineux enseignements. Une fois il m'a traité de « dernier des imbéciles ». Dans ses mots, j'ai trouvé une telle douceur, une bonté infinie qui m'ont donné la force d'abandonner sur-le-champ les erreurs, les préjugés, les fixations tenaces. Rien à voir avec cette condescendance ou cette cruauté qui sévissent un peu partout. En revenant de Séoul, j'ai regardé la télévision et je me suis aperçu que bien des chroniqueurs offraient un pitoyable exemple. Avant, la critique évaluait un livre et, si elle ne l'appréciait guère, elle fournissait des arguments. Aujourd'hui, on dirait que c'est une mode : vomir sur les gens, les dégommer en public dans une espèce de fausse joie contagieuse, celle du toréador qui plante ses couteaux dans les flans de sa victime. Il est urgent de réhabiliter un altruisme, une bienveillance, pour mettre fin à cette effrayante corrida mentale. La vie est dure, nous n'y échapperons pas, alors pourquoi en rajouter une couche et verser dans la méchanceté gratuite ?

Dans les *Pensées pour moi-même*, Marc Aurèle propose un outil qui me rend d'immenses services : « Dès l'aurore, dis-toi par avance : "Je rencontrerai un indiscret, un ingrat, un insolent, un fourbe, un envieux, un insociable." » D'où la nécessité de s'y préparer. Un pas de plus, et je peux même considérer chaque rencontre comme une aubaine pour me transformer. Côtoyer autrui devient une chance d'arracher tous les revêtements, de quitter tous les rôles. Pour nous rendre disponibles à l'autre, il *suffit* de nous rappeler le miracle de la vie. Un jour, un moine m'a donné une lumineuse leçon : « Imagines-tu combien tu avais de chances sur un milliard de rencontrer en cette vie tes proches, tes amis, ta famille ? As-tu conscience de ce miracle quotidien ? C'est comme si, dans cet univers infini, il y avait une gare intergalactique et que tu y avais croisé *par hasard* des hommes et des femmes. Ces moments sont brefs, fugitifs. Ne les gaspillons pas en reproches inutiles. Ne perdons pas de temps avec la colère. Réjouissons-nous de cette courte halte dans la gare et soyons généreux envers tous les voyageurs. »

En souhaitant bonne nuit à mes enfants, j'aime me rappeler que j'embrasse des êtres qui vont mourir un jour. Je me souviens ainsi du cadeau exceptionnel qui m'est donné, et je savoure la joie de passer du temps en leur compagnie dans l'immense gare intergalactique. J'essaie aussi de convertir mon regard pour considérer chaque rencontre, aussi banale paraisse-t-elle, comme un miracle, le lieu d'un enseignement. Et je n'ai pas fini de m'émerveiller devant la richesse des êtres humains. Dans le métro, je me dis que plus jamais je ne croiserai ce clochard aux côtés de cet homme d'affaires. Cet instant ne se reproduira plus. Fermer les yeux sur les largesses du quotidien, c'est passer à côté de la joie et vivre à demi.

Très longtemps la joie a réveillé, chez moi, une sorte de culpabilité tenace. Comme si le bonheur m'éloignait de ceux qui souffrent, comme si je les méprisais en allant mieux. Aujourd'hui, je comprends que ce n'est pas une âme troublée à l'excès, percluse de blessures, qui peut le mieux prêter main-forte à ceux qui traversent l'épreuve. Il est même de mon devoir de tout mettre en œuvre pour extirper de mon cœur ce qui me porte à l'aigreur et à la tristesse.

L'altruisme réside dans l'attention prêtée aux besoins d'autrui et dans l'action pour les aider.

Contempler tout ce qu'il y a de beau dans ma vie me réjouit et me ressource. Pourtant, dès que je veux mettre la main sur ces dons, voilà que la joie me quitte presque illico. Apprécier sans s'attacher, c'est tout le défi. Nous pouvons donner ce que nous n'avons pas reçu, là réside une des grandeurs de l'être humain : un papa qui n'a pas été aimé par ses parents peut prodiguer à ses enfants un amour inconditionnel. L'art de la compassion se pratique au présent.

CHRISTOPHE : À mes yeux, l'altruisme réside dans l'attention prêtée aux besoins d'autrui et dans l'action pour les aider. Il se situe en amont de la souffrance : pas besoin d'attendre que la personne souffre pour se porter à ses côtés et lui faire du bien, il suffit qu'elle en ait besoin. Cette attitude s'exerce sans attente particulière de réciprocité, de reconnaissance, de bénéfice, même si l'existence même de ces bénéfices et le fait que nous les apprécions ne disqualifie pas l'altruisme, ne le contamine pas. Mais, autant que possible, il ne faut pas que ce soit la motivation première.

La compassion, pour sa part, consiste à se montrer attentif à la souffrance d'autrui, à souhaiter qu'elle diminue et à vouloir y remédier.

D'où vient ce souci de l'autre ?

CHRISTOPHE : On sait aujourd'hui que les humains sont « câblés » pour l'empathie ; il est dans notre nature d'être à même de ressentir la souffrance d'autrui. Mais la compassion nécessite peut-être d'avantage d'apprentissage – Matthieu est plus calé que moi sur ce sujet. J'avais été frappé en voyant, il y a longtemps, un documentaire animalier, l'histoire de deux frères guépards dans un parc africain. Ils grandissent ensemble, jouent, chassent. Mais un jour, une lionne attaque l'un des frères et lui brise le bassin d'un coup de mâchoire. Il est à moitié paralysé et devient une gêne pour la chasse comme pour la survie du duo. Au début, le guépard valide est très inquiet : il lèche son frère, tente de le réconforter, mais, au bout d'un moment, il finit par l'agresser, puis par l'abandonner. J'avais l'impression de voir la différence entre l'empathie et la compassion : le guépard avait eu de l'empathie pour son frère paralysé, mais ce n'était pas allé jusqu'à la compassion, ce n'était pas suffisamment fort pour qu'il ait envie de rester à ses côtés, de l'aider, de lui apporter à manger, même si, à long terme, cela n'aurait pas changé grand-chose.

MATTHIEU : Le guépard a peut-être subi une sorte de fatigue de l'empathie. J'ai entendu parler d'un autre cas qui s'est mieux terminé, celui d'un éléphant dont la trompe avait été sectionnée par un piège et qui ne pouvait plus se nourrir. Très vite, un autre éléphant s'est mis à lui apporter des roseaux tendres, qu'il lui mettait directement dans la bouche. Quand la plaie s'est cicatrisée, l'éléphant mutilé a constaté qu'il ne pouvait plus arracher de plantes coriaces, qu'il ne pouvait se nourrir que de roseaux tendres. Ce qui s'est passé ensuite est étonnant : l'ensemble de la horde (souvent une dizaine d'individus menés par une matriarche) qui, normalement, se déplace sans cesse, a renoncé à ses pérégrinations pour rester dans des zones où les roseaux tendres étaient abondants. Les éléphants ne voulaient ni abandonner leur congénère mutilé ni l'entraîner dans des lieux où il ne pourrait plus se nourrir.

CHRISTOPHE : Dans l'évolution des espèces, il doit donc y avoir un moment où la capacité à la compassion apparaît, quelque part entre le guépard et l'éléphant ! Les primates disposent de ces aptitudes. Il existe plusieurs travaux sur ce sujet, notamment d'une étude sur un groupe de babouins d'une île près du Japon : les chercheurs avaient observé qu'une petite femelle était née sans jambes. Dans une espèce non compassionnelle, elle aurait été condamnée car elle n'apportait rien au groupe. Or, là, même si elle avait un rang très bas dans la hiérarchie, les autres singes lui laissaient de la nourriture, tenaient compte de sa lenteur à se déplacer et manifestaient une attention spécifique et durable, puisqu'elle a survécu beaucoup plus longtemps qu'elle n'aurait pu le faire toute seule.

Pour ma part, je suis venu à la compassion par le bonheur : en tant que médecin, j'ai toujours eu pour objectif d'aider mes patients à se sentir plus heureux, ce qui m'aidait, au passage, à me sentir plus heureux moi-même. Ma

> La compassion est un très bon outil
> pour faire mûrir nos capacités au
> bonheur et nous conduire à ce que
> j'appelle un « bonheur lucide », ou « mature ».

réflexion sur la compassion a été longtemps obscurcie par le fait que, dans un premier temps, elle semble perturbatrice pour le bonheur puisqu'elle est l'accueil en nous d'une souffrance, celle de l'autre. Mais si l'on réfléchit bien, accueillir la souffrance de l'autre nous éloigne des bonheurs égoïstes et des bonheurs aveugles, qui sont, sur le long terme, de la fausse monnaie. La compassion est un très bon outil pour faire mûrir nos capacités au bonheur et nous conduire à ce que j'appelle un « bonheur lucide », ou « mature », c'est-à-dire un bonheur qui ne nous isole pas dans une bulle de chance, mais nous garde en lien avec ce flot permanent de souffrance qui traverse les vies humaines.

La nature est bien faite, car le bonheur nous donne l'énergie nécessaire pour venir en aide à autrui, pour agir, pour changer le monde. C'est assez logique au regard des travaux sur les liens entre bonheur et attention : le bonheur élargit notre vision du monde, alors que la souffrance rétrécit notre focale attentionnelle. Or, en ouvrant cette focale, nous voyons ce qui se passe autour de nous, notamment le malheur, et nous allons à la rencontre de la souffrance. Autrement dit, si nous sommes heureux, nous n'avons pas besoin de nous éloigner pour ne pas souffrir nous-mêmes, et nous avons plus de chances d'arriver à soulager autrui.

L'une de mes trois filles possède de hautes capacités de compassion qui la font souffrir, d'une certaine façon : quand elle voit un clochard dans le métro, une vieille dame seule, quelqu'un qui tombe, elle est au bord des larmes : « Ça me fait trop de peine ! » Il y a quelques années, au cours d'un voyage au Japon, nous avons visité un temple zen, où une vieille dame nous a servi du thé vert matcha, avec tout le cérémonial. Nous étions tous les cinq avec notre bol de thé vert, mais mes trois filles détestent le thé vert… Les deux grandes goûtent puis, sans vouloir faire de peine, repoussent leur bol. La dame s'était éclipsée cinq minutes pour aller nous chercher des biscuits, et ma troisième fille se tourne vers moi et dit : « Papa, je t'en supplie, bois mon bol ! Je ne veux pas faire de peine à la dame ! » Elle était dans ce souci de ne pas provoquer la plus petite affliction à la personne qui nous avait si gentiment servi le thé. J'ai donc bu tous les bols, avec plaisir car j'adore le thé matcha !

J'ai un autre souvenir de compassion très douloureux qui montre comment il est parfois un automatisme qui émerge en nous : c'est l'un des moments les plus difficiles de ma vie, quand mon meilleur ami s'est tué dans un accident de moto. Nous étions tous deux en vacances au Portugal, l'un roulant devant et l'autre derrière, tantôt lui, tantôt moi. À la sortie d'un village, il était devant moi et a commencé à doubler un paysan qui traînait une charrette avec sa Mobylette. Tout d'un coup, le paysan a tourné à gauche sans prévenir, sans clignotant. Mon ami a heurté la carriole, fait un terrible roulé-boulé pour s'écraser dans les buissons. Le paysan est tombé lui aussi. J'ai arrêté ma moto, j'ai couru vers mon copain : avec mon casque sur la tête, mes bottes de moto, je devais avoir l'air inquiétant et quand le paysan, qui était sur mon passage, m'a vu arriver, je pense qu'il a eu très peur que je le frappe – alors que je n'étais même pas en colère, juste choqué. Il m'a tendu sa main pour me montrer que lui aussi était blessé. Et, comme un idiot, je me suis arrêté pour regarder sa main, je lui ai fait un sourire pour le rassurer, puis j'ai repris ma course pour aller aider mon ami. J'ai perdu dix secondes à regarder une plaie minime alors que mon copain était en train de mourir : il avait une hémorragie interne, probablement une rupture de la crosse de l'aorte, et il est mort très vite, j'ai eu à peine le temps de lui parler et de l'embrasser. J'étais très culpabilisé. Ce qui me frappe en y réfléchissant, c'est cette espèce d'automatisme : j'ai regardé la plaie de l'homme qui avait tué mon ami, au lieu de le bousculer pour forcer le passage. J'étais en pilotage automatique, ce n'est pas une vertu qui s'exprimait alors, mais une habitude : on me montre une plaie, je la regarde. Pourquoi n'ai-je pas pu hiérarchiser ?

C'est d'ailleurs une question que je voulais poser à Matthieu : Chögyam Trungpa parle parfois de «compassion idiote». Il me paraît terrible d'associer ces deux mots, et j'ai l'impression qu'aucune compassion n'est idiote. Celle dont j'ai fait preuve pour ce paysan portugais était inadaptée, peut-être, mais je trouve qu'on souille le mot de compassion avec cette expression de «compassion idiote».

Pourtant, il est fréquemment retrouvé sur des blogs, des sites bouddhistes et dans certains enseignements.

MATTHIEU : L'exemple que tu évoques est très émouvant. Daniel Batson et d'autres psychologues parlent d'altruisme inadapté aux vrais besoins de l'autre, voire d'altruisme pathologique. Il a un jour donné l'exemple suivant : « Imagine que tu es en Inde, que tu rencontres un groupe d'enfants et passes une partie de la journée avec eux. Parmi eux, il y en a un qui a une bonne tête, qui te sourit tout le temps et ne te quitte pas d'une semelle. Le soir, avant de partir, tu lui fais un beau cadeau, et tu donnes juste un petit quelque chose aux autres enfants. » Batson considère que, dans ce cas, l'altruisme est inapproprié parce qu'il ne prend pas en compte les besoins réels des enfants. Il est en effet fort possible qu'un autre enfant ait beaucoup plus besoin de ton aide que celui à qui tu as fait un cadeau parce que tu l'as trouvé sympa.

À mon humble avis, dans ce type de comportement, ce n'est pas l'altruisme qui est en cause, ce sont les facteurs qui sont venus se greffer sur lui en le dénaturant : la partialité, le manque de considération pour l'ensemble des enfants présents et une vision à court terme.

Quant à ce qu'on appelle parfois « l'altruisme pathologique », en se référant à des gens qui sacrifient plus que ce qu'ils peuvent donner émotionnellement et matériellement au risque de compromettre leur santé physique et mentale, là encore ce n'est pas l'altruisme qui est pathologique. Il s'agit plutôt ici d'une détresse empathique qui découle du

> # L'altruisme, ou l'amour altruiste, est essentiellement l'intention de faire le bien des autres.

fait que l'on présume de ses capacités à aider les autres, et l'on finit par être submergé par les effets que les souffrances d'autrui produisent sur nos propres sentiments.

Altruisme, empathie, compassion

MATTHIEU : On a parfois tendance à mettre dans le même sac l'altruisme, la compassion et l'empathie. Mais derrière ces mots, il y a des états mentaux différents, qui ont des répercussions différentes sur nos comportements et, par conséquent, sur autrui.

L'altruisme, ou l'amour altruiste, est essentiellement l'intention de faire le bien des autres. Si je souhaite accomplir un acte généreux en calculant que j'en retirerai des avantages supérieurs au coût de mon acte, ce n'est pas de l'altruisme, c'est un comportement intéressé.

La compassion est la forme que prend l'altruisme quand il est confronté à la souffrance d'autrui. Le bouddhisme la définit de façon particulière comme «le souhait que tous les êtres soient libérés de la souffrance et de ses causes».

L'empathie comporte deux aspects, l'un affectif, l'autre cognitif. L'empathie affective est la capacité d'entrer en résonance émotionnelle avec les sentiments de quelqu'un d'autre, de prendre ainsi conscience de sa situation. Si l'autre est joyeux, je ressens moi-même une certaine joie. S'il souffre, je souffre de sa souffrance. L'empathie affective nous alerte donc sur la nature et l'intensité des sentiments d'autrui, la souffrance surtout. L'empathie cognitive consiste à se mettre à la place de l'autre – qu'est-ce que je ressentirais si je souffrais de famine ou si j'étais torturé en prison ? – ou à imaginer ce qu'il ressent, sans pour autant ressentir la même chose. Je peux, par exemple, être assis dans l'avion à côté de quelqu'un qui est terrifié par les vols en avion et l'aider en imaginant sa détresse, sans pour autant éprouver la même peur. Sans empathie, il est donc difficile de connaître la situation de l'autre et d'être concerné par son sort.

Il est essentiel, pour soi-même, de savoir distinguer ces différents états d'esprit. Si, par exemple, je n'éprouve que de l'empathie, sans que cette empathie débouche sur l'altruisme et la compassion, je risque de tomber dans la détresse empathique et le « burn-out ». Pour ne pas mener à l'épuisement émotionnel et au découragement, l'empathie doit ouvrir sur la vaste sphère de l'altruisme. L'amour altruiste agit alors comme un baume et débouche sur le désir d'aider ceux qui souffrent.

L'altruisme et la compassion sont limités s'ils se cantonnent à leur seule composante émotionnelle. Ils ont pourtant une dimension cognitive essentielle, dont on parle moins souvent. C'est cette dimension qui permet, d'une part, de percevoir les besoins des autres, y compris ceux que nous considérons comme des étrangers ou des ennemis et, d'autre part, d'étendre notre compréhension de leur souffrance. Pour le bouddhisme, la cause fondamentale de la souffrance est l'ignorance, la confusion mentale qui nous fait percevoir la réalité de façon déformée et engendre une multitude d'événements mentaux perturbateurs, allant du désir compulsif à la haine en passant par la jalousie, l'arrogance et toutes les autres émotions négatives. Si on ignore cet aspect cognitif de l'altruisme et de la compassion en ne s'intéressant qu'aux formes visibles de la souffrance, on ne pourra jamais remédier entièrement à cette souffrance.

Un jour, je me trouvais avec Rabjam Rinpotché, l'abbé de mon monastère, à Bodhgaya, en Inde. Cet endroit – le principal lieu de pèlerinage bouddhiste parce que le Bouddha y atteignit l'Éveil il y a deux mille cinq cents ans – attire beaucoup de lépreux, d'estropiés et de pauvres qui sollicitent la générosité des pèlerins. Pour certains, c'est une occupation à plein-temps. Ils mendient toute la journée et repartent le soir dans leurs familles. En les regardant, Rabjam Rinpotché me dit ce jour-là : « Quand on pense à la souffrance, on imagine des êtres comme ces miséreux, et quand on voit un milliardaire fumant un gros cigare dans une stretch limousine à New York, on ne se dit pas : "Le pauvre, qu'est-ce qu'il doit souffrir !" Pourtant, ce riche est peut-être dans une grande misère intérieure, peut-être même au bord du suicide. Même s'il est très content de lui et vole de succès en succès, ce n'est pas cela qui peut vraiment faire son bonheur. Il doit donc être l'objet de notre compassion au même titre que le mendiant de Bodhgaya. » Notre problème à tous, disait le maître bouddhiste Shantideva, c'est que nous aspirons au bonheur tout en lui tournant le dos, nous redoutons la souffrance tout en nous précipitant vers elle. C'est ainsi que le bouddhisme définit l'ignorance, la source même de la souffrance.

ALEXANDRE : Comprendre que tout le monde souffre invite aussi à la compassion. Cela n'a pas échappé au Bouddha, qui pose ce diagnostic redoutable et libérateur : tout est *dukkha*, tout est souffrance. Même la joie, qui peut toujours cesser, a quelque chose de douloureux pour celui qui s'y accroche. Au lieu de critiquer, de mépriser l'autre, il *suffit* de constater, pour arrêter de lui en vouloir, qu'il rame dans l'océan infini de la souffrance. Ainsi, le politicien, le tyran et le tortionnaire qui semblent ne penser qu'à eux n'échappent pas à cette terrible condition. Tôt ou tard, ils vont souffrir. Et d'ailleurs, pouvons-nous réellement imaginer un oppresseur heureux ? De même, je ne trouve pas de meilleur antidote à la jalousie que de considérer la fragilité de notre quotidien.

La convoitise procède d'une erreur de perspective, une illusion d'optique : elle braque le projecteur sur une partie de la réalité et oublie le reste. Jamais je ne souhaite la vie de l'autre dans son intégralité. Il y a toujours un truc qui grince. Toute vie comporte son lot de souffrances, de mal-être. Très concrètement, dès que je jalouse un écrivain qui s'installe tout en haut de la liste des best-sellers, je me rappelle illico que lui aussi va mourir, qu'il souffre peut-être déjà. Pourquoi ne pas me réjouir de son succès ? Bref, très progressivement, je peux m'extraire de la prison du mental pour cultiver la bienveillance. Un jour, un ami m'a confié : « Finalement, je ne suis qu'un animateur de Club Med pour mon ego. Du matin au soir, je m'éreinte pour le divertir, lui donner à bouffer, le régaler. Je suis le clown et l'esclave d'un maître jamais content. »

La tradition bouddhique, comme le message des Évangiles, dégage une voie de sortie. Oui, nous pouvons nous affranchir de cet esclavage précisément en nous rendant disponibles aux prochains et tout particulièrement aux plus démunis. En cela, la notion de *bodhisattva* est chère à mon cœur. Pourquoi ne pas nous engager, avec les moyens et les forces du jour, à devenir des authentiques bodhisattvas, ces héros de l'Éveil qui consacrent leur vie à soulager tous les êtres qui se dépêtrent dans la souffrance, embourbés dans le samsara ?

Humblement, dans les hauts et les bas de l'existence, je peux déjà éviter d'imposer mon ego et mes blessures à ceux qui m'entourent. Les maîtres et les pères spirituels me donnent un exemple, car en leur cœur je décèle une infinie patience à l'égard des erreurs et de la faiblesse humaines. J'y trouve aussi une exigence absolue, une invitation à nous mettre toujours en route, à progresser. Un *bon parent*, oserai-je dire, sait concilier la fermeté avec une immense et implacable douceur.

Pourquoi ne pas commencer par cet exercice inspiré de la tradition de saint Ignace de Loyola, à savoir repérer tous les manques d'amour et de compassion sans culpabiliser ? Un peu comme un artiste qui contemplerait son œuvre après une journée de travail. Cultiver, réveiller la générosité, c'est aussi et avant tout oser la non-fixation : ne plus

Cultiver, réveiller la générosité, c'est aussi et avant tout oser la non-fixation.

installer l'autre dans ce qu'il a été, ne plus le figer dans ses actes, ni le réduire à ses erreurs, mais l'aimer pour ce qu'il est. Maître Eckhart nous y aide : «Dieu est le Dieu du présent. Tel il te trouve, tel il te prend et t'accueille, non pas ce que tu as été, mais ce que tu es maintenant.»

Étendre nos capacités de compassion

ALEXANDRE : À l'exemple des bodhisattvas, nous pouvons étendre notre compassion à tous les êtres vivants. Sur ce chemin, il est tentant de s'arrêter en route et de privilégier uniquement celles et ceux qui traversent une grande crise. Rien de tel qu'un accident de voiture, qu'une maladie aiguë pour réveiller notre empathie... Alors que soutenir un proche sur la durée avec une extrême bienveillance est une autre paire de manches.

Que faire pour éviter cette usure du cœur ? Chaque matin, je peux renouveler mon attention à l'autre et tout particulièrement à celles et à ceux qui passent inaperçus. Récemment, un médecin m'a confié qu'il fuyait comme la peste les malades incurables, ceux qui lui révélaient son impuissance. Il a ajouté : «Les patients que je ne peux pas soigner me fatiguent, j'essaie de m'en débarrasser au plus vite.» Voilà qui est clair, limpide, et montre que l'impuissance fait peur. Développer une compassion infinie, un amour absolu, c'est ne plus banaliser la peine de l'autre, ni s'habituer à ses souffrances. Comment abandonner l'idée selon laquelle la compassion est un gâteau à partager? Il ne s'agit pas de distribuer quelques miettes ici et là. Au contraire, c'est une ressource illimitée. Il n'y a jamais de rupture de stock.

Une souffrance, quelle qu'elle soit, est une souffrance de trop qui peut tuer, ratiboiser nos dernières ressources. Si elle n'embrasse pas toute l'humanité, la compassion s'éteint. Et que dire de l'audimat d'un mort à la télévision? Là encore sévit une injustice flagrante. Pour être honnête, je me sens nettement moins concerné par une catastrophe qui se produit à l'autre bout du monde, alors que le moindre incident près de chez moi me bouleverse. Mais un mort, c'est toujours un mort de trop, et toute blessure doit me mobiliser. Décider de nous engager un peu plus pour les autres, c'est déjà élargir cet amour tout naturel que nous ressentons au contact de nos proches. Dès maintenant, je peux me tourner vers tous les êtres, en particulier ceux qui luttent depuis des lustres.

CHRISTOPHE : Chez la plupart d'entre nous, il y a en effet une grande différence dans l'activation de la compassion envers les morts africains et les morts européens. Je crois que c'est humain – et lié à des raisons de proximité géographique et culturelle, comme tu le disais –, mais ce n'est pas une bonne chose. La compassion nécessite un entraînement, et si nous ne la travaillons pas, nous aurons simplement le réflexe d'être compassionnel pour nos proches, peut-être pour nos concitoyens. Pour le reste, ce sera plus vague et plus labile. Mais plutôt que critiquer cette forme de compassion limitée et étriquée, mieux vaut travailler à l'enrichir et à l'agrandir. L'autre point que tu soulignais, Alex, c'est ce médecin qui te disait sa difficulté à rester compassionnel quand il se sentait impuissant. Mais il ne voit que la moitié de son métier, qui est le volet maîtrise, efficacité, soin. L'autre moitié, c'est la présence, et l'unique réponse consiste à accepter d'être totalement impuissant, tout en étant intensément présent. Ce que l'on perd dans la capacité à changer la condition et la souffrance d'autrui doit être transféré dans l'intensification de la présence.

MATTHIEU : Quand on parle de « compassion infinie », beaucoup de gens pensent que c'est une utopie. Jonathan Haidt, un psychologue et moraliste américain, me dit un jour : « L'altruisme et la compassion infinie dont parle le Dalaï-lama, c'est totalement irréaliste. Il est naturel de bien s'occuper de ses proches et de quelques autres personnes, mais au-delà, cela n'a pas de sens. » Ses paroles m'ont montré que quelqu'un d'intelligent qui écrit des choses extrêmement intéressantes ne pouvait s'empêcher d'avoir une vision étroite de l'altruisme et de la compassion, comme si c'étaient des choses rares qu'on distribuait avec parcimonie, comme une poignée de cerises. Or, ce sont des manières d'être qui se caractérisent par le désir de faire le bien de tous ceux qui entrent dans le champ de notre attention. En aimant tous les êtres, on n'aime pas moins nos proches, on les aime en fait plus et mieux, car

Notre altruisme ne s'épuise pas avec le nombre de ceux qui le reçoivent.

notre amour croît en ampleur et en qualité. Plus on l'exprime, plus il grandit et s'approfondit. Albert Schweitzer disait : « L'amour double à chaque fois qu'on le donne. »

Notre altruisme ne s'épuise pas avec le nombre de ceux qui le reçoivent. Si dix personnes se chauffent au soleil, et si mille autres viennent se chauffer au même endroit, le soleil n'a pas besoin de briller cent fois plus. Cela ne veut pas dire que nous pouvons nourrir et soigner chaque être de cette planète, mais que notre intention, elle, peut s'étendre à tous.

CHRISTOPHE : Dans le registre anecdotique et non scientifique, j'ai fait l'expérience de ce que je pourrais appeler des « ivresses altruistes » quand j'étais jeune interne. J'avais compris que ma place n'était plus à l'hôpital, au milieu des psychanalystes, et je commençais à prendre du recul. J'y allais le matin, et l'après-midi je cherchais à me former ailleurs : c'est ainsi que j'ai rencontré mon maître, dont j'étais le remplaçant dans une clinique. J'adorais arriver le premier et partir le dernier. Évidemment, je cherchais l'approbation, la reconnaissance, l'estime, l'admiration, et j'en avais : les patients m'aimaient beaucoup, les infirmières aussi parce que j'étais disponible – quand il y avait un pépin, elles savaient qu'elles pouvaient m'appeler. Je faisais tout pour apprendre, tout pour être aimé, mais je pense qu'il y avait autre chose, proche du mal des hauteurs chez les alpinistes, cette espèce d'ivresse qui peut les prendre quand ils commencent à monter plus haut, qui les pousse à l'euphorie et au risque d'erreur par imprudence. Dans mon cas, c'était une ivresse altruiste. Je me souviens de ces soirs d'été où je partais à 23 heures, quand le jour se couchait : des patients me faisaient un signe d'au-revoir par la fenêtre, j'étais dans un état de bonheur total, avec sûrement une dimension narcissique, mais aussi avec ce sentiment d'être comblé, d'avoir fait le job, le job d'humain, de médecin, d'avoir donné tout ce que je pouvais en termes d'écoute, de soins, de douceur... Le problème, c'est que j'étais en surchauffe et que j'oubliais la nécessité d'un temps de réparation. Je m'épuisais.

Comme le dit Haidt à propos de la compassion infinie, je crois qu'il y a des limites physiques, des limites d'énergie et d'attention donnée : cela coûte cher en énergie, cela prend du temps (de sommeil, de loisir, de famille). Et si l'on ne prend pas soin de soi, on se met en danger et, à terme, on compromet ses capacités d'altruisme à venir.

L'altruisme véritable

MATTHIEU : Quand nous faisons un acte bénéfique pour autrui dans un but intéressé, ce n'est pas vraiment de l'altruisme, puisque nous visons à promouvoir nos propres intérêts. On peut couvrir d'attentions une personne âgée dans l'espoir d'hériter de sa fortune, accorder une faveur à quelqu'un pour qu'il fasse des compliments de nous, ou être généreux pour avoir une réputation de philanthrope. On peut aussi aider quelqu'un pour soulager notre mauvaise conscience, pour avoir une bonne opinion de soi ou pour éviter les critiques.

L'altruisme réciproque est au cœur de la vie communautaire. À long terme, la réciprocité forme la texture d'une communauté harmonieuse et équilibrée dans laquelle chacun est disposé à aider les autres et manifeste de la gratitude quand ce sont les autres qui l'aident. Dans une communauté où les gens se connaissent bien, chacun tient pour acquis que les autres se comporteront avec bienveillance avec lui quand le besoin s'en fera sentir. L'altruisme réciproque permet de trouver un juste équilibre entre les intérêts de chacun et ceux de la communauté. Si un membre ne joue pas le jeu et utilise la bienveillance d'autrui sans rendre la pareille, il sera mis à l'écart. En Asie, au Népal et au Bhoutan, où je passe la plus grande partie de l'année, les villageois se rendent ce genre de services pour les travaux des champs et la construction des maisons. Chacun attend en contrepartie un service équivalent à celui qu'il a rendu. Chacun donne à la société et reçoit de l'ensemble des autres. Cette réciprocité joue un rôle important dans la préservation du lien social.

L'altruisme est désintéressé quand on aide les autres dans le seul et unique but de faire leur bien, sans faire de différence entre les uns et les autres.

ALEXANDRE : L'Évangile selon saint Matthieu nous dit : « Quand tu fais l'aumône, que ta main gauche ignore ce que fait ta main droite, [afin que ton aumône soit secrète].» Voilà qui a le mérite d'être clair et qui congédie le danger de se regarder le nombril et de pratiquer la générosité comme on fait le beau !

MATTHIEU : Quand les «Justes» qui ont sauvé de nombreux Juifs des persécutions nazies, souvent au risque de leur vie, ont été honorés des années plus tard pour leur héroïsme, la plupart d'entre eux ont considéré ces honneurs comme inattendus, embarrassants, voire indésirables. La perspective d'être admirés pour leurs actes n'était jamais entrée en ligne de compte dans leurs décisions.

L'altruisme véritable est l'explication la plus simple et la plus vraisemblable d'actes bienfaisants qui se produisent constamment dans notre vie quotidienne. On pourrait l'appeler la «banalité du bien». Le psychologue américain Daniel Batson, pour en avoir le cœur net, a passé trente ans de sa vie à imaginer des tests expérimentaux permettant de déterminer sans ambiguïté les motivations altruistes ou égoïstes des sujets dont il observait les réactions. À l'issue de ce travail patient et systématique, il a conclu que l'altruisme véritable, qui a donc pour seule motivation la réalisation du bien d'autrui, existe bel et bien, et que dans l'état actuel des connaissances scientifiques, il n'y a aucune explication plausible des résultats de ses études qui serait fondée sur l'égoïsme.

ALEXANDRE : Spinoza apporte un magnifique éclairage lorsqu'il distingue la pitié de la compassion. Dans cette dernière, c'est l'amour qui est premier : j'aime une personne

Pourquoi percevoir l'ascèse comme une corvée, un effort, quand au contraire elle procède d'un itinéraire joyeux ?

et la voir empêtrée dans l'épreuve me chagrine. Tandis que dans la pitié, ce qui prime, c'est la tristesse, voire un sentiment narcissique de culpabilité. À la télévision, des enfants meurent de faim et ce pitoyable spectacle me fait mal au cœur en venant me rappeler que je peux moi aussi souffrir. Mais si je regarde bien, je suis très peu concerné par ces inconnus qui crient famine, d'où l'urgence de réveiller notre sensibilité et de lutter, par amour, contre toute injustice. Pitié et compassion peuvent habiter dans un même cœur ; discerner, méditer permettent de séparer le bon grain de l'ivraie.

Pourquoi percevoir l'ascèse comme une corvée, un effort, quand au contraire elle procède d'un itinéraire joyeux ? Observer tout ce que je projette sur l'autre, traquer le moindre esprit de calcul, éliminer cette fâcheuse tendance au donnant-donnant est une voie libératrice. Maître Eckhart me rappelle que, bien souvent, dire « je t'aime » à quelqu'un n'est qu'une forme déguisée pour lui signaler que j'ai besoin de lui. Rencontrer l'autre, prendre réellement soin de lui, le soutenir gratuitement, sans pourquoi et simplement, c'est nous approcher de l'amour inconditionnel.

Je me souviens du jour où, à l'âge de 3 ans, j'ai débarqué à l'institut pour personnes handicapées. La douceur de mes nouveaux camarades contrastait avec l'angoisse abyssale de

voir mes parents s'en aller. Tandis que je me sentais abandonné dans ce nouvel univers, j'ai compris dans ma chair
que la compassion, la solidarité et l'entraide étaient naturelles, comme une réponse de la vie, un baume loin de tout
calcul, n'en déplaise aux philosophes aigris qui prétendent
que rien en ce bas monde n'est gratuit. Bref, désencombrer,
agrandir notre cœur, c'est aussi voir que la peur du manque,
le besoin de plaire rétrécissent notre capacité innée à aimer
librement.

CHRISTOPHE : Pour ma part, je suis mal à l'aise quand
on veut établir une hiérarchie entre compassion et pitié.
On a toujours tendance à dire : « La pitié, ce n'est pas bien ;
la compassion c'est bien. » Mais chaque fois que quelqu'un
ressent de la pitié, de l'attendrissement, c'est-à-dire chaque
fois qu'il est sensible, quelle que soit sa motivation, à la
souffrance d'autrui, il me semble que c'est préférable à
l'indifférence : autrement dit, la compassion imparfaite
est préférable à zéro compassion !

MATTHIEU : Tu as tout à fait raison, mais on peut sans
doute distinguer différentes sortes de pitié. La pitié est
parfois de l'altruisme en germe et se traduit par du bien fait
à autrui. Mais elle peut aussi être une forme de condescendance, ou traduire un sentiment d'impuissance, du genre :
« Quelle pitié ! c'est bien triste, je ne peux malheureusement
rien y faire. »

L'altruisme sans étiquettes

ALEXANDRE : Pour nous lancer sur le chemin du bodhi-sattva ou tout simplement mettre la générosité au cœur de notre vie, les grandes traditions nous prêtent des exercices des plus féconds. Comme chrétien, je ne pourrais pas vivre sans le Bouddha. Jour après jour, il m'apprend la voie de la non-fixation, une sagesse et une science de l'esprit directe-ment applicables sur le terrain de la vie quotidienne. Si le Bouddha m'apaise, le Christ me console et m'empêche de sombrer dans une espèce de compassion désincarnée qui tournerait à vide. Car il s'agit d'aimer des êtres en chair et en os, et non de lointaines abstractions. L'amour incondi-tionnel s'exerce aux côtés de mes proches, dans le métro, au supermarché, toujours et partout. Tous les matins, dès que je me lève, je peux dédier ma pratique, mes efforts à toutes les personnes que je vais rencontrer ce jour-là. Aimer sans dépendance, quitter tout risque d'idolâtrie est le prérequis de toute grande voie spirituelle. Et je m'étonne chaque fois que l'on attribue à un maître des pouvoirs quasi divins, qu'on en fasse un dieu. À mon sens, il n'y a rien de plus contraire au bouddhisme que cette déification qui nous aveugle.

Sur ma route, je me ressource sans cesse en relisant le *Soûtra du diamant* : l'objectif du bodhisattva est de libérer tous les êtres en montrant très précisément qu'il n'y a pas d'être à libérer car, le moi, l'individu, n'est qu'une illusion. Sans entrer dans des débats métaphysiques, je peux déjà expérimenter que nos petits moi sociaux, ces sortes de paquets d'illusions, de réactions, d'habitudes et de préjugés, ce ne sont pas eux qui tissent d'authentiques rencontres. Tout se joue à un niveau bien plus intérieur. Aider mes enfants suppose que je m'intéresse davantage à leurs aspirations profondes qu'à leurs caprices tout éphémères. La notion de personne, dont le christianisme fait l'éloge, est très chère à mon cœur. Elle vient me rappeler que chaque être humain est unique, singulier et qu'un lien au-delà de tout jeu social est possible. Et j'aime tant les saint François d'Assise, les abbé Pierre, ces génies de la charité, qui s'engagent corps et âme pour prendre soin des *personnes*! Il est facile de sombrer dans une sorte de compassion en vrac, d'aimer tout le monde sans véritablement mettre la main à la pâte et s'engager dans le concret.

À Séoul, j'ai rencontré un moine bouddhiste. Ses propos m'ont passablement ébranlé. Quand je lui ai fait part de mon désir de trouver des amis, il m'a répondu : «Les hommes sont comme des cactus; si on s'en approche, on se pique.» J'ai beaucoup admiré cet homme qui consacrait ses journées à récolter de la nourriture, des vivres et des médicaments pour les acheminer en Inde, auprès des plus défavorisés. Je me suis alors aperçu que la générosité n'avait pas d'étiquette et qu'elle impliquait une immense liberté et beaucoup de détachement. Peu importe qu'un bouddhiste, qu'un chrétien, qu'un musulman, qu'un juif ou qu'un athée la pratique. Ce qui compte, c'est de nous engager authentiquement, d'aider réellement des personnes, de mouiller notre chemise pour extraire des hommes et des femmes de la misère.

Comment oser la bienveillance quand, du matin au soir, j'ai la tête prise dans un étau ? Aider, c'est repérer l'origine de nos tourments.

Les querelles de chapelle me chagrinent énormément et je suis triste de voir cette mode qui déconsidère le Christ en l'enfermant dans de viles caricatures. Que de préjugés ont fini par transformer la charité évangélique en une morale mièvre, douceâtre ou carrément abjecte ! J'y trouve, pour ma part, une invitation à ne jamais prendre le pouvoir sur personne, à tout faire pour me déprendre de moi et à aimer les autres ici et maintenant. Nous lancer sur la voie inaugurée par Jésus réclame une sacrée audace, une liberté folle. Quelle aberration que de faire de la charité une espèce de condescendance, un shoot de bonne conscience !

Si le *Soûtra du diamant* me touche autant, c'est qu'il montre que l'altruisme réclame de s'attaquer directement aux causes de la souffrance. Il ne suffit pas d'appliquer un baume sur les blessures, d'apaiser momentanément la peine et de se livrer à mi-temps à la générosité. Au contraire, nous sommes tous appelés à œuvrer sur le long terme, à faire le maximum pour que le mal-être se dissipe. Et charité bien ordonnée commence par soi-même. Comment oser la bienveillance quand, du matin au soir, j'ai la tête prise dans un étau ? Aider, c'est repérer l'origine de nos tourments : les illusions, les préjugés, l'avidité, l'attachement… Ce qui n'empêche pas dans le même temps d'améliorer les conditions matérielles, de soulager la douleur physique.

Les Évangiles, en invitant à se convertir et à vivre l'amour, donnent un élan inouï pour s'engager à panser les plaies de ceux qui souffrent. Et les maîtres spirituels des différentes traditions nous rappellent que, si nous demeurons toujours déconnectés de l'intériorité, exilés du fond du fond, nous nous vouons inévitablement à l'insatisfaction.

À Katmandou, dans ton monastère, Matthieu, je me suis rapproché de l'expérience de la présence de Dieu. J'avais les larmes aux yeux et le cœur empli de reconnaissance quand un moine a remarqué que, par terre, dans ma chambre, traînait la croix que j'emporte presque toujours avec moi. Avec un infini respect, il a pris le crucifix pour le poser sur ma table de nuit et il m'a dit avec un sourire plein de douceur : «Prends grand soin de ça et prie davantage.» J'ai rarement vu une liberté aussi lumineuse. On est loin des querelles de dogme, du prosélytisme, des prisons. Et quel plus beau cadeau que d'inviter l'autre à devenir ce qu'il est vraiment en profondeur! Grâce à toi, j'ai aussi pu rencontrer un autre moine, qui, avec une bienveillance infinie, a organisé une cérémonie de guérison. Sa douceur, la bonté de son regard, sa grande sagesse m'ont conduit tout droit au fond du fond. Nulle part ailleurs, j'ai senti aussi vivement la nécessité de lire Maître Eckhart afin de purifier mon cœur. J'ai compris qu'il fallait me déprendre de l'ego pour me jeter en Dieu. Quelle preuve plus éclatante des bienfaits du partage, de la tolérance et de l'enrichissement mutuel! Au fond, deux moines bouddhistes du Népal m'ont rapproché de la foi dans le Christ. Nous pouvons couvrir quelqu'un de cadeaux, mais rien n'est plus précieux que de l'accompagner vers la liberté et la joie. Si dans l'acte altruiste l'ego disparaît, ce n'est pas le moi d'un bouddhiste, d'un catholique ou de l'épicier du coin qui pratique la générosité, mais le cœur à l'état nu.

Comment dès lors nous prémunir d'une récupération narcissique qui nous pousse à multiplier les bonnes actions pour nous revaloriser de plus belle ? Le risque, c'est de nous adonner à la générosité pour mériter le ciel ou purifier son karma. De là à instrumentaliser l'autre, à en faire un marchepied, quitte à lui écraser la figure au passage, il n'y a qu'un pas et il est très vite franchi. Jésus nous rappelle d'aimer sans calcul ceux qui demeurent à la périphérie de notre cœur : les prostituées, les publicains, ou tout simplement celles et ceux qui ne me reviennent pas. Je suis frappé dans les Évangiles de voir que le Christ ne fait pas de discours pour justifier la souffrance. Concrètement il aide, il guérit. En la matière, le blabla et l'inaction seraient criminels.

MATTHIEU : J'ai été étonné quand j'ai lu une interview de Mère Teresa – laquelle a été l'une de mes principales sources d'inspiration lorsque nous avons commencé nos projets humanitaires. Elle disait qu'elle avait consacré sa vie à soulager les souffrances d'autrui, mais qu'elle n'aspirait pas à l'élimination de la souffrance *en elle-même*, puisque Dieu avait permis son existence. Comment pouvait-elle, en effet, se révolter contre la volonté de son Dieu tant aimé ? C'est tout à fait logique de son point de vue et compatible avec un dévouement inébranlable envers chaque être qui souffre. La position du bouddhisme est un peu différente, car la souffrance n'y est pas considérée comme acceptable *en elle-même*. Il faut non seulement y remédier par tous les moyens possibles, mais aussi, idéalement, chercher les moyens de l'éliminer.

À chaque seconde, des êtres sont assassinés, torturés, battus, mutilés, séparés de leurs proches. Des mères perdent leurs enfants, des enfants perdent leurs parents, des malades se succèdent sans fin dans les hôpitaux. Certains souffrent sans espoir d'être soignés, d'autres sont soignés sans espoir d'être guéris. Les mourants endurent leur agonie et les survivants leur deuil. Tout cela n'est-il pas indésirable ? Il faut donc prendre en considération le souhait de chaque être d'échapper à la souffrance, et traquer la souffrance à sa racine même.

Si la souffrance n'est absolument pas souhaitable, cela ne nous empêche pas de l'utiliser, quand elle est là, pour progresser humainement et spirituellement, pour nous entraîner à ne pas être dévastés par les événements douloureux, et pour faire croître notre amour altruiste et notre compassion. Supporter la maladie, le handicap, l'inimitié, la trahison, la critique ou les échecs en tout genre ne veut pas dire que ces événements ne nous affectent pas, ou que nous les avons éliminés à jamais, mais qu'ils n'entravent pas notre progression vers la liberté intérieure.

ALEXANDRE : Comment sortir vivant de l'épineux problème de l'existence du mal ? Comment ne pas l'esquiver sans prendre refuge dans de dangereuses certitudes ? Sur ce terrain, miné, il faudrait carrément se taire. Et surtout ne pas banaliser la souffrance avec des explications boiteuses, des justifications terribles. Je crois en un Dieu bon, et tous les jours, je vois dans ce monde des injustices sans nombre, une cruauté intolérable. Le lot de souffrances que l'on se ramasse chaque jour à la figure, les inégalités toujours plus criantes qui agitent le monde me forcent à décaper tout ce que je projette sur Dieu et à ne pas me servir de la religion comme d'une béquille, d'un calmant. En matière de charité, Mère Teresa a atteint des sommets bien qu'il ne faille idéaliser personne, ni cette sainte femme, ni le Dalaï-lama, ni qui que ce soit… Très concrètement, il s'agit de laisser un peu de côté les étiquettes dont nous affublons Dieu et de cesser déjà de parler à sa place. Peut-être qu'au fond nous n'en savons pas grand-chose. Alors pourquoi voir partout le règne du donnant-donnant, du châtiment et de la récompense ? Dieu n'est pas une vache à lait, pour reprendre les mots de Maître Eckhart. N'en faisons pas une caricature, humaine, trop humaine. L'ascèse, la conversion réclament de tout quitter, y compris nos schémas mentaux.

En tout cas, suivre Jésus, c'est d'abord et avant tout s'abandonner à la providence et aimer son prochain, le soutenir à fond. Le Christ en a donné un lumineux exemple, lui qui guérissait, soulageait, libérait ceux qui ployaient sous les fardeaux. Jamais, il n'a délivré des leçons de théodicée, jamais il n'a incité à baisser les bras ni à accepter la misère clés en main.

Philosophiquement, il faut bien distinguer, comme Leibniz, le mal métaphysique, c'est-à-dire l'imperfection du monde, et le mal physique, à savoir la souffrance. La maladie, la vieillesse, les tremblements de terre, la mort sont des tragédies qui rendent la condition humaine si fragile. Dès sa naissance, un être humain se heurte de plein fouet à l'impermanence et aux dangers. Et cela ne s'arrête pas là, il y a aussi, comme le souligne le philosophe allemand, le mal moral, la méchanceté, l'égoïsme, les injustices, la pauvreté, l'exclusion et les mille et un tourments qui peuvent ravager une âme. Si nous avons très peu de prise sur les épreuves inévitables liées à notre condition, nous avons le pouvoir de limiter les dégâts engendrés par notre égoïsme. Épictète, dans son *Manuel*, invite à bien distinguer ce qui dépend de nous de ce qui n'en dépend pas. Si je dilapide mes forces dans de vaines batailles, comment pourrai-je me consacrer corps et âme aux combats qui apaisent véritablement, qui font réellement reculer la misère, le mal-être ?

La question « Pourquoi, si Dieu est bon, le mal existe-t-il ? » n'a pas fini de révéler le tragique de l'existence, son extrême précarité et les limites de mon entendement. Si je commence à me demander si Dieu a permis, voulu, ou même souhaité que je sois handicapé, à coup sûr je me pourris la vie sans progresser d'un pouce. Ultimement, c'est notre vision de Dieu que nous sommes invités à revisiter : est-il un potentat, un juge plein de vindicte, un distributeur automatique, un redresseur de torts, un spectateur impassible qui nous regarderait nous empêtrer dans la fange ? Il est tant de caricatures qu'il faut écarter pour quitter une à une les illusions et descendre au fond du fond. Et les préjugés ont la vie dure. La notion de karma interprétée hâtivement peut aussi donner lieu à un fatalisme malsain, à une représentation du monde où les miséreux n'ont d'autre choix que d'errer dans un univers sans pitié ni pardon et où les prérogatives voire les abus des puissants sont légitimés. Décidément, rien ne saurait épuiser le mystère qui nous dépasse. Bref, l'écrasante énigme de l'existence du mal met au jour l'impuissance de ma raison. Et en aucun cas je ressens le besoin de pointer l'index pour accuser un créateur, ni de le justifier, d'ailleurs. Il y aura toujours un gouffre épistémologique entre Dieu et l'homme. Ce qui n'empêche pas que tous deux sont, à chaque instant, unis en profondeur. Devant la peine, discourir relève de la maltraitance quand il convient sans délai d'agir, de soulager la douleur, de lutter contre les injustices et de s'attaquer à l'égoïsme, à la mondialisation de l'indifférence, comme dit le pape François.

Sur la route, l'admirable livre de Marion Müller-Colard, *L'Autre Dieu. La plainte, la menace et la grâce*, m'a beaucoup aidé à déloger Dieu de son rôle de super-protecteur. Peu à peu, j'apprends à l'aimer pour rien, comme dirait le livre de Job, à ne plus en faire une assurance vie, une entité qui interviendrait dans les méandres de l'existence pour éliminer le tragique de notre vie. Le Très-Haut n'a pas pour vocation de me bichonner et de s'occuper de moi à plein-temps, ou en tout cas pas dans le sens où mes peurs m'entraînent trop souvent. Finalement, aller vers l'Autre Dieu, c'est sortir d'une mentalité d'expert-comptable, fuir la pensée magique pour oser aimer et vivre sans pourquoi. Non, je n'ai pas signé un contrat d'assurance avec le Très-Haut, c'est une relation purement gratuite, il ne me doit rien et la souffrance, l'injustice demeurent une interrogation qui n'entache pas ma confiance sans pour autant anesthésier le vif désir de me *révolter*, de me *rebeller* contre l'injustice là où elle sévit. Le bonheur est une grâce, un cadeau, non un dû. Et, depuis que j'ai renoncé à chercher un coupable à tout ce qui m'arrive de mal, je me porte nettement mieux.

CHRISTOPHE : Deux citations me guident dans mon travail personnel sur l'altruisme. D'abord celle de Martin Luther King, qui dit : «La question la plus durable et la plus urgente de la vie est : qu'as-tu fait pour autrui aujourd'hui?» Nous devrions nous le demander chaque jour, chaque soir. Et nous devrions pouvoir y répondre. Puis il y a cette phrase extraordinaire de Christian Bobin, que j'ai déjà citée : «Quelle que soit la personne que tu rencontres, sache qu'elle a déjà plusieurs fois traversé l'enfer.» Autrement dit, nous devons nous rappeler que tous les humains souffrent, même le milliardaire dans sa stretch limousine. Nous avons un devoir de bienveillance *a priori*, même avec les gens qui semblent ne pas en avoir besoin, ou ne pas la mériter.

De façon générale, il me semble que la bienveillance devrait être notre attitude relationnelle «par défaut», comme disent les informaticiens. Ensuite, on ajuste ses intentions, ses attentes; on peut reculer, se rétracter ou donner plus, mais c'est la meilleure position de départ pour effectuer un véritable choix de véritable humain.

Comment être bienveillant envers des personnes difficiles

ALEXANDRE : Osons carrément nous poser la question qui tue : où trouver la force de nourrir de la compassion envers un parfait abruti ? Car, le plus difficile, c'est le quotidien avec ses déceptions, la fatigue, les malentendus… Peut-être faut-il d'abord nous rappeler le fameux refrain du *Soûtra du diamant* et nous dire que l'abruti n'est pas l'abruti, c'est pourquoi je l'appelle l'abruti. En toute occasion, nous abstenir de juger, car comment pouvons-nous connaître les blessures qui tourmentent son cœur ?

Avec mon fils, je me rends souvent aux bains publics. Un jour, nous sommes tombés sur un vrai dur à cuire, qui nous regardait de haut, avec un air bien méchant. Au début, j'ai essayé de lui sourire, de redoubler de générosité, mais il m'a stoppé net : « Pourquoi tu me regardes comme ça, crétin ? » Depuis, chaque fois que je l'entrevois, je m'efforce juste de me tenir à carreau, de rester qui je suis sans vouloir à tout prix lui lancer un sourire ou un mot bienveillant. C'est dans ces moments-là que la compassion procède d'un art délicat : être totalement juste, sans vouloir en faire des tonnes.

MATTHIEU : On me pose fréquemment cette question : « Je veux bien être bienveillant, mais comment faire quand je ne trouve en face de moi qu'ingratitude, mauvaise foi, animosité ou malveillance ? Comment ressentir de l'altruisme, de la compassion pour Saddam Hussein ou pour les barbares sans pitié de Daech ? » On conseille souvent, dans les enseignements bouddhistes, de ne pas s'approprier intérieurement le tort qu'on nous a fait. Quelqu'un avait insulté le Bouddha à maintes reprises. Ce dernier lui a finalement demandé : « Si quelqu'un te fait un cadeau et que tu le refuses, qui, en fin de compte, est le propriétaire du cadeau ? » Un peu décontenancé, l'homme répond que c'est la personne qui veut faire le cadeau. Et le Bouddha conclut ainsi : « Tes insultes, je ne les accepte pas, elles restent donc à toi. »

Face aux ingrats, aux rustres et aux méchants, il me semble qu'on a tout à gagner à maintenir une attitude bienveillante. En restant calme, courtois et ouvert à l'autre, dans le meilleur des cas je désamorce son animosité. Et s'il ne change pas d'attitude, j'aurai au moins conservé ma dignité et ma paix intérieure. Si j'entre dans la confrontation, je tombe moi-même dans les défauts que je déplore chez l'autre. Le scénario habituel de la confrontation est l'escalade : on me dit un mot plus haut que l'autre, je réponds du tac au tac, le ton monte, et c'est parti pour verser dans la violence.

Dans le cas d'une organisation comme Daech ou Boko Haram, il ne s'agit pas de tolérer leurs actions innommables. Nous devons tout faire pour y mettre fin. Dans le même temps, il faut se rendre compte que ces gens ne sont pas nés avec le désir de couper des têtes et de massacrer tous les habitants d'un village. Un ensemble de causes et

Quand la haine a enflammé l'esprit de quelqu'un, la compassion consiste à adopter face à lui l'attitude du médecin envers un fou furieux.

de conditions les a conduits à ce terrible comportement. La compassion, dans ce cas, c'est le désir de remédier aux causes, comme un médecin souhaite mettre fin à une épidémie. Cela implique, parmi d'autres moyens, de remédier aux inégalités dans le monde, de permettre aux jeunes d'accéder à une meilleure éducation, d'améliorer le statut des femmes, etc., pour que disparaisse le terreau social dans lequel ces mouvements extrêmes prennent racine.

Quand la haine a enflammé l'esprit de quelqu'un, la compassion consiste à adopter face à lui l'attitude du médecin envers un fou furieux. Il faut d'abord l'empêcher de nuire. Mais, comme le médecin qui s'attaque au mal qui ronge l'esprit du fou sans prendre un gourdin et réduire son cerveau en bouillie, il faut aussi envisager tous les moyens possibles pour résoudre le problème sans tomber soi-même dans la violence et la haine. Si la haine répond à la haine, le problème n'aura jamais de fin.

CHRISTOPHE : Effectivement, pourquoi est-il difficile d'être altruiste, compassionnel, gentil, face à des gens problématiques ? Certes, la vie nous réserve suffisamment d'occasions de souffrir pour que nous n'ayons pas envie d'aller nous frotter contre des cactus, mais le problème se pose quand ces épineux font partie de notre famille, de notre voisinage ou de l'entreprise dans laquelle nous travaillons. Bien souvent, nous n'avons pas envie de leur faire du bien, de leur être agréable, d'effectuer ce que nous considérons être leur part de boulot : « C'est à chacun de faire un pas, je ne veux pas faire tous les efforts à sa place ! » Et parfois, nous sommes même presque contents qu'ils aient des petits ennuis : « Ça leur apprendra peut-être à mieux se comporter. » C'est la *Schadenfreude*, cette joie obscure à voir autrui en difficulté, qui est d'ailleurs l'objet de nombreuses recherches en psychologie, tant elle est déconcertante et problématique.

Un dernier point me semble important : il faut aller bien pour être capable d'aller au-devant de personnes en difficulté, que ce soit dans la confrontation (afin de ne pas déraper vers l'agression) ou dans la compassion (afin de ne pas se faire manipuler ou exploiter). Parfois, mieux vaut ne pas jouer au héros de la compassion, si l'on n'est pas prêt à cet instant précis ; il y a des patients à qui je conseille d'éviter ces situations parce que je ne les sens pas capables de les affronter.

ALEXANDRE : Pour gagner en liberté et en amour, il est bon de repérer les gens qui nous tirent vers le bas. Il ne s'agit ni de les fuir ni de les éviter, mais simplement de redoubler d'attention lorsqu'ils sont dans les parages. Et c'est d'autant plus vrai que certaines personnes, à cause des projections et des souvenirs, réveillent plus facilement en nous la colère, la peur ou la tristesse. Un ami me confiait que, lorsqu'il rendait visite à sa mère, il prenait toutes ses précautions : «C'est un peu comme si je me rendais à Tchernobyl. Je m'attends à ce que des ondes négatives me tombent sur la figure.» Et je peux garantir que ce fils aime sa mère… Je puise dans sa lucidité un remarquable outil qui me permet de tendre l'oreille à la boussole intérieure, quand tant de parasites empêchent une relation saine. Déjouer les mécanismes nuisibles à une vraie rencontre, c'est donc quitter cette logique du combat, laisser nos gants de boxe au vestiaire et prendre conscience de notre vulnérabilité face à certaines personnes. Sortir des préjugés, c'est déjà dissiper l'épais brouillard qui me sépare de l'autre pour l'envisager sans amertume.

La tradition philosophique nous prête quelques outils pour essayer de le comprendre. Dans le *Protagoras*, Socrate lance sa célèbre sentence : «Nul n'est méchant volontairement.» Le diagnostic est posé : le méchant est avant tout une personne qui souffre, qui manque manifestement de paix et de joie. Dès lors, nous pouvons commencer à déceler dans l'agressivité et la violence comme autant de signaux d'alarme, d'appels à l'aide.

Opter pour la douceur, renoncer à la haine réclament une grande force. Pourquoi ne pas déjà faire la diète des mots et carrément nous la boucler quand nos attaques et nos reproches ne font qu'envenimer les choses ? Ici, l'ascèse consiste à ne pas surréagir, à surtout ne pas en rajouter. Il est bon aussi de nous rappeler que ce n'est pas forcément grave si tout n'est pas résolu sur-le-champ. Malgré tous nos efforts, il restera toujours des gens qui préféreront macérer dans la rancœur et vivre dans la rage. Une connaissance me disait : «Jusqu'à mon dernier souffle, je lui en voudrai.» Quand je lui ai suggéré d'abandonner un peu cette colère, elle m'a rétorqué qu'elle n'était ni un lâche, ni une mauviette... Parfois, pour notre plus grand malheur, nous préférons crever que d'avoir tort.

Je suis d'accord avec Christophe, il faut une sacrée force pour éviter la logique de guerre. Quand du matin au soir nous devons *affronter* un collègue qui n'a de cesse de nous compliquer la vie, que mettre en œuvre pour ne pas nous laisser aller à l'animosité ? Une chose demeure certaine, plus nous sommes établis dans une paix profonde, plus nous pouvons échapper à la loi du talion. Pour mieux *avaler* les affronts, il y a un fameux exercice : considérer celui qui nous blesse comme une victime *aveuglée* par la passion. Et il ne nous viendrait pas à l'idée de réprimander dans la rue un aveugle qui nous marcherait sur le pied...

MATTHIEU : La phrase de Socrate – nul n'est volontairement méchant – a donné lieu à diverses interprétations. Il semble, d'après un autre passage de Platon, que Socrate faisait référence à l'absence de libre arbitre. Il dit en effet dans le *Progatoras* : «Tous ceux qui font des choses laides et mauvaises les font malgré eux.» La question du libre arbitre est l'une des plus complexes qui soient. Certains neuroscientifiques disent que, sur le moment, il n'est pas possible de faire autre chose que ce que l'on a fait, parce que notre acte est l'aboutissement d'une série de processus cérébraux dont nous ne sommes pas conscients et que nous ne pouvons donc maîtriser. On peut répondre qu'on a pourtant la faculté de gérer nos émotions et de neutrali-ser nos pensées indésirables ; et, sur la durée, il est certain qu'on peut transformer nos traits de caractère en entraînant notre esprit.

Il est évident que, parfois, des personnes veulent déli-bérément faire du mal à autrui. La question, qui n'est peut-être pas celle à laquelle Socrate répondait, est de savoir s'il y a des gens qui font le mal pour le mal. D'après les recherches en psychologie, la réponse est non. Les médias et les romans aiment à évoquer le mal à l'état pur. De nombreux films mettent en scène des monstres ou des mutants qui veulent nuire pour nuire et se réjouissent du mal gratuit qu'ils infligent. Mais, comme l'a montré le tra-vail de synthèse du psychologue Roy Baumeister, dans son ouvrage *Evil* (le Mal), le mal absolu est un mythe. Même ceux qui ont commis les pires atrocités sont convaincus de s'être défendus contre des forces mauvaises. Ceux qui se vengent croient dur comme fer qu'il est moralement justifié de réparer par la violence le tort qu'on leur a fait. Leur interprétation de la réalité, pour aberrante qu'elle soit, permet néanmoins de constater qu'aucun d'entre eux ne semble mû par le seul désir de faire le mal pour le mal.

Selon le bouddhisme, le mal absolu n'existe pas du fait que, comme je l'ai mentionné précédemment, tout être, aussi loin soit-il allé dans l'horreur, a toujours au fond de lui, dans la nature fondamentale de sa conscience, une qua-lité inaltérable comparable à une pépite d'or tombée dans la fange, une qualité que l'on appelle « nature de Bouddha ».

Ceux qui sont tombés dans la violence affirment que leur cause est juste et que leurs droits ont été bafoués. Même quand ce qu'ils disent est une déformation grossière de la réalité, on ne peut que prêter attention à leurs motifs si l'on veut prévenir de nouvelles éruptions de violence. Alexandre citait Spinoza : « Ne pas railler, ne pas pleurer, ne pas haïr, mais comprendre. » C'est la première chose à faire. L'officier de police qui a supervisé l'interrogatoire d'Anders Breivik, l'auteur fanatique des crimes de masse commis en Norvège en 2011, préconisait « l'écoute active » : il faut demander au criminel comment il explique ce qu'il a fait. Pour prévenir la résurgence du mal, il est essentiel de saisir d'abord pourquoi et comment il a pu se produire au départ.

Si on observe comment se produit un génocide, par exemple, on s'aperçoit que l'on commence presque toujours par diaboliser, déshumaniser et désindividualiser un groupe d'individus particuliers. Ces gens cessent d'être des personnes comme vous et moi, avec une famille, des joies et des peines. Ils deviennent tous semblables, on ne les différencie plus que par des matricules. On se désensibilise aussi soi-même aux souffrances qu'on va leur infliger en transformant le meurtre en devoir ou en acte de salut public. C'est ainsi qu'on en arrive peu à peu à commettre les actes que l'on considérait auparavant comme les plus impensables.

CHRISTOPHE : Je suis d'accord avec toi, Socrate voulait sans doute dire que nul n'est méchant par essence... Nul n'est mauvais, certes, mais on peut être méchant délibérément, foncièrement. Il existe des faits divers terrifiants ; je ne sais pas si la cruauté dont ils procèdent est volontaire, mais elle est totale. Je me souviens de ces deux enfants de 12 ans qui avaient kidnappé un gamin de 5 ans et l'avaient torturé de manière abominable, en Angleterre. Cela pose le problème de la psychopathie : un certain nombre d'êtres humains ont une espèce d'incapacité biologique à ressentir l'empathie, ce sont des handicapés de la compassion. Je ne connais pas l'histoire de ces gamins, mais ce sont de toute évidence des orphelins d'idéaux, de valeurs, de convictions sur le respect de la vie humaine, et ces histoires soulignent la nécessité de l'enseignement de la compassion. On ne peut pas leur en vouloir à ce titre, mais ce sont des personnes potentiellement très dangereuses pour les autres. Notre démarche ne doit pas être naïve : outre la compassion que mérite tout humain, il faut parfois déployer aussi de l'éducation, de la coercition, etc.

MATTHIEU : Dans tous les cas, la bienveillance ne devrait jamais être considérée comme une faiblesse, un fardeau ou un sacrifice, mais comme la meilleure option, même dans les situations qui semblent les plus inextricables, comme dans le cas de ces enfants dépourvus d'empathie. C'est aussi la meilleure façon de préserver notre propre intégrité et l'inspiration qui nous permet de tenir le coup dans l'adversité. Le philosophe Miguel Benasayag a été torturé dans les prisons argentines. Il me disait que ce qui l'avait sauvé, c'est que, même dans les pires moments, ses tortionnaires n'avaient jamais réussi à briser sa dignité profonde. L'un des médecins du Dalaï-lama, le docteur Tenzin Chödrak, a passé vingt-cinq ans dans les camps de travaux forcés chinois. Il n'avait aucune sympathie pour ses tortionnaires, mais il a réussi à ne pas céder à la haine. Après les séances de torture, il parvenait presque toujours à retrouver sa compassion. Il se disait que ses tortionnaires étaient des dérangés mentaux, qu'ils avaient subi un lavage de cerveau et méritaient sa compassion plus que sa haine. C'est ce qui l'a sauvé. Il craignait par-dessus tout de perdre la compassion qui donnait un sens à son existence.

Le courage de l'altruisme et de la non-violence

CHRISTOPHE : Voir les personnes narcissiques comme des « mendiants de l'ego », qui tendent leur sébile pour être reconnus, pour qu'on leur donne raison – c'est une belle métaphore que tu nous as proposée, Alexandre ! Quand tu disais que nous devions faire l'effort de voir la colère de l'autre comme un appel à l'aide, je réfléchissais à un regard qui a évolué chez moi : souvent, on a tendance à voir la gentillesse comme une faiblesse, alors que c'est dans l'arrogance et l'agressivité que je vois des signes de faiblesse. Le jour où ceux qui sont socialement désignés comme les faibles ne seront plus les gentils, mais les agressifs, les méchants, les arrogants, la société aura vraiment progressé !

ALEXANDRE : Souvent, nous balançons un argument fallacieux pour nous réfugier dans une vie égoïste. Qui n'a

> Il existe hélas des cultures d'entreprise
> et des cultures familiales, où le credo, c'est qu'en
> se montrant bienveillant on se met en danger.

jamais dit : « D'accord, mais je ne suis pas Mère Teresa », ou : « Ce n'est pas écrit l'abbé Pierre ici » ? La peur sous-jacente, c'est celle de se laisser bouffer si nous pensons un peu plus aux autres... Et nous trouvons une ribambelle de proverbes qui viennent légitimer les lâchetés, du type : « Chacun pour soi et Dieu pour tous. »

CHRISTOPHE : Oui, mais il existe hélas des cultures d'entreprise et des cultures familiales, où le credo des individus, c'est qu'en se montrant bienveillant on se met en danger. J'ai un copain professeur de médecine dont la devise est : « Si tu nages avec des requins, surtout ne saigne pas. » Pour lui, si j'étais gentil, c'est parce que j'avais renoncé à ma carrière universitaire et que, du coup, je n'étais en compétition avec personne : il pensait qu'à son niveau de responsabilités c'était impossible. Peut-être avait-il raison ? Objectivement, il y a des milieux où la gentillesse et la bienveillance ne sont ni faciles ni valorisées ni comprises.

Le malentendu autour de la bienveillance ressentie comme faiblesse me fait aussi penser à ce livre de Thomas d'Ansembourg, *Cessez d'être gentil, soyez vrai*. Ce titre me pose d'énormes problèmes, même si le livre est bon et que j'aime bien son auteur, et même s'il répond à un besoin des gens de comprendre qu'il n'y a pas que la gentillesse pour changer le monde. Pourquoi ? Parce qu'il incite en quelque sorte à retirer de la gentillesse pour mettre à la place une sorte d'authenticité qui serait dispensée de gentillesse. Or, à mes patients timides ou phobiques sociaux, qui souffrent du sentiment de « se faire avoir » parce qu'ils sont trop gentils et qui pensent que la seule solution, c'est d'être moins gentils, j'essaie justement d'expliquer que ce n'est pas unidimensionnel. Il est faux de penser que si vous allez trop du côté de la gentillesse, vous perdrez automatiquement du côté de la force. Autrement dit, nous pouvons très bien nous situer à un niveau élevé de gentillesse *et* à un niveau élevé de force ! Surtout ne rien enlever à sa gentillesse mais travailler davantage son assertivité.

MATTHIEU : À mon avis, la seule façon d'être vrai, c'est d'être bon. La bonté est en harmonie avec notre état intérieur profond, libre de confusion et de toxines mentales comme la malveillance, l'arrogance et la jalousie. Par contraste, la malveillance tend à nous éloigner de cette adéquation avec nous-mêmes. Bonté et bonheur procèdent tous deux d'un accord avec nous-mêmes. Platon disait : « L'homme le plus heureux est celui qui n'a dans l'âme aucune trace de méchanceté. »

Je voudrais revenir sur la faiblesse que l'on associe souvent à la gentillesse, la patience et la non-violence. En vérité, il faut beaucoup plus de courage pour être un moine birman pieds nus devant une compagnie de soldats prêts à tirer. « Satyagraha », le mouvement de non-violence lancé par Gandhi, signifie « la force de la vérité ». C'était lors de la marche du sel que Gandhi entama en 1930 pour défier les autorités britanniques : parti de son ashram avec quelques dizaines de disciples, Gandhi parcourt 400 kilomètres à pied jusqu'au bord de l'océan Indien. En route, de nombreux sympathisants se joignent à lui. L'armée britannique tente de s'opposer à leur progression. Ils sont bastonnés, mais à aucun moment ils ne répondent par la violence, et ils continuent d'avancer sous les coups. Les forces de l'ordre finissent par les laisser passer, et c'est une foule de plusieurs milliers de personnes qui arrive au bord de la mer. Là, Gandhi prend dans ses mains un peu de sel, violant ainsi le monopole d'État, qui oblige tous les Indiens, jusqu'aux plus pauvres, à payer un impôt sur le sel et leur interdit d'en récolter. La foule suit son exemple et recueille de l'eau salée. À l'annonce de la nouvelle, partout dans le pays les habitants font évaporer l'eau et collectent le sel au vu et au su des Britanniques. Des dizaines de milliers de personnes sont jetées en prison, y compris Gandhi. Mais le vice-roi britannique finit par céder devant leur détermination. Il libère tous les prisonniers et accorde aux Indiens le droit de collecter eux-mêmes le sel. Cette marche constitue un tournant dans la lutte non violente pour l'indépendance de l'Inde.

Il est bien dommage que l'on ait tendance à considérer la non-violence comme une faiblesse. Le Dalaï-lama répète depuis quarante ans qu'il n'est pas question de recourir à la violence envers les Chinois : « Nous sommes voisins pour toujours, dit-il, nous devons trouver par le dialogue une solution mutuellement acceptable. » On entend parfois dire : «Le Dalaï-lama est sympathique, mais ce n'est pas comme cela qu'il va résoudre le problème du Tibet.» Les Tibétains devraient-ils avoir recours à des attentats? à des détournements d'avions? à des tueries qui provoqueraient une répression encore plus terrible des Chinois, des persécutions plus impitoyables, et donc une animosité encore plus insoluble? Si la communauté internationale faisait tout pour que l'attitude du Dalaï-lama soit couronnée de succès, on pourrait s'en servir d'exemple dans l'interminable conflit entre Israël et la Palestine, pour ne citer que celui-ci. Mais les instances internationales se mobilisent plutôt lorsque les communautés s'entretuent.

CHRISTOPHE : Pour continuer sur le poids de l'environnement social et culturel, je voudrais vous raconter comment j'ai moi-même été déstabilisé dans mon attachement aux valeurs altruistes... Je viens d'une famille avec un attachement fort à l'idéologie communiste : mon grand-père était un militant communiste, il m'emmenait aux fêtes du PC et m'achetait *Vaillant*, l'hebdomadaire du Parti pour les enfants. On y trouvait des héros positifs, qui faisaient le bien autour d'eux : Docteur Justice, Rahan... J'adorais ces personnages. Ils ne me transformaient pas pour autant en saint – j'étais un petit garçon bagarreur, pas toujours gentil, pas toujours altruiste! –, mais je sentais qu'ils étaient dans le vrai. Plus tard, ces idéaux ont été ébranlés par la doxa psychiatrique et psychanalytique qui prédominait lorsque j'ai fait mes études de médecine. Dans les traités de psychiatrie, le mot «altruisme» était systématiquement associé au mot « névrose » : c'était la « névrose altruiste ». Autrement dit, dès que le niveau d'altruisme chez quelqu'un dépassait la moyenne, il était névrosé : au fond, il cherchait à compenser quelque chose, à obtenir de la reconnaissance ou, pire, à masquer des tendances au sadisme et à l'égoïsme… Heureusement, à force de vous écouter et de vous lire, Matthieu et Alexandre, je me suis aperçu que je devais replacer ces valeurs au centre de ma façon de soigner. C'est pour cela que je suis persuadé du rôle majeur que joue le discours public dans la promotion (ou la dévalorisation) de valeurs comme l'altruisme dans la société …

Usure, impuissance, découragement

MATTHIEU : Nos capacités altruistes sont-elles illimitées ? Ève, la fille de Paul Ekman, par exemple, travaille à San Francisco dans les services d'urgence, avec des personnes qui risquent de mourir si on ne leur vient pas en aide. On les emmène dans un lieu calme, on les aide à faire leur toilette, on les rase, on leur donne des habits propres, on les nourrit et on les garde quelque temps. Mais, au bout de deux semaines, faute de crédits, il faut les remettre à la rue. Ève a avoué qu'elle finissait par éprouver un sentiment de totale impuissance, puisque leurs interventions, qui demandent un énorme investissement émotionnel, font du bien mais ne résolvent finalement pas le fond du problème.

Que faire dans de telles situations ? Que dire à ceux que la douleur physique tourmente sans répit ? Que dire aux parents d'un handicapé mental ? à ceux dont les parents veulent être euthanasiés? L'altruisme ne peut ici que s'accompagner d'humilité, surtout lorsque la solution n'est ni évidente ni immédiate. On peut conseiller aux autres de pratiquer la pleine conscience de la douleur, mais quand cette douleur est atroce et qu'on n'en voit pas la fin, c'est un peu léger.

Dans ces cas, plus que les conseils, seule une présence aimante et chaleureuse, venue du cœur, peut apporter un certain réconfort. Le sans-abri saura qu'il n'est pas seul, qu'il y a des gens sincèrement concernés par son sort, même s'ils ne peuvent lui offrir tout ce dont il aurait besoin. Ceux qui souffrent, ceux qui sont désespérés, ceux qui meurent sauront que quelqu'un les aime.

On supporte une douleur physique, même vive, si l'on sait qu'elle ne va durer qu'un temps. Mais ne pas savoir combien de temps elle va continuer et ne rien pouvoir faire pour la contrôler est insupportable. Cela sape notre force intérieure et notre résilience. Les sportifs endurent volontiers les douleurs associées à leur entraînement, mais quand leur douleur est accidentelle, imprévue et dépourvue de sens, quand un cycliste chute sur la route, par exemple, la douleur est beaucoup plus pénible car elle ne sert à rien.

CHRISTOPHE : Tu as raison d'évoquer le problème des aidants... Tous les soignants doivent se préparer à affronter des situations où ils sont dans la position de Sisyphe : leurs efforts produisent une amélioration et, dès que le patient sort du service, il replonge. C'est malheureusement le cas des personnes qui souffrent de toxicomanie, de troubles

> Le temps que l'on donne à
> un patient, les instants où il trouve un peu
> de répit, tout cela vaut mieux
> que de rester seul face à ses difficultés.

de la personnalité ou de schizophrénie. Nous abordons souvent cette question quand nous animons ou supervisons une équipe de soignants, parce que nous savons que c'est un obstacle majeur pour le maintien de la motivation à accompagner ces patients. Et l'une des façons de réconforter et d'amener à réfléchir consiste à dire : « Rien de ce que vous faites n'est inutile ; si pendant quinze jours vous avez permis à un SDF d'être au propre, au sec et au chaud, de recevoir de l'attention, de la gentillesse, de la compassion, même s'il replonge, vous lui avez offert quinze jours d'une vie humaine décente, et c'est peut-être bien plus précieux, pour maintenant et pour la suite, que nous ne pouvons l'imaginer en le faisant. Il est certes difficile de se désengager de la fixation sur le résultat pour se contenter du peu que l'on peut offrir, et je pense souvent, dans ces cas-là, au Sisyphe de Camus qui remonte sans cesse son rocher vers le sommet pour le voir à chaque fois retomber vers la vallée. Ces efforts paraissent absurdes de l'extérieur, mais, comme il est dit à la fin, « il faut imaginer Sisyphe heureux ».

Sans aller chercher dans la mythologie, quand je suis découragé par le sentiment d'inutilité des efforts accomplis pour un patient, je me dis que le temps qu'on lui donne, les instants où il trouve un peu de répit, tout cela vaut mieux que de rester seul face à ses difficultés, quoi qu'il arrive ensuite.

ALEXANDRE : J'aime me rappeler le puissant conseil de Jean XXIII qui invite, dans son *Journal de l'âme*, à accomplir chaque action comme si Dieu ne nous avait créés que pour cela. Cette intuition rejoint un grand principe du zen : nous donner pleinement à ce que nous faisons, ici et maintenant, sans être distrait.

MATTHIEU : Du point de vue du bouddhisme, il n'y a pas de place pour le découragement. Le bodhisattva fait le vœu d'œuvrer pour le bien des êtres, pas seulement pour quelques instants, quelques jours ou quelques années, mais pour d'innombrables vies, aussi longtemps qu'il restera des êtres qui souffrent. L'un des versets les plus inspirants de Shantideva dit ceci :

> *Tant que l'espace durera*
> *Et tant qu'il y aura des êtres,*
> *Puissé-je, moi aussi, demeurer*
> *Pour dissiper la souffrance du monde !*

Le courage issu de la compassion est l'une des principales qualités du bodhisattva. Sa seule raison d'exister et de renaître dans le samsara, le monde conditionné par l'ignorance et la souffrance, est d'aider les autres à s'en libérer.

CHRISTOPHE : Pour compléter cette réflexion, je crois que certains services ou certaines missions ne peuvent être accomplis que pendant quelques années. On sait par exemple que, dans les services de cancérologie pédiatrique, où l'on voit mourir des enfants, il est nécessaire que les soignants partent au bout de quelque temps, parce qu'il est impossible de toujours donner le meilleur de soi dans cette confrontation régulière avec des histoires déchirantes. Par ailleurs, le besoin d'échanges et de soutien entre les équipes est immense. Quand j'étais à Toulouse, je supervisais un groupe d'écoutants au sein de SOS Amitié. Ils vivaient parfois un sentiment d'impuissance : les gens sont au bout du fil, on essaie de leur remonter le moral, ils raccrochent, et on ne sait pas s'ils se sont tués, s'ils vont mieux. D'où la nécessité de se réconforter, de partager, de se conseiller…

ALEXANDRE : Pour éviter l'usure et la lassitude du soignant, comme de celui qui affronterait une maladie chronique ou des épreuves à répétition, il est urgent de bâtir un art de vivre afin de ne pas couler. D'abord, contre l'épuisement, repérer ce qui nous ressource véritablement. Sans la méditation et la prière, je ne serai probablement plus de ce monde. Et c'est presque une lutte, quand tout appelle à la fuite, que d'oser pour un temps baisser la garde, juste laisser passer… À chacun de trouver un art de vivre. Il n'y a pas de modèle ni de recette miracle. Au comble du désespoir, j'aime aussi pouvoir téléphoner à un ami dans le bien qui me remet sur la voie : son écoute bienveillante, son amour inconditionnel et son absence de jugement m'aident à accepter les blessures et à trouver la force de remonter la pente. Je ne crois pas que l'enfer, ce soit les autres.

MATTHIEU : Pour moi, il est clair que l'enfer, c'est l'ego !

ALEXANDRE : L'idée du self-made-man a quelque chose d'effrayant. Nous engager sur une voie spirituelle, pratiquer la méditation et la prière, c'est nous extraire de la mondanité pour aimer l'autre véritablement, et grandir ensemble. Tant de blessures et de frustrations nous empêchent d'être pleinement ce que nous sommes et d'être hautement amoureux de l'humanité… Sortir du calcul et du paraître, prendre son bâton de pèlerin et s'engager dès à présent dans une vie plus altruiste n'a rien de surhumain. La vocation des religions et des grandes spiritualités, c'est de nous plonger dans cet océan d'amour gratuit et inconditionnel qui nous précède au fond du cœur. En cela, le regard de mes enfants m'aide beaucoup. À leurs côtés, j'apprends à aimer et n'ai pas fini de m'émerveiller : le handicap de leur papa, sa maladresse, ses mille et une fragilités… toutes ces ombres sont comme embrasées par le soleil de leur amour.

Si je réchappe du périple coréen, je souhaiterais fonder un lieu de retraite où les pratiquants méditeraient une grande partie de la journée tout en se consacrant à aider très concrètement des personnes handicapées, ou des êtres qui traversent des épreuves.

MATTHIEU : C'est ce qu'a fait par exemple Jean Vanier avec les communautés de l'Arche, plus de cent dans le monde, ou des volontaires vivent avec des handicapés, surtout des handicapés mentaux, comme dans une grande famille.

ALEXANDRE : Et c'est magnifique. Trop souvent, les stages de méditation risquent de nous couper du monde. Bien planqués dans un coin, à l'écart, nous nous faisons du bien et nous oublions ceux qui sont dans le besoin. D'où mon rêve de créer un jour un lieu où solidarité et pratiques spirituelles se donnent la main. Heureusement, il y a de magnifiques exemples comme les communautés de l'Arche, les groupes de contemplatifs qui se consacrent aux autres et tant d'autres joyeux démentis à l'individualisme. Le monastère de Lopburi est également une île de bienveillance au milieu de cet océan de souffrances : à deux heures de train au nord de Bangkok, ce temple recevait, dès les débuts de l'épidémie, plus de trois cents victimes du VIH. Aux grandes heures de l'hécatombe, les moines entouraient les malades d'une infinie tendresse. Lorsque aucun médicament n'était plus disponible, tandis que les patients mouraient, ils les entouraient jusqu'au bout d'un amour total en leur offrant des tisanes, en leur jouant de la musique avec tout leur cœur, en étant là. Emmanuel Tagnard a consacré un magnifique documentaire à ces héros de la compassion.

Quel plus beau cadeau, quand la médecine ne peut plus rien, que de prodiguer aux malheureux de la chaleur

Se lancer dans l'altruisme, c'est finalement s'échapper de prison, s'affranchir de l'ego.

humaine, une compassion sans limite ? Et nul besoin d'attendre des circonstances aussi tragiques pour dispenser de la paix, de la joie et de l'amour.

Se lancer dans l'altruisme, c'est finalement s'échapper de prison, s'affranchir de l'ego. Ce n'est pas un mal que de bazarder ce boulet… Et avant de vouloir être un saint, je peux déjà consacrer cinq minutes, ou un peu plus, à soulager les autres, à œuvrer au bien des êtres. Ce projet dépasse largement les capacités du petit moi qui est incapable de franchir cette montagne. Aussi, s'engager pour les autres, c'est déjà sortir de nos névroses et *travailler* à découvrir la joie et l'amour au cœur de notre vie. Chaque matin, nous pouvons refaire le vœu du bodhisattva, échapper aux lois infernales du samsara et courir au secours de ceux qui ploient sous les fardeaux. En pratiquant infatigablement la méditation, je peux apprendre à nager dans l'océan immense de la souffrance et tendre la main à ceux qui coulent. Au fond, la vie spirituelle nous aide à flotter et à porter secours à ceux qui se débattent. Les grandes sagesses sont autant de radeaux, provisoires, pour traverser ensemble les tempêtes. Et l'urgence, c'est d'offrir un peu de répit à celui qui lutte depuis des lustres et qui en a pris pour perpète.

Pratiquer la compassion

MATTHIEU : Dans le bouddhisme, il y a une pratique qui semble paradoxale à première vue, mais qui est très puissante. On commence par prendre conscience que, lorsqu'on souffre, on n'est pas seul à souffrir. Il y en a même qui souffrent bien plus que nous. On se dit alors : au lieu de me révolter, pourquoi ne pas embrasser aussi la souffrance des autres avec amour et compassion ? On a souvent tendance à penser qu'on a suffisamment de problèmes comme ça, sans alourdir encore plus notre fardeau avec la souffrance d'autrui. Pourtant, c'est tout le contraire qui se produit. Quand on prend sur soi la souffrance des autres, puis quand on la transforme et qu'on la dissout mentalement par le pouvoir de la compassion, non seulement ça n'accroît pas nos tourments, mais ça les rend plus légers.

Comment réalise-t-on cette pratique ? On commence par ressentir un amour profond envers quelqu'un qui souffre, d'abord un être cher, puis on lui offre notre bonheur et l'on prend sur nous sa souffrance en se servant du va-et-vient de notre souffle. Au moment de l'expiration, on lui envoie en même temps que l'air qu'on expulse notre joie, notre bonheur et toutes nos qualités sous la forme d'un nectar blanc, rafraîchissant et lumineux. On pense alors que si sa vie est en danger, elle se trouve prolongée ; s'il est pauvre, il obtient tout ce qu'il lui faut ; s'il est malade, il recouvre la santé ; et s'il est malheureux, il trouve la joie et le bien-être. Puis, graduellement, on étend cette pratique à tous les êtres qui souffrent.

Au moment où on inspire à nouveau, on imagine qu'on prend sur soi tous les maux physiques et mentaux de ces êtres, y compris leurs émotions négatives, sous l'aspect d'un nuage sombre. Ce nuage pénètre en nous par nos narines et se dissout sans laisser de traces dans notre cœur, qu'on visualise comme une masse de lumière. Cet exercice peut être pratiqué à tout moment, en séances de méditation formelle ou au cours de nos activités.

Il ne s'agit pas d'une pratique sacrificielle, puisque la souffrance est transformée par la compassion. J'ai connu un vieux moine qui s'était livré à cette pratique jusqu'à son dernier souffle. Quelques heures avant sa mort, il écrivit une lettre à Khyentsé Rinpotché, dans laquelle il disait : « Je meurs en prenant joyeusement sur moi la souffrance de tous les êtres, pour qu'ils en soient libérés, et je leur donne tout ce que j'ai de bon en moi, et tout le bien que j'ai pu accomplir dans ma vie. »

Figurez-vous qu'un jour j'ai entendu quelqu'un préconiser exactement le contraire : « Quand vous avez beaucoup de souffrance en vous, imaginez que, lorsque vous expirez, vos souffrances sont expulsées dans l'univers ! » On a envie de dire : « Merci beaucoup ! Vous êtes trop aimable… »

CHRISTOPHE : Oui, en procédant ainsi, on ajoute à la pollution, ne serait-ce que symboliquement… Quand j'anime des sessions de pleine conscience avec mes patients, qui reviennent après le cycle initial de huit semaines, je leur fais pratiquer cet exercice méditatif dans le mouvement duquel on associe la compassion, l'amour et la respiration : en inspirant, on prend les souffrances des autres, non pour les stocker mais pour les exposer à la lumière de son amour. C'est un peu comme un tapis roulant qui ferait passer ces souffrances sous la lampe de notre affection, de notre amour, de notre tendresse. Attention, à cet instant, nous ne sommes pas comme un filtre de cuisine qui bloque les graisses ! Nous ne gardons pas les souffrances en nous-mêmes, mais nous y ajoutons notre amour, nous les éclairons et les adoucissons de notre amour, puis nous les laissons filer. Les participants comprennent ainsi dans leur corps même la nature exacte et infinie de la compassion, ils comprennent qu'on n'est jamais seul à souffrir, et qu'on peut toujours s'occuper de la souffrance des autres, pas forcément en trouvant des solutions, ni en la supprimant, mais juste en essayant de donner des petits actes d'amour, des pensées d'amour, des intentions d'amour. Et quand on connecte cela au souffle, c'est très fort, très apaisant. On peut aussi, bien sûr, procéder de même pour soi et ses propres souffrances, dans le cadre de l'autobienveillance et de l'autocompassion.

L'autocompassion

MATTHIEU : Au début, avant que je connaisse des spécialistes comme Paul Gilbert et Kristin Neff, quand j'entendais parler de cette notion d'autocompassion, je pensais que c'était une récupération de la compassion par le narcissisme. J'avais tort. J'avais aussi sous-estimé le nombre de gens pour lesquels l'idée d'étendre la compassion aux autres est très douloureuse, tant ils souffrent eux-mêmes. J'ai appris avec consternation que les comportements d'automutilation affectent 10 à 15 % des adolescents en Europe occidentale, plus particulièrement les jeunes filles, dont un grand nombre ont vécu des enfances traumatisantes. Je me suis rendu compte que la capacité d'aimer autrui est liée à la capacité de s'aimer soi-même, et que les gens qui se veulent du mal ont beaucoup de difficultés à concevoir de l'amour et de la compassion pour les autres. J'ai aussi pris connaissance des travaux de la psychologue américaine Kristin Neff, qui a montré que le développement de la compassion pour soi-même a de nombreux bienfaits, sans pour autant s'accompagner d'un accroissement du narcissisme.

Comment relier ce concept d'autocompassion à la compassion telle que l'envisage le bouddhisme ? La bienveillance envers soi répond à la question : « Qu'est-ce qui est vraiment bon pour moi ? » La réponse logique est : « Diminuer mes souffrances. » On s'intéresse donc aux moyens de soulager nos propres souffrances. Une fois cette étape franchie, il devient plus facile de se dire : « Finalement, les autres sont dans la même situation que moi, il serait donc bon qu'ils cessent eux aussi de souffrir. »

Les gens qui souffrent du mépris ou de la haine de soi doivent prendre conscience qu'ils ne sont pas indignes de l'amour des autres, qu'ils ont en eux un potentiel de changement, qu'ils peuvent connaître un jour la paix intérieure et que leur malheur n'est jamais inéluctable. Cette

La réconciliation avec soi-même est le préalable indispensable à l'ouverture aux autres.

réconciliation avec soi-même est le préalable indispensable à l'ouverture aux autres.

CHRISTOPHE : Oui, il est important que nos messages soient bien compris. On évoque l'importance d'être altruiste, mais parfois on s'adresse à des gens qui, comme tu viens de le dire, n'ont pas franchi les étapes préalables, et pour qui c'est une mission impossible ou écrasante. Beaucoup ont un premier mouvement de méfiance, comme tu le décris dans ton cas, pour l'autocompassion : « Qu'est-ce que c'est que ce truc qui va nombriliser encore plus les gens ? » Et puis, une fois ce réflexe passé, on creuse, on va parler aux théoriciens, aux expérimentateurs, aux cliniciens et l'on découvre qu'en fait, dans l'autocompassion, il y a plusieurs dimensions, dont celle de la douceur et du respect de soi-même. Nous disons souvent à nos patients : « Soyez respectueux avec vous comme vous l'êtes avec votre meilleur ami. » Quand un ami vit un échec, on ne lui dit pas : « Tu es le roi des nuls ! », mais plutôt : « Voyons ce qui s'est passé... »

En psychothérapie, il est fréquent de rencontrer des personnes d'une violence terrible avec elles-mêmes. Aussi, ce qui est capital dans l'autocompassion, c'est d'avoir conscience que la souffrance fait partie de l'expérience humaine, que, lorsqu'on souffre, on est aux côtés de tout un tas d'autres gens qui souffrent. Et l'idée n'est pas de dire : « Il y a pire souffrances que les tiennes » ni : « Il n'y a pas que toi qui souffre »; on ne cherche pas non plus à empêcher la souffrance d'exister. L'objectif est de comprendre que, finalement, cette souffrance est une expérience humaine universelle et qu'en fait, lorsque je souffre, je ne suis ni seul, ni anormal, ni isolé; juste dans une humanité partagée.

C'est pour cela que, depuis que j'exerce comme psychiatre, j'ai la conviction qu'on soigne mieux les gens en groupe. À l'hôpital Sainte-Anne, dans l'unité où je travaille, nous essayons de faire le plus possible de thérapies en groupe : je suis toujours bouleversé de constater que les personnes qui souffrent de phobies, de dépression, d'obsessions arrivent dans les groupes avec la certitude qu'elles sont les seules à éprouver une souffrance aussi bizarre, aussi intense, les seules à être incapables de s'en sortir… Bref, elles ont un sentiment terrible de solitude et d'anormalité. Et tout d'un coup, nous commençons le travail de groupe, chacun raconte son histoire et s'aperçoit que l'expérience de la souffrance est universelle et que ce n'est pas une marque d'infamie ni d'incompétence, mais justement un marqueur d'humanité.

NOS CONSEILS POUR UNE VIE PLUS ALTRUISTE

SE DÉPRENDRE UN PEU DE SOI
ALEXANDRE

Garder la capacité de se laisser toucher, émouvoir par les autres : le risque, quand on en a bavé dans la vie, c'est de se blinder, voire de se couper carrément de l'autre. Aussi, en imitant le Bouddha et le Christ, qui vivaient sans feuille de route, on peut faire de la place dans son emploi du temps, rester ouvert à ce que la vie nous apporte ici et maintenant, aux rencontres.

Être généreux sans se laisser bouffer par le désir de plaire : c'est un devoir sacré de découvrir une liberté intérieure. Comment y arriver si on obéit au doigt et à l'œil à l'ego, si on est totalement soumis au qu'en-dira-t-on ? Passer du désir de plaire au pur amour, gratuit et sans pourquoi, et poser là, tout de suite, des actes altruistes.

Étendre l'amour que je porte à mes proches à toute l'humanité : il y a une vie *par* les autres, qui procède de la dépendance et du désir de plaire et une vie *pour* les autres, qui appelle au don de soi libre et joyeux sans arrière-pensée. La parole de Jésus m'en rapproche : « Si quelqu'un veut venir à ma suite, qu'il se renie lui-même, et qu'il prenne sa croix, et qu'il me suive. »

IL EST POSSIBLE D'ÊTRE BIENVEILLANT AVEC LES AUTRES SANS CONDITIONS
MATTHIEU

🐟 Ne pas être effrayé par la pratique de l'altruisme inconditionnel en se disant que c'est hors de notre portée. Ne jamais penser : « La souffrance des autres, c'est pas mon affaire. »

🐟 Ne pas se blâmer de ne pas faire ce qui est au-delà de nos forces, mais se reprocher de détourner le regard quand on peut agir.

🐟 Du plus bas que l'on parte, la bienveillance et la compassion peuvent se cultiver comme n'importe quelle autre aptitude physique ou mentale.

🐟 Se servir de notre faculté naturelle d'être bienveillant envers nos proches comme point de départ pour étendre notre bienveillance au-delà de notre famille et de ceux que nous aimons.

Du bon usage de la bienveillance
Christophe

🖌 Ne jamais oublier d'être bienveillant pour soi-même ! Cela facilitera la bienveillance envers les autres.

🖌 Observer ce qui se passe en nous, dans notre esprit, dans notre corps, lorsqu'on est dans la bien-veillance, la douceur, la gentillesse ; et à l'inverse observer ce que l'on ressent dans le conflit. Tout notre corps ne cesse de nous rappeler cette évidence : « Regarde comme je souffre dans le conflit ; et comme je m'apaise et suis heureux dans la douceur et la bienveillance. » C'est un enseignement limpide !

🖌 Se donner aussi le droit de renoncer ! Lorsqu'on a le sentiment que la bienveillance nous est impossible, ou s'avère inopérante dans une situation donnée, ne pas chercher la perfection : « Fais de ton mieux, et si c'est trop difficile, laisse tomber, protège-toi, contente-toi de ne pas nourrir le cycle de la malveil-lance, de l'agressivité, n'en rajoute pas ; peut-être que ce n'est pas le moment, que c'est trop difficile pour toi, ou trop difficile pour n'importe qui, de tenter de modifier tout ça. » Parfois, il arrive qu'on soit enfermé dans des situations épouvantables – familiales ou professionnelles. On ne s'en sortira pas par de la bienveillance, de l'amour, mais par la fuite, en fichant le camp et en sauvant sa peau, pour être bienveillant avec d'autres personnes ou dans d'autres endroits. Sincèrement, je pense qu'il y a des moments où l'on ne se sent pas assez fort pour donner durablement de la bienveillance et où l'on risque de ne recevoir que des coups.

9
L'ÉCOLE
DE LA SIMPLICITÉ

CHRISTOPHE : Ce sujet me fascine parce que j'ai le sentiment d'avoir beaucoup à apprendre dans ce domaine, aussi bien en tant qu'humain qu'en tant que soignant. La logique occidentale qui est la nôtre va à l'encontre du dépouillement, puisque c'est une logique d'accumulation : on accumule les biens, les connaissances et même les relations, par exemple dans les réseaux sociaux, bien au-delà de ce qui est raisonnable parfois, au-delà d'un réel usage.

« Le sage : ne demande pas ce qu'il a de plus que toi, mais cherche plutôt ce qu'il a en moins. » Cette petite phrase glanée au hasard de mes lectures m'a beaucoup marqué : être sage, c'est bien souvent aller vers le « moins », vers le dépouillement et le détachement...

Le syndrome de Diogène

CHRISTOPHE : Dans mon métier, tous les patients me touchent, mais les patients «accumulateurs» m'émeuvent et m'intriguent particulièrement. Atteints de troubles obsessionnels compulsifs, ils ne jettent rien et gardent absolument tout – journaux, cartons, bouteilles vides, rouleaux de papier toilette évidés, vieux vêtements. On parle parfois, dans leur cas, du «syndrome de Diogène»... Quand ils habitent de grandes maisons, les voisins portent plainte parce que leur jardin se transforme en réserve de vieilles boîtes de conserve. Quand ils vivent dans de petits appartements, ce n'est pas mieux. Je fais des thérapies comportementales, et donc je vais parfois chez les gens pour les aider : j'ai vu des logements transformés en labyrinthes de piles de journaux et de boîtes à chaussures qui montaient jusqu'au plafond.

MATTHIEU : Étonnant qu'on parle de syndrome de Diogène quand on sait qu'il a dédaigné les biens matériels et que, lorsqu'il était à Athènes, il se contentait, dit-on, d'une grande jarre posée dans la rue pour dormir.

CHRISTOPHE : Oui, c'est un contresens partiel, car si Diogène vivait certes en quasi-clochard et dans la saleté, il ne devait pas accumuler grand-chose... Quoi qu'il en soit, ces patients accumulateurs souffrent beaucoup et me renvoient systématiquement à cette interrogation : «ils sont dans un état extrême, mais toi, est-ce que tu n'as pas déjà un pied dans cet engrenage ? » Car je ne suis pas un bon exemple en matière de dépouillement ! Je n'aime pas jeter. J'ai des excuses, des justifications : mes parents étaient de grands accumulateurs, des adeptes du « au cas où », du « cette ficelle, je ne vais pas la jeter, elle peut toujours servir », ou « ces vieux journaux on peut en avoir besoin s'il y a une fuite d'huile sous la voiture ». J'ai toujours le sentiment que tout cela leur encombrait la tête et la vie, bien au-delà des services rendus par les objets accumulés, mais j'ai aussi un peu ce réflexe par rapport aux choses que j'aime : j'ai par exemple un mal fou à me débarrasser des livres ; il m'est presque impossible de jeter un vieux cadeau racorni, tout simplement parce qu'on me l'a offert ; et j'ai une paralysie totale à me dépouiller des vieux dessins ou vieux jouets de mes filles – ma femme sait qu'elle ne peut les jeter qu'en cachette…

De façon générale, s'alléger des objets qui ont une signification affective pour nous est douloureux : quand mon père est mort, je me souviens du temps que j'ai passé auprès de ma mère pour l'aider à ranger la maison. C'était très compliqué, pour moi et encore plus pour elle, parce qu'elle avait l'impression de jeter des pans de sa vie. Finalement, pourquoi sommes-nous à ce point attachés à nos souvenirs ? Bien sûr, ils nous donnent un sentiment de cohérence personnelle, l'impression de savoir un peu mieux qui l'on est, d'où l'on vient, mais si l'on réfléchit, ils sont plus encombrants que nourrissants. À un moment donné, l'accumulation cesse de nous faire du bien.

L'obsession d'être en lien avec le plus de gens possible sur les réseaux sociaux, à envoyer des centaines de SMS ou de photos procède aussi de cette tendance à ne rien vouloir perdre de ce qui fait notre vie.

J'ai l'impression de ne pas être seul dans cette difficulté, quand je vois autour de moi d'autres formes d'attachement, comme l'obsession des gens à prendre des photos : dans les réunions familiales, les voyages, on voit de plus en plus de photographes « fous » qui ne participent pas à la fête pour pouvoir capter des images. Et que va-t-il se passer ? Ils accumulent des images qui vont mourir dans leur ordinateur, puisqu'on y regarde moins les images que dans les albums papier où figurent seulement quelques photos choisies.

L'obsession d'être en lien avec le plus de gens possible sur les réseaux sociaux, à envoyer en temps réel des centaines de SMS ou de photos procède aussi de cette tendance à l'accumulation, à ne rien vouloir perdre ni jeter de ce qui fait notre vie. Notre époque est clairement très différente des époques qui nous ont précédés, où les liens, aux objets comme aux personnes, étaient plus rares, mais plus intenses. Nous vivons dans une société extrêmement toxique et d'une malignité absolue, puisqu'elle nous incite à acheter, à posséder, à accumuler, et puis au bout d'un moment elle nous pousse à jeter, non pas pour notre bien mais pour faire de la place afin d'acheter autre chose, parce que ce qui précédait n'est plus à la mode ou que c'est obsolète. C'est diabolique, parce que cette société de consommation a repéré que le besoin de s'alléger, ne serait-ce que mécaniquement, était indispensable, mais qu'elle en profite pour le transformer en un besoin de renouveler ce qu'on possède.

Dans le monde de la psychothérapie, là encore j'ai le sentiment qu'on est centré sur une démarche de compensation de déficits : le déprimé qui n'a pas assez d'élan vital, comment lui en donner plus ? Le timide qui manque de compétences sociales, comment lui en apprendre d'autres ? L'hyper-émotif qui n'a pas assez de régulation émotionnelle, comment lui en donner davantage ? Comment enseigner au toxicomane plus d'autocontrôle… Les pratiques méditatives m'ont ouvert les yeux sur le fait qu'on pouvait aussi encourager les gens dans la direction du moins : moins de rumination, moins de pensée, moins d'attachement, moins de désir de contrôle, etc. Ce fut une grande nouveauté, qui s'est avérée très féconde dans ma pratique et dans la conduite de ma vie personnelle.

J'ai en ce moment sur mon bureau un livre de Maître Eckhart sur la consolation ; je l'ai apporté et je vais vous en lire un passage magnifique sur le dépouillement : « Si Dieu veut me donner ce que je désire, je le possède et j'en suis comblé ; si Dieu ne veut pas me le donner, c'est par la privation que je le reçois dans cette même volonté divine, qui justement ne veut pas. Et ainsi c'est en étant privé que je reçois, c'est en ne prenant pas que je prends. » J'ai aussi recopié une citation de saint Augustin, qui dit : « Fais le vide afin d'être comblé, apprends à ne pas aimer pour apprendre à aimer, détourne-toi afin que tu sois bien tourné. Pour que ce soit dit en bref, tout ce qui doit accueillir ou être réceptif doit nécessairement être nu et vide. »

ALEXANDRE : En écoutant ces mots, j'aurais presque envie de me taire à tout jamais. Au chapitre du dépouillement, je suis un grand débutant qui se casse bien souvent la figure. Il y a peu, suivant le conseil d'un ami, j'ai fermé mon compte Facebook. Contre toute attente, cela ne m'a guère pesé. Au contraire, j'ai eu l'impression de m'être débarrassé d'une addiction, d'une chaîne, et cette petite victoire m'a donné la force de m'attaquer à des chantiers autrement plus sérieux. Mais, en la matière, j'ai du pain sur la planche. C'est lors d'une retraite « Zen et Évangiles » que j'ai découvert les plaisirs du dépouillement. Ces semaines dédiées à l'étude d'un soûtra et à la pratique des Évangiles comptent parmi les plus beaux instants de ma vie, ceux qui m'ont transformé de fond en comble. Dès l'aube, nous méditions six heures par jour, tout en explorant un soûtra en détail. La messe du soir, d'une extraordinaire pureté et d'une simplicité tout évangélique, me ramenait au cœur de l'intimité où tout prend naissance. À chaque fois, je faisais l'expérience d'une gratitude sans limite et retrouvais la force de dire oui du fond de mon cœur au tragique de l'existence et d'accueillir les mille et un dons du quotidien. Puis je regagnais ma chambre pour le repos de la nuit. L'ascèse prenait alors un tour assez inattendu : je me douchais en rinçant mes vêtements, n'ayant emporté que le strict minimum. En nettoyant mes affaires, je ressentais une joie immense, une reconnaissance sans limite envers tout ce que jour après jour nous recevons. Comme si la diminution de mes besoins laissait apparaître une joie inédite, profonde et sans pourquoi. Ça paraît dingue mais, dans la salle de bains, il m'est arrivé de dire merci à mon corps, au lavabo, à mes habits, et même aux toilettes qui me rendaient de sacrés services. Je découvrais comme pour la première fois tous ces objets quotidiens que, dans la hâte et la précipitation, j'avais oubliés. À quatre pattes, sous un jet d'eau, je comprenais que la joie était un acquiescement à l'existence, et que la prière se résumait en deux mots essentiels : oui et merci.

Se détacher et s'ouvrir aux autres

ALEXANDRE : Qui nous laisse croire que, pour être heureux, il faut nécessairement être libéré de tout manque ? Je crois, au contraire, qu'il est possible de connaître une joie profonde avec nos carences, nos frustrations, dans les hauts et les bas de l'existence. Si j'ai besoin de ma bagnole, de mon ordinateur, si je suis ligoté aux réseaux sociaux, je souffrirai tôt ou tard, et ce d'autant plus que le lien est *vicié*. De tout cœur, je peux commencer à traquer mes attachements et prendre conscience qu'ils me privent de légèreté. En t'écoutant, Christophe, je commence à comprendre que derrière ma dépendance aux e-mails, aux SMS, se cache l'illusion d'une sécurité. Comme si avoir une foule d'amis connectés me protégeait. Là aussi, sans condamner ce désir qui sourd des profondeurs d'un cœur blessé, apprendre à l'accueillir avec bienveillance sans devenir son esclave. D'ailleurs, depuis que je suis avec vous, il y a déjà deux ou trois amis qui m'ont écrit : «Pourquoi tu ne réponds plus aux e-mails ? Tu es mort ?» Il est certain que cette pression, même bienveillante, n'invite pas forcément au détachement. Il est urgent d'apprendre qu'un autre lien aux autres est possible, plus profond, plus libre. Et pourquoi toujours évaluer l'amour au manque qu'il peut générer ? Quel malentendu nous pousse à croire que plus nous manquons à quelqu'un, plus il nous aime ? Spinoza dégage un horizon inouï avec une simple question, limpide : «À quoi sommes-nous attachés par l'amour ?» Ce qui m'aide, c'est de voir que ma femme, mes enfants, mes amis et mon maître sont là, même dans l'épreuve. Jamais ils ne me jugent. Voilà une consolation que le matériel ne pourra jamais me donner.

Le grand progrès, c'est peut-être de voir que le bonheur vient du dépouillement et de nous avancer vers le *moins*. Toujours, il s'agit de descendre au fond du fond pour guérir. Amasser, accumuler, entasser, conquérir ne mène à rien. Souvent, lorsque je suis happé par une avidité effrénée, je me demande : ici et maintenant, qu'est-ce qui me manque véritablement ? Pas grand-chose, finalement ! La question m'apaise sur-le-champ et j'entrevois tout à coup la plénitude qui habite dans l'instant. Ici et maintenant, rien ne me manque, pourtant dès que l'imagination et le mental se mettent en route, je vis dans le tiraillement, la dépendance… D'où l'intérêt, pendant la journée, d'oser des

Le détachement n'a rien à voir
avec de la froideur. Ce n'est pas une barrière
entre les autres et moi, mais bien
plutôt une liberté par rapport à mon ego.

mini-retraites pour replonger dans l'expérience du non-manque qui se trouve tout au fond de nous.

Pour moins souffrir, la tentation est grande de nous blinder, au risque de devenir carrément insensibles. Il ne faut pas avoir froid aux yeux pour se dépouiller des carapaces et des vaines protections. En posant mes valises en Corée du Sud, j'ai fait l'expérience d'une certaine solitude. Sur place, les amis ne se sont pas tout de suite pressés au portillon… Un moine bouddhiste m'a beaucoup aidé pour les détails administratifs. Un jour, en me quittant, il m'a averti sans détour : « Ne compte par sur moi pour te contacter ; si tu as besoin de moi, appelle-moi. Je ne suis pas du genre à me manifester. » Le risque de se tenir à distance des autres, lorsqu'on se consacre à une vie spirituelle, plane toujours. Mais le détachement n'a rien à voir avec de la froideur. Ce n'est pas une barrière entre les autres et moi, mais bien plutôt une déprise de moi-même, une liberté par rapport à mon ego. Si je médite ou prie dans mon coin, si j'attends la sérénité sans poser des actes solidaires, à coup sûr je m'égare. D'où l'importance de l'amitié et des véritables rencontres. Nous sommes tous des coéquipiers en route vers le bonheur.

Grâce à toi, Christophe, je comprends aussi que le détachement commence par des actes très concrets : se désencombrer de tout le superflu passe aussi par le matériel. Si nous avons fait nos valises pour partir en Corée du Sud, c'est grâce à un ami. Un jour, il est venu chez nous et quand il a vu les livres qui s'amassaient partout, il m'a gentiment fait remarquer que le décor n'était pas très zen, et mon mode de vie pas davantage. Alors il m'a posé la question qui tue : «C'est quoi ton plus grand désir ?» Spontanément, je lui ai répondu : «Ma femme ne voudra jamais, mais je souhaiterais me former en Corée du Sud, mettre la vie spirituelle au cœur de notre quotidien.» Soudain, j'ai entendu une voix s'écrier : «Mais qui te dit que je suis contre ?» En quelques semaines, nous faisions les cartons pour rejoindre Séoul.

C'est donc une prise de conscience très simple qui m'a poussé à m'embarquer vers le «pays du matin frais». En préparant le voyage, j'ai dû me dépouiller de mes livres pour m'apercevoir que je trouvais plus de joie à les donner qu'à courir acheter la dernière nouveauté en librairie. Puis j'ai appelé une prison pour prévenir que j'avais un tas de livres à offrir, et c'est rempli d'allégresse que j'ai déposé des valises devant le pénitencier de Lausanne. Je souris à l'idée qu'un détenu puisse tomber sur les ouvrages d'un Maître Eckhart, d'un Spinoza, d'un Rûmi… Bref, c'est la joie et la pratique d'une générosité spontanée qui nous détachent des biens mondains et des liens factices. Apprendre à bien user de la poubelle, cet instrument de libération, prend aussi du temps. À mes yeux, jeter, abandonner participait

de la mort, de la peur, d'où la tentation de tout conserver… Aujourd'hui, l'exercice spirituel, c'est d'apprendre
que, pour l'essentiel, rien ne nous manque. Le matériel ne
saurait combler les aspirations qui habitent le fond de notre
cœur. Par exemple, sur mon bureau s'entassaient les dessins
des enfants sans que je prenne vraiment le temps de les
contempler. Depuis peu, j'y remédie en faisant de l'ordre.
Je les apprécie à fond, les observe en détail, avant de les
bazarder. Façon de voir que mes enfants vivent, meurent
et renaissent chaque jour, que l'Augustin bébé est déjà
parti pour laisser place à ce jeune garçon qui me sourit
aujourd'hui. Mes trois enfants me sont donnés à chaque
instant.

Se contenter dans la simplicité

MATTHIEU : Ce dont nous parlons ne concerne évidemment pas les gens qui vivent dans la précarité ou dans le
dénuement total. Nous avons tous besoin d'un toit sous
lequel nous abriter, et aussi de suffisamment de nourriture
et de confort pour rester en bonne santé. Et nous devons
faire tout ce qu'il faut pour venir en aide à ceux, si nombreux, qui en sont encore privés sur terre. Remédier aux inégalités et à la pauvreté dans le monde est un devoir essentiel.

Ce dont on parle ici, c'est de la nécessité de se débarrasser du superflu. J'admets que cela est plus facile pour moi,
qui ai pris la voie monastique et ne possède ni maison, ni
terres, ni voiture. J'ai choisi un mode de vie qui me permet
de partir du jour au lendemain à l'autre bout du monde,

sans faillir à mes responsabilités envers une famille ou des collègues de travail, sans leur faire du tort.

Cela dit, la notion de manque et de privation est très relative. Pendant treize ans j'ai dormi par terre dans la chambre de mon maître Khyentsé Rinpotché, partout où il se trouvait dans le monde. Le matin, je pliais mon sac de couchage et je le rangeais dans une poche avec ma brosse à dents, ma serviette et quelques bricoles. À la mort de Khyentsé Rinpotché, en 1991, j'ai dormi dans son anti-chambre, sur un tapis. Le matin, je rangeais mes affaires dans un petit cagibi. Au bout de deux ou trois ans, on m'a dit : «Tu ne veux pas une chambre ?» J'ai accepté, et c'était plutôt agréable. Mais à aucun moment je n'ai consi-déré ma situation précédente comme du dénuement. Bien au contraire, ce qui prédominait en moi, c'était la joie en pensant à l'extraordinaire chance que j'avais de vivre auprès de Khyentsé Rinpotché, de bénéficier de sa présence et de recevoir ses enseignements.

Je me sers d'ailleurs toujours, aujourd'hui, du même sac de couchage. Il n'y a vraiment pas de quoi s'attacher à ce sac qui perd ses plumes, mais je ne vois pas la nécessité de le remplacer tant qu'il me tient encore chaud l'hiver.

L'attachement complique la vie. Un jour, à la fin d'une conférence, au moment de signer des livres, je me suis retrouvé avec un stylo Montblanc dans la main. J'ai cher-ché à la ronde… personne ne le réclamait. Je l'ai gardé. Le problème, c'est que j'ai tendance à égarer les stylos-bille. Habituellement, cela n'a guère d'importance, mais un stylo Montblanc, ce n'est pas n'importe quel stylo, ce serait

Ce ne sont pas les objets, les personnes ou les phénomènes qui posent problème mais l'attachement qu'on a pour eux.

dommage de le perdre! Du coup, il dort dans un tiroir et ne me sert à rien. Je ferais mieux de le donner. Mais est-ce une bonne chose de donner un stylo qui représente 5 % de stylo et 95 % d'attachement inutile?

Ce ne sont pas les objets, les personnes ou les phénomènes en eux-mêmes qui posent problème mais l'attachement qu'on a pour eux. Un grand maître bouddhiste indien disait : «Ce ne sont pas les phénomènes qui t'asservissent, c'est ton attachement.» On raconte l'histoire d'un moine tellement attaché à son bol qu'il serait re-né sous la forme d'un serpent lové dans le fameux bol, et ne laissant personne approcher. Le dépouillement n'est donc pas une question de richesse ni de pauvreté, mais de force avec laquelle on s'accroche aux choses. Même l'homme le plus riche, s'il ne s'attache pas à ses richesses, n'en est pas esclave et peut en faire profiter les autres.

Cela dit, c'est incroyable ce que j'arrive, malgré moi, à engranger. J'ai une petite chambre au monastère de Shechen, au Népal, qui fait trois mètres sur trois, et un ermitage dans la montagne, encore plus petit. Dans chacun de ces endroits, j'ai un autel avec des livres et quelques statues et, en dessous, deux petits espaces de rangement. Et je finis quand même par accumuler plus que le nécessaire. Alors, une fois par an, je sors tous les vêtements qui s'y trouvent et distribue ceux que j'ai en double ou en triple. Dans le local où je travaille, au monastère, j'éprouve une véritable jubilation à jeter des paquets de vieux dossiers qui vont alimenter les feux de la cuisine.

Aujourd'hui, quand on parle de crise financière dans les pays riches, il s'agit le plus souvent de crise du superflu. Si tout le monde se contentait du nécessaire, nous n'en serions pas là. Récemment, je suis tombé, à New York, sur une queue longue de 500 mètres de centaines de gens qui attendaient patiemment dans la rue. Intrigué, je leur ai demandé de quoi il s'agissait. « Une vente d'échantillon de foulards de grandes marques. Ils sont vendus 300 dollars au lieu de 500, » m'ont-ils répondu.

Je n'ai pu m'empêcher de penser qu'au même moment, au Népal, les femmes faisaient d'interminables queues dans la rue pour obtenir quelques litres de kérosène pour cuire le repas de leurs enfants. La « crise » financière n'a évidemment pas le même visage pour tout le monde !

Là-bas, et dans bien d'autres pays du monde qui souffrent d'inégalités croissantes, la majorité des gens n'ont pas ce que nous considérons comme le minimum décent.

Selon un dicton tibétain, « être satisfait, c'est comme avoir un trésor dans le creux de la main ». Le vrai riche est celui qui n'est pas avide de superflu. Celui qui vit dans l'opulence et veut encore davantage sera toujours pauvre. Croire qu'en ayant toujours plus on finira par être satisfait, c'est se leurrer soi-même. C'est comme s'imaginer qu'en buvant toujours plus d'eau salée un moment viendra où l'on n'aura plus soif.

Au Tibet, on dit que le véritable ermite ne laisse que la trace de ses pas quand il quitte ce monde. Dans les sociétés de consommation, on accumule, on accumule, en voulant toujours tout garder pour soi. Ma chère mère dit que notre civilisation est « centripète », car on attire toujours plus de choses à soi. L'Orient traditionnel offre encore de nombreux exemples de civilisation « centrifuge », dans laquelle on partage. Je connais une nonne tibétaine qui, lorsque vous lui faites un cadeau, vous dit : « Merci ! Je vais pouvoir faire des offrandes et donner aux pauvres ! »

La liberté du non-attachement

MATTHIEU : Ne pas s'attacher ne veut pas dire aimer moins les autres. Au contraire, on les aime mieux, car on est moins préoccupé par le besoin de recevoir leur amour en échange de celui qu'on leur donne. On les aime tels qu'ils sont, eux, et pas à travers le prisme déformant de notre ego. Plutôt que de s'attacher aux autres pour le bonheur qu'ils nous donnent, on se soucie de leur bonheur ; au lieu d'attendre anxieusement une gratification, on se réjouit simplement quand notre amour suscite un amour réciproque.

Je préfère le terme « non-attachement », qui évoque l'idée de ne pas « coller » aux choses, au mot « détachement », qui fait penser à un arrachement douloureux. Le non-attachement consiste à apprécier pleinement les êtres et les situations, mais sans vouloir les accaparer, sans les enduire avec la colle de notre désir possessif.

Le non-attachement, c'est aussi ne pas placer tous nos espoirs et nos craintes dans les conditions extérieures. Dans le bouddhisme tibétain, on parle de « saveur unique ». Cela ne signifie pas qu'on ne fait plus de différence entre la moutarde et les fraises et que tout devient insipide, mais qu'on est capable de préserver notre paix intérieure en toutes circonstances, qu'il fasse chaud ou froid, que l'on soit à l'aise ou pas, qu'on nous dise des choses plaisantes ou déplaisantes. Une fois cette paix intérieure trouvée, on est comme un bateau avec une quille bien plombée : même si une rafale de vent nous fait gîter, on ne chavire pas et on a vite fait de se redresser.

Quant à la simplicité intérieure, c'est une des vertus cardinales de la pratique spirituelle. Elle va de pair avec une grande liberté par rapport aux ruminations mentales, aux espoirs et aux craintes qui rendent souvent compliquées même les situations les plus simples. En tibétain, le mot « simplicité », dans son sens le plus profond, veut dire le repos dans la nature de l'esprit, libre de toutes fabrications mentales.

CHRISTOPHE : Mais dans le dépouillement, quoi qu'on en dise sur le plan théorique, il y a une relative perte de confort. Vivre dans une grande pièce avec une belle vue me semble plus confortable qu'être installé dans une toute petite pièce qui donne sur un mur ou sur un parking... Même si nous savons que ce n'est pas là que se situe l'essentiel, le confort est au début un facilitateur, puis il peut devenir peu à peu un obstacle, s'il s'impose comme valeur prioritaire.

MATTHIEU : Je ne suis pas convaincu que le dépouillement soit moins confortable que l'appropriation à outrance. D'expérience, j'opte sans hésiter pour la simplicité heureuse. Les situations que tu mentionnes, Christophe, ne sont pas seulement inconfortables. Dans le cas de la vue sur un mur, il ne s'agit pas vraiment de dépouillement, mais de situation défavorable à notre bien-être et à notre épanouissement, du moins jusqu'à ce qu'on atteigne un certain degré de libération intérieure. Le dépouillement dont je parle ne consiste pas à se mettre dans une situation misérable, mais à se débarrasser des tracas inutiles associés au superflu. Le superflu, c'est comme la crème sur les gâteaux : plus il y en a, moins c'est bon pour la santé.

Dilgo Khyentsé Rinpotché parlait de la souffrance de posséder trop de choses. Si vous ne possédez qu'un cheval, vous avez les souffrances liées à ce cheval – le problème de lui fournir un abri et de la nourriture, de le garder en bonne santé, la tristesse s'il meurt, etc. Si vous possédez une maison, vous avez aussi les souffrances liées à une maison – taxes, réparations, entretien, incendie, inondation, etc. Il est indéniable que plus on a de choses, plus on a de problèmes et de souffrances liées à ces choses.

Je peux citer l'exemple inattendu d'une personne très fortunée qui a volontairement simplifié sa vie. Il s'agit de Pierre Omidyar, le cofondateur d'eBay. Un jour, il a dit à son investisseur : « Arrêtez de faire fructifier mon argent, j'en ai suffisamment.» Avec sa femme, Pam, il a créé une fondation qui vient en aide à des centaines de milliers de femmes en Inde, parmi d'autres bénéficiaires. J'étais intrigué par son histoire, et je l'ai rencontré à Vancouver lors d'une table ronde avec le Dalaï-lama. Quand je l'ai revu à Paris, il est arrivé en métro. Sa mère lui a dit : «Tu es souvent à Paris, tu pourrais quand même t'acheter une voiture!» Il est allé dans une exposition d'automobiles, où il a vu toutes sortes de belles voitures. Il en a fait le tour, puis il s'est dit : «Je pourrais les acheter toutes, mais est-ce que j'ai vraiment besoin d'une seule d'entre elles? Non.» Il est reparti tout content en métro.

ALEXANDRE : C'est magnifique!

MATTHIEU : Je pourrais aussi citer le cas de Gérard Godet, aujourd'hui décédé, qui était un grand bienfaiteur du bouddhisme et soutenait de nombreuses associations caritatives. Il avait fait neuf ans de retraite spirituelle. Il était riche, lui aussi, mais vivait simplement et s'habillait de façon si modeste qu'un jour qu'il s'était abrité de la pluie sous un porche et qu'il tendait la main pour voir s'il pleuvait encore, une passante y a déposé une pièce.

L'allégement qui apaise

MATTHIEU : Le renoncement n'est, en fait, pas une privation, mais une liberté. Au premier abord, il n'évoque pas quelque chose de très plaisant, mais imaginez que vous

Renoncer ne veut pas dire se priver
de ce qui procure joie et bonheur, ce serait
absurde, mais en finir avec
ce qui crée d'innombrables tourments.

marchez en montagne et que votre sac à dos vous paraisse trop lourd. Pendant une pause, vous l'ouvrez et vous voyez que sous vos provisions de route un plaisantin a mis des cailloux. Au moment où vous jetez les cailloux, vous ne vous privez de rien, vous vous rendez simplement la vie plus facile. Le vrai renoncement, c'est ça. Il suffit de distinguer ce qui, dans l'existence, est source de satisfaction profonde et ce qui n'est que source de problèmes.

Si un père alcoolique décide de renoncer à l'alcool pour le bien de ses enfants, le sevrage sera sans doute difficile, mais on ne peut pas dire qu'il diminue ou appauvrisse ce père. Renoncer ne veut pas dire se priver de ce qui procure joie et bonheur, ce serait absurde, mais en finir avec ce qui crée sans cesse d'innombrables tourments. On souffre tous réellement d'une addiction aux causes de la souffrance. Oublions l'euphorie factice et le bonheur en boîte. Sans nous interdire de désirer, embrassons ce qui est vraiment désirable du point de vue de notre épanouissement.

Être toujours préoccupé par les louanges et les critiques, la renommée et l'anonymat, la richesse et le pouvoir, nous prive de nos biens les plus précieux : notre temps, notre énergie, notre santé, et même notre vie. Sénèque disait :

« Ce n'est pas que nous ayons peu de temps, mais que nous en gaspillons beaucoup. » Les chimères qu'on poursuit sont moins des méthodes pour gagner notre vie que des moyens de la perdre. Il y a tant de choses et d'activités dont on peut se délester pour vivre une vie meilleure et moins se disperser dans le superflu. Comme disait Tchouang-tseu, « celui qui a pénétré le sens de la vie ne se donne plus de peine pour ce qui ne contribue pas à la vie ». Le non-attachement a un joyeux goût de liberté.

Se dépouiller, c'est aussi s'affranchir des pensées vagabondes qui ne cessent jamais de tournoyer dans notre esprit. C'est laisser derrière soi les ruminations, les espoirs et les craintes qui emplissent habituellement notre paysage mental au détriment de l'amour, de la compassion et de la paix intérieure.

CHRISTOPHE : Y a-t-il un mot tibétain pour désigner positivement cette démarche d'allégement ? Dépouiller, renoncer sont des mots qui ont un côté négatif.

MATTHIEU : Le mot tibétain qu'on traduit habituellement par « renoncement » veut en fait dire « détermination à se libérer ». C'est la résolution farouche de se libérer de l'océan de souffrances du samsara, conditionné par l'ignorance et la souffrance et, par conséquent, de laisser derrière nous tout ce qui nous alourdit en nous faisant sombrer dans cet océan. On parle du soulagement de celui qui dépose un lourd fardeau, ou qui s'échappe d'un fossé de braises. L'état qui en résulte pourrait être appelé une simplicité heureuse et voulue, ce qui rappelle un peu la « sobriété heureuse » de Pierre Rabhi.

Le dépouillement au quotidien

CHRISTOPHE : C'est très compliqué d'arriver vers la nécessité du dépouillement juste par la force de son intellect. Nous avons besoin d'en faire l'expérience concrètement.

Les retraites sont par exemple une aide extrêmement précieuse : quand on fait une retraite, on est dépouillé de la possibilité de téléphoner, d'envoyer des SMS, de lire, de regarder la télé, etc. On est privé de ces prothèses extérieures et de toutes ses petites possessions habituelles. On est immergé dans le monastère, en osmose avec des gens qui ont fait le choix d'une vie entière dans le dépouillement. Ils ne voient même pas qu'ils sont dans le dépouillement : comme un poisson dans l'eau ne voit pas qu'il est dans l'eau. Et si tu te mets en phase avec eux, tu prends des sacrées leçons sur tes attachements.

Une autre pratique instructive dans ce domaine, c'est le jeûne. J'ai fait l'expérience du jeûne, très en lien avec cette notion de dépouillement : on s'aperçoit qu'il est tout à fait possible de ne pas manger pendant quelques temps, que cela ne nous met pas en danger, ne nous fait pas souffrir, et qu'on acquiert une grande capacité de discernement sur notre rapport à la nourriture – on fait beaucoup mieux la différence entre la véritable faim et l'envie de manger parce que ça sent bon et que c'est beau, l'habitude parce que c'est l'heure, le plaisir parce qu'on est gourmand. Ce fut pour moi une sorte de laboratoire d'allégement, de renoncement, qui est allé bien au-delà du simple fait de jeûner.

J'aimerais entendre tous les types d'efforts que vous avez pu faire tous deux. Je pense qu'il y a une hygiène du dépouillement. J'ai besoin – et je pense que les lecteurs ont besoin comme moi – que vous nous en disiez davantage, puisque vous êtes plus avancés sur ce chemin.

ALEXANDRE : En partant pour la Corée, je me suis aperçu des mille objets que j'avais peu à peu entassés. Je me suis alors livré à une petite ascèse : me demander pourquoi je m'accrochais tant à ces bibelots et d'où les choses qui m'entouraient tiraient leur valeur. Mes parents m'ont rebattu les oreilles en me répétant sans cesse qu'il fallait que je range ma chambre. Aujourd'hui, je comprends, grâce à la pratique du zen, qu'un environnement encombrant finit par polluer notre esprit et le distraire. Aussi, j'ai pris grand soin de liquider de la maison tout ce qui n'était pas utile. C'est très simple : n'entrent dans la chambre que les objets dont je me sers vraiment. J'ai poussé l'exercice jusqu'à l'extrême en ne gardant sur la table de chevet qu'un seul livre. Faire le ménage, c'est commencer par se poser la question : qu'est-ce que l'essentiel ? Depuis, c'est presque un jeu. Lorsque je fais les courses, je me demande par exemple si le vêtement que je m'apprête à acheter me convient vraiment, ou si je ne fais que suivre une pulsion consumériste. Et l'ordinateur dernier cri qui me tente, en ai-je réellement besoin ? Plus que tout, donner libère.

Un jour, ma femme m'a gentiment rappelé à l'ordre en remarquant que je me débarrassais plus volontiers des livres de poche que des grands formats. Tout simplement, elle m'a dit : « Si tu veux vraiment faire ton exercice, vas-y carrément et commence par tes exemplaires de la Pléiade… » En me montrant que la meilleure intention du monde ne suffit pas, qu'il faut des actes, du concret, elle m'a bien fait rigoler.

À Séoul, avec les enfants, nous nous livrons parfois à un petit exercice spirituel. Dès que nous posons les pieds dans une grande surface, nous nous lançons le défi de sortir les mains vides. Socrate, en se baladant sur la place du marché, se réjouissait de voir combien il y avait de choses dont il pouvait se passer.

MATTHIEU : J'ai entendu le Dalaï-lama dire que dans sa vie il était allé deux fois dans un grand magasin. Chaque fois, il a fait un petit tour et, après avoir regardé toutes sortes de choses en se disant « tiens ! je pourrais acheter ça », il s'est rendu compte qu'il n'en avait pas besoin, et il est sorti les mains vides !

ALEXANDRE : Pourquoi ne pas les imiter et jeter un autre regard sur ce qui nous tente ? Dès que j'entre dans un grand magasin, j'entends une petite voix, comme un signal d'alarme, qui m'arrête tout de suite. Je résiste à cette frénésie qui me laisse croire que le bonheur c'est d'avoir, et il existe mille et une façons d'échapper à la tentation. Par exemple, en observant, en contemplant et surtout en trouvant notre joie dans l'exercice même. Demeurer attentifs aux autres nous fait progresser. Ainsi, à la caisse, laisser passer la vieille dame qui peine à marcher. Plus que l'effort, c'est l'attention au présent qui libère. Ce n'est pas la privation, les frustrations ni le manque qui conduisent au détachement, mais la plénitude et la joie. Ce qui m'aide à donner et à me dépouiller, c'est de profiter à fond de la vie et de lire, par exemple, avec gourmandise, le livre qui m'attend sur la table de nuit. Se détacher, c'est paradoxalement apprendre à se réjouir et avancer.

En vous écoutant, je repense aussi aux mots de Thoreau, qui lance ce merveilleux défi : « Simplifiez, simplifiez, simplifiez. » Sa devise, son remède me sert de boussole dans la vie de tous les jours. Rejoindre l'essentiel, dépouiller notre mode de vie, apaiser les relations tourmentées est une pratique, une ascèse. Ici, il ne s'agit pas de nous leurrer mais de considérer avec une franchise infinie tous les besoins qui habitent notre cœur. Un à un, briser les attachements pour s'envoler vers la liberté, voilà le chemin que je peux emprunter avec saint Jean de la Croix : Un oiseau peut être attaché par un fil d'or, ce tout petit lien peut l'empêcher de s'envoler…

CHRISTOPHE : La traversée du supermarché comme exercice spirituel ! C'est quelque chose que j'ai fait parfois avec mes patients acheteurs compulsifs. On appelle ça « l'exposition avec prévention de la réponse » : on expose les gens à des environnements qui tendent à déclencher chez eux des réponses pathologiques, et on les aide à ne pas

D'où le fameux mantra, qui procure un immense soulagement : « Je n'ai besoin de rien ! Je n'ai besoin de rien ! Je n'ai besoin de rien ! »

accomplir ces réponses. On se rend avec eux dans les magasins, on respire bien fort devant tout ce qu'on aurait envie d'acheter, on ne l'achète pas, et on sort avec la conscience qu'on a fait du bon boulot. Il faut répéter l'exercice régulièrement ! Car nous sommes régulièrement recontaminés, repollués par la pub et la société de consommation.

MATTHIEU : Je me rappelle qu'un jour, dans mon ermitage, je me suis dit : « Si une fée me proposait de faire trois vœux sur le plan matériel, qu'est-ce que je pourrais bien lui demander ? Vu la taille de mon ermitage, les possibilités étaient limitées : pas moyen d'y caser une chaîne hi-fi, ni même un ordinateur grand écran. J'ai un autel avec quelques statues, une vingtaine de livres, quelques vêtements et objets utiles. Au bout d'un moment, j'ai éclaté de rire, parce que je ne trouvais rien à souhaiter qui ne soit pas une source d'encombrement plutôt qu'un avantage. D'où le fameux mantra, qui procure un immense soulagement quand on le récite une dizaine de fois : « Je n'ai besoin de rien ! Je n'ai besoin de rien ! je n'ai besoin de rien ! etc. »

Un grand maître tibétain, Dudjom Rinpotché, disait que lorsqu'on a une chose et qu'on en veut deux, on ouvre déjà la porte au démon. À partir du moment où l'on est incapable de se contenter du nécessaire, il n'y a plus de limites. La terre entière ne suffirait pas. Je me souviens d'un film que j'ai vu dans un avion. C'était l'histoire d'une vaste machination organisée par un homme et une femme qui réussissent à détourner des milliards de dollars d'un système bancaire en déréglant les horloges, etc. À la fin, la femme veut être la plus maline et partir avec la totalité du butin. L'homme déjoue son stratagème et lui demande : « Que peux-tu faire avec quatre milliards que tu ne peux pas avec deux ? » Si l'on veut utiliser une telle somme pour le bien des autres, pour éradiquer le paludisme ou nourrir ceux qui ont faim, on peut bien sûr faire beaucoup. Mais pour soi-même, rien.

CHRISTOPHE : J'adore ce mantra jubilatoire : « Je n'ai besoin de rien ! » Ce n'est pas du bourrage de crâne ni une méthode Coué, mais une sorte de massage mental qui assouplit les adhérences psychologiques à nos faux besoins, et nous fait progressivement prendre le goût d'autre chose, d'une autre façon de vivre et de répondre aux tentations. Quand on le prononce avec sincérité, en se dépouillant des *a priori*, il se passe quelque chose, tout comme quand Alex rappelle cette question : « Qu'est-ce qui me manque ? » Se poser cette question n'est utile que si tu t'arrêtes vraiment et que tu te laisses bousculer par elle.

Apprendre la simplicité aux enfants

MATTHIEU : On devrait commencer l'apprentissage du dépouillement avec les enfants. Il faudrait déjà avoir la décence de ne pas les conditionner à devenir accros à la consommation. Dans son livre *The High Price of Materialism* (Le prix élevé du matérialisme), le psychologue Tim Kasser cite les propos du PDG de *General Mills*, l'une des plus grosses entreprises alimentaires du monde : « Quand il s'agit de cibler des consommateurs en bas âge, nous suivons le modèle "du berceau à la tombe". Nous pensons qu'on doit attraper les enfants très tôt, puis les conserver toute la vie. » Pour contrecarrer ce projet cynique, Kasser suggère d'interdire toute publicité destinée aux enfants, comme cela a été fait en Suède et en Norvège.

Comment apprendre la simplicité aux enfants ? En leur faisant partager la joie des choses simples. Pour revenir à Tim Kasser, à Bangkok, où on était pour une conférence sur « le bouddhisme et la société de consommation », il nous a raconté : « Ce matin, j'ai passé un moment merveilleux avec mon fils dans un parc. On a découvert toutes sortes de fleurs tropicales et d'oiseaux multicolores, et on a profité de la beauté et du calme du lieu. Imaginez qu'au lieu de ça j'aie emmené mon fils faire du shopping dans un supermarché thaïlandais. Imaginez qu'en sortant nous ayons pris un triporteur « touk-touk » et que celui-ci ait accroché une voiture. Nous aurions peut-être dû emmener le conducteur à l'hôpital, une amende aurait été infligée au chauffard responsable, et tout ça aurait été bien meilleur pour la consommation et le PIB du pays, mais pas pour notre satisfaction profonde. »

Lors d'une promenade dans la campagne française, un ami m'a rappelé que, dans notre jeune âge, à la saison des cerises, nous étions tous dans les arbres à nous régaler. Aujourd'hui, les cerises restent sur les branches. Les enfants ne grimpent plus aux arbres. Ils sont généralement devant leurs ordinateurs. Entre 1997 et 2003, le pourcentage des enfants de 9 à 12 ans qui passent du temps dehors à jouer ensemble, à faire des randonnées ou du jardinage a chuté de moitié. Les jeux sont de plus en plus solitaires, virtuels, violents, dénués de beauté, d'émerveillement, d'esprit de camaraderie et de plaisirs simples. Or, des recherches ont montré qu'un contact plus grand avec la nature a un impact important sur le développement cognitif de l'enfant.

CHRISTOPHE : Cette question des enfants est capitale… J'avais fait dans une revue scientifique l'analyse d'un livre de Joël Bakan, *Nos enfants ne sont pas à vendre*, où il démonte, dans le détail, la façon dont notre société cible les enfants, les manipule, les rend addicts et manipule aussi les parents. C'est terrifiant !

MATTHIEU : Et fondamentalement immoral. Nous avons affaire à de l'égoïsme institutionnalisé et tout à fait cynique, parce que ces entreprises commerciales savent pertinemment qu'elles font du tort aux enfants.

CHRISTOPHE : Je pense comme toi, Matthieu, et je pense aussi que toute forme de publicité visant des mineurs devrait simplement être interdite, quel que soit le domaine, que ce soit pour des jouets ou des boissons sucrées. Il n'y a

Toute forme de publicité visant des mineurs devrait simplement être interdite, que ce soit pour des jouets ou des boissons sucrées.

aucune raison justifiant d'inciter les enfants à consommer. On utilise leur vulnérabilité avec cynisme, ce qui est inacceptable à mon sens.

Autre point où nous sommes, nous parents, responsables : j'ai souvent l'intuition que les cadeaux à nos enfants nous servent à déculpabiliser pour le temps qu'on ne passe pas avec eux. Pendant des années, j'habitais encore à Toulouse, et Pauline, mon épouse, était à Paris. Toutes les semaines, je prenais l'avion pour la rejoindre et j'étais souvent dans les aéroports. Ce sont des endroits où il y a beaucoup de magasins, et si vous regardez bien, aussi des magasins de jouets – ce qui est tout de même surprenant. Ces boutiques ciblent les papas, et de plus en plus des mamans, culpabilisés d'être loin de chez eux, qui passent devant la vitrine, et dont le cœur se fend parce qu'ils pensent à leurs enfants. Ils se soulagent et veulent faire plaisir en achetant un jouet, alors qu'idéalement ils devraient se demander : « Mais pourquoi suis-je malheureux ? Est-ce parce que mon enfant manque de jouets ? Non, je suis malheureux parce que je ne suis pas assez souvent avec lui. » Et que fait-on ? Par facilité, on entre dans le magasin, on achète le jouet, on le donne à l'enfant qui est content tout de même, parce qu'il le prend aussi comme une preuve d'amour, d'une certaine façon. Je l'ai fait, nous l'avons tous fait, mais c'est comme donner un soda à son enfant au lieu de lui apprendre à boire de l'eau : on ne lui rend pas service.

Le mieux que l'on puisse faire pour ses enfants, c'est, encore une fois, d'être un modèle. Si l'on s'achète tous les six mois une nouvelle montre, si l'on fait les soldes comme des fous, si la sortie au supermarché est la sortie familiale du week-end, qu'est-ce qu'on leur envoie comme message ?

Mais j'ai de l'espoir parce que je pense que l'espèce humaine est intelligente, adaptative, et je vois que cette nouvelle génération d'enfants qui a grandi dans un environnement pléthorique au point de vue des objets, des jouets, des fringues, commence à s'immuniser contre la consommation. Les enfants que je connais bien – mes filles, mes neveux, les enfants d'amis proches – ont sinon une méfiance, du moins une espèce d'indifférence ou d'autonomie croissante par rapport au fait de posséder, et au fond ils donnent ce qu'ils possèdent beaucoup plus facilement que nous ne le faisions. J'ai le sentiment qu'à un moment donné cette société d'hyperconsommation, qui attise nos désirs et crée des désirs factices, va finir par sécréter dans nos cerveaux des anticorps de manière assez naturelle. On voit émerger de plus en plus ces économies parallèles, ces économies du partage où, au lieu d'acheter, on emprunte – une tronçonneuse à un voisin par exemple. On pourrait bien évoluer vers des modèles qui vont s'imposer, où les enfants se prêteront leurs jouets, leurs livres, etc.

NOS CONSEILS POUR CHEMINER LÉGER

LES TROIS ALLÉGEMENTS
CHRISTOPHE

Voici trois conseils que je m'efforce de suivre (je n'y parviens toujours pas)

🍃 L'allégement matériel. Je recommande le mantra de Matthieu : «Je n'ai besoin de rien», ou alors, si c'est trop dur : «Je n'ai pas besoin de tout ça.» Quand on fait ses courses ou qu'on se balade dans les magasins, avant d'acheter, se demander : est-ce que j'en ai vraiment besoin ? Est-ce que ça va me rendre plus heureux aujourd'hui ? Et demain, dans un mois, un an ?

🍃 L'allégement occupationnel. On fait trop de choses et on engage nos enfants dans trop d'activités : avons-nous besoin de tous ces loisirs, de toutes ces démarches ? Et si nous en faisions moins, pour vivre mieux ? Et si nous gardions du temps pour ne rien faire, pour contempler, pour respirer ?

L'allégement mental. S'alléger de ses craintes – craintes de l'avenir, craintes de notre image sociale, craintes par rapport à notre sécurité. Alex en parle souvent : il y a un grand ménage à faire aussi sur le plan psychologique !

Conseils
Alexandre

S'affranchir des étiquettes. Maître Eckhart invite sans cesse son lecteur à se déprendre de soi. Aussi, cent fois par jour, je puis faire l'expérience que je ne suis pas l'anxieux de service, ni le colérique qui pète un câble, ni le philosophe ou la personne handicapée. L'ascèse, c'est nous dépouiller de toutes ces identifications auxquelles nous nous réduisons, pour mourir et renaître à chaque instant. Plus je me réduis à une étiquette, plus je souffre. Quittons sans tarder cet esprit de fixation qui nous ligote au matériel, instant après instant, voilà le grand défi.

Le coût de la paix, c'est le *dépouillement*. La joie profonde requiert d'en faire un peu moins. Maître Eckhart nous convie à désencombrer le temple de notre esprit. Aujourd'hui, là, tout de suite, de quoi puis-je me dépouiller concrètement ? Comment faire de la place dans l'agenda ?

☞ Se demander *ce qui est essentiel*. Apprendre à faire le ménage, les courses : c'est sur le terrain de la vie quotidienne que s'inaugurent les progrès. Aussi, nous pouvons considérer le supermarché comme un immense terrain d'exercice pour discerner nos véritables besoins. À force de chercher le bonheur là où il ne se trouve pas, nous passons à côté de l'essentiel. Rien n'est plus précieux qu'un mode de vie dépouillé, qui nous aide à nous rendre disponibles à la joie et à la paix. Et si nous commencions par mettre un peu d'ordre dans nos vies le plus simplement du monde ?

EN CONCLUSION
MATTHIEU

Je reprendrai la phrase de Thoreau, l'une de mes favorites : « Simplifier, simplifier, simplifier. »

☞ Simplifier nos pensées, en évitant d'encombrer notre esprit de cogitations inutiles, de vaines attentes et de craintes déraisonnables, en cessant de ruminer le passé et d'anticiper fébrilement l'avenir.

☞ Simplifier nos paroles, en évitant de faire de notre bouche un moulin à bavardages inutiles qui tourne sans pouvoir s'arrêter. Les mots qui s'échappent de nos lèvres sont parfois lourds de conséquences. Cessons de propager ainsi l'attachement et l'animosité.

Parlons avec douceur et, si la fermeté est nécessaire, qu'elle soit empreinte de bienveillance.

🍂 Simplifier nos actes en ne nous laissant pas accaparer par des activités interminables qui dévorent notre temps et ne nous apportent que des satisfactions mineures.

10
LA CULPABILITÉ
ET LE PARDON

ALEXANDRE : Avancer, progresser toujours, d'accord ! Mais comment abandonner pour de bon ces boulets qui, bien des fois, nous clouent sur place ? Comment s'extraire un peu du passé ? Vraiment, la culpabilité, le ressentiment, les rancunes et tout le cortège des poisons du mental nous jouent de sacrés tours. Une fois de plus, Maître Eckhart me livre un redoutable antidote quand il distingue deux espèces de repentir. L'un, temporel et sensible, nous enlise dans le découragement et le désespoir. En nous tirant vers le bas, il nous enferme dans un sentiment d'impuissance, nous assomme. L'autre, que le mystique appelle divin et surnaturel, nous donne en quelque sorte des ailes, il nous élève vers Dieu, nous détourne du mal et redirige, avec force, notre volonté vers le bien. Bref, sans bazarder tout sentiment de faute, il est clair que nous devons quitter cette culpabilité narcissique qui, loin de nous rendre meilleurs, nous paralyse. Avant tout, il faut s'inscrire dans une dynamique, nous mettre en route. Même si je trébuche et me casse la figure, je reste un *progrediens,* un être qui se relève et s'avance vers une joie libre. Jusqu'à notre dernier souffle, nous avons la possibilité de progresser, de dire oui, même du bout des lèvres, à ce qui arrive.

Alléger le cœur et faire respirer l'âme réclament peut-être de renouer avec cet esprit d'enfance, cette innocence que les sages ne perdent jamais. Déposer, abandonner ces kilos d'angoisses, ces paquets d'amertume et de ressentiments nous dégagent assurément de bien des impasses. Car il s'agit au fond de laisser advenir avec une immense patience ce que nous avons à être. L'homme qui macère dans le mépris de soi ne saurait s'élever bien haut. L'exemple des maîtres zen m'aide à cheminer : devant une difficulté, l'esprit ne se perd pas en spéculations. Dès qu'un problème se pointe, il s'agit de passer à l'action. Sur le terrain moral, lorsque je commets une faute, c'est très simple, au lieu de me perdre dans les «j'aurais dû…» et les «ah si seulement…», je n'ai qu'à repérer concrètement ce que je peux faire pour réparer mon tort. Et plutôt que de ruminer, aider vraiment la personne que j'ai blessée. S'accuser en permanence, s'accabler de mille reproches ne soulage personne. Finalement, nous ne faisons que remettre une couche de souffrance.

En finir avec la culpabilité

MATTHIEU : Tu parles du sentiment de culpabilité très lourd à porter, mais il y a aussi le simple regret, qui permet de reconnaître les erreurs qu'on a commises et le mal qu'on

Regretter le passé, croupir dans les remords bouffe une énergie considérable. Pourquoi ne pas simplement prendre acte de nos erreurs et essayer d'en tirer un enseignement ?

a fait par manque de discernement ou de considération pour autrui. Une forme de regret sain, qui s'accompagne du souhait de ne pas répéter les mêmes erreurs et de réparer le tort qu'on a fait aux autres et à soi-même. C'est en tout cas le point de vue pragmatique du bouddhisme. Même si cela peut sembler paradoxal, ce type de regret peut conduire à l'optimisme, car il débouche sur le désir de changer, il est le point de départ d'une amélioration de soi.

ALEXANDRE : Dans un superbe livre dédié à Platon, le philosophe Alain décape une fausse conception de la liberté. Si je ne peux plus choisir aujourd'hui de m'être par le passé marié avec ma femme, je peux choisir de l'aimer de tout mon cœur d'instant en instant. L'horizon qui se dégage me réjouit. Le défi, c'est d'exercer cette liberté jusque dans les obstacles : je n'ai pas décidé d'être handicapé, mais je peux décider d'en faire un terrain d'exercice, une chance pour progresser. Après tout, il n'est pas meilleur instant que celui qui m'est donné, là, tout de suite, pour devenir un mari plus aimant, un père de famille plus attentif, une personne handicapée plus joyeuse... Le regret nous fige dans le passé, vivons plutôt à fond dans le présent.

Dans la culpabilité, je décèle aussi une sorte d'intériorisation du regard de l'autre, comme si les reproches que j'avais mille fois entendus avaient fini par générer une auto-accusation, permanente et malsaine. Regretter le passé, croupir dans les remords bouffent une énergie considérable. Pourquoi ne pas simplement prendre acte de nos erreurs et essayer d'en tirer un enseignement ? À quoi bon toutes ces ruminations : « Ce n'est pas digne de moi, je vaux bien mieux que cela ! » Entre de cruels tiraillements et un laxisme qui passe tout, se dessine un chemin. Pas à pas, nous pouvons avancer dans la non-fixation et dans l'amour.

MATTHIEU : En effet, si le regret dégénère en culpabilité, il peut aboutir à la dévalorisation de soi, au sentiment d'être affublé d'un vice fondamental. On pense mériter le blâme d'autrui et on doute de notre propre capacité à nous transformer. Cette forme de regret conduit au découragement ou au désespoir, nous empêche d'être lucides et ne sert pas de point de départ à une amélioration de soi. De plus, en nous poussant à nous focaliser sur nous-mêmes, elle nous empêche de penser aux autres et de réparer les souffrances qu'on a pu leur causer.

En Occident, le sentiment de culpabilité est influencé par la notion de péché originel. Dans l'Orient bouddhiste, on parle à l'inverse de «bonté originelle». Il n'y a rien en nous de fondamentalement mauvais, et les fautes sont considérées comme ayant au moins une qualité, celle de pouvoir être réparées. Chacun possède en soi un potentiel de perfection qui peut être oublié ou voilé, mais jamais perdu. Nos fautes et nos défauts sont autant d'accidents, de déviations temporaires, qui peuvent tous être corrigés et ne corrompent en rien ce potentiel. Dans ce contexte, le regret n'est pas un sentiment qui nous fige dans le passé. C'est au contraire ce qui nous permet de couper les ponts avec nos erreurs et de prendre un nouveau départ.

Il y a quelques années, à l'invitation de quelques prisonniers, je suis aller visiter avec un ami un centre de détention dans le sud de la France. Les gens y purgeaient de longues peines, vingt ans en moyenne. Nous avons passé un après-midi avec une vingtaine d'entre eux. Ce qui m'a semblé le plus irréel, c'est que j'avais l'impression de prendre une tasse de thé avec un groupe de personnes on ne peut plus normales, à l'exception d'un détenu qui est resté prostré la plupart du temps. Après avoir longuement discuté, l'un d'eux m'a dit : « Penser que nous avons la possibilité de faire venir à la surface le meilleur de nous-mêmes est une idée réconfortante, une source d'espoir. D'habitude, les conseillers spirituels qui viennent ici nous disent qu'on est doublement pécheurs. On est d'abord nés pécheur, et là-dessus on a commis une faute grave. C'est un peu lourd à porter, on se sent écrasés. »

L'un de mes maîtres, Jigmé Khyentsé Rinpotché, donnait un exemple amusant pour illustrer la différence entre le regret et la culpabilité. Si vous brûlez un feu rouge, que vous êtes arrêté par les gendarmes et écopez d'une amende, le regret vous empêche de brûler à nouveau un feu rouge et d'être à nouveau puni. Si au lieu de cela vous êtes envahi par un sentiment de culpabilité, vous allez redémarrer en pensant que vous êtes un mauvais conducteur, que vous êtes tout le temps distrait et qu'en plus vous avez la poisse : les amendes tombent toujours sur vous. Absorbé dans vos ruminations, vous ne ferez pas attention au prochain feu rouge, vous le brûlerez et vous écoperez d'une deuxième amende !

N'éprouver ni regret ni culpabilité peut être grave, c'est en fait une des caractéristiques des psychopathes. Ils savent faire la différence entre le bien et le mal, mais ils n'y prêtent aucune attention. Quand leurs méfaits réussissent, ils en éprouvent de la satisfaction, mais quand ils échouent ou sont démasqués, ils n'éprouvent ni honte ni regret, et n'attendent que l'occasion de recommencer. Les punitions n'ont sur eux aucun effet rédempteur ou préventif de la récidive. Et quand ils sont pris, ils essaient de se justifier, de minimiser l'impact de ce qu'ils ont fait et de reporter la responsabilité sur les autres – leurs victimes, en général.

Les ressentis intimes et douloureux

CHRISTOPHE : J'ai une vision un peu différente de la vôtre dans les définitions que je donne de ces phénomènes. Ce sera intéressant de confronter nos points de vue. En psychologie, on englobe les phénomènes du regret, de la culpabilité et de la honte dans la famille des «ressentis intimes et douloureux» par rapport à des événements et des actes du passé. C'est un continuum dont je vais essayer de faire un tableau aussi clair que possible. Il y a

En psychologie, la culpabilité est ce ressenti douloureux par rapport à un acte passé, qui a provoqué de la souffrance chez quelqu'un.

une explication évolutionniste à tout cela. Si nous sommes équipés de la capacité à revenir sur le passé, avec nos émotions et nos pensées, c'est parce qu'il s'agit d'une fonction extrêmement utile : nous commettons souvent des fautes, des erreurs intentionnelles ou involontaires, « par action ou par omission », comme on le dit dans le christianisme, et toutes ces émotions douloureuses nous aident à ne pas les commettre à nouveau, ou éventuellement à avoir envie de les réparer.

Les classifications comportent plusieurs dimensions. D'abord, est-ce que l'acte qui génère cet inconfort émotionnel et psychologique ne concerne que moi ou le mal causé à autrui ? À la différence de toi, Matthieu, je distinguerais autrement regret et culpabilité : je ne suis pas forcément *culpabilisé* d'avoir brûlé un feu rouge parce que, si le policier m'a attrapé, je n'ai causé de tort qu'à mon portefeuille. Mais je peux *regretter* de l'avoir brûlé. Je peux même ne pas le regretter, juste être agacé, sans ce sentiment d'inconfort lié au regret. En revanche, je peux regretter d'avoir accompli un acte qui m'a fait perdre de l'argent, ou regretter une maladresse qui a mis le feu à ma maison – mais si je suis seul à habiter cette maison, je ne ressentirai pas de culpabilité. En psychologie, la culpabilité est ce ressenti douloureux par rapport à un acte passé, qui a provoqué de la souffrance ou de la douleur chez quelqu'un, alors que le regret n'implique pas forcément une douleur ni une souffrance.

On parle aussi de honte, un autre membre de cette vaste famille, quand on est dans un ressenti émotionnel beaucoup plus intense, beaucoup plus douloureux. Il y a une différence de dimension aussi. Souvent, j'ai honte de ce que je suis, honte de toute ma personne, là où la culpabilité est liée à un comportement précis ou ciblée sur une erreur importante qui a causé du tort à autrui.

MATTHIEU : Effectivement, nous ne donnons pas exactement le même sens à ces mots. Dans le bouddhisme, on parle aussi de honte, mais de nouveau comme une qualité. On en distingue deux sortes. La première est le malaise qu'on éprouve quand on est allé à l'encontre d'une éthique qu'on s'était fixée. C'est un sentiment intime qu'on peut garder secret. Il est considéré comme bénéfique car il nous incite à corriger notre attitude pour nous sentir mieux. La seconde honte est celle que l'on éprouve devant autrui, en général une personne qu'on respecte. C'est un sentiment plus noble que le simple souci du qu'en-dira-t-on. Il nous aide à nous améliorer en prenant pour critère ce que pensent de nous ceux que nous considérons comme meilleurs que nous. Le bouddhisme propose donc simplement une approche positive de ces sentiments en les faisant servir ce qu'il considère comme le but plus noble, à savoir se libérer de la confusion et de la souffrance, et aider les autres à faire de même. Enfin, il y a aussi un aspect sain de la culpabilité qui fait que l'on est bouleversé d'avoir fait du tort à quelqu'un, même involontairement, ou qu'on prend soudain conscience du caractère inacceptable d'actes nuisibles qu'on a commis.

CHRISTOPHE : Les psychologues s'intéressent aussi à des ressentis d'intensité beaucoup plus légère, la gêne ou l'embarras. Par exemple, si je casse un verre, je n'ai fait de mal à personne, le verre ne vaut pas grand-chose et c'est loin d'être une faute morale mais je suis embarrassé, car c'est un acte inadéquat. Toutes ces émotions sont des ressentis de ce que l'on appelle la «conscience de soi». Elle nécessite que je prenne conscience d'une certaine responsabilité de mes actes.

Outre le versant émotionnel, il existe un versant cognitif. Lorsqu'on rumine des actes du passé, on éprouve une douleur qui d'ailleurs est souvent le sillage de la honte, de la culpabilité, de la gêne, du regret. On ressasse ce qui s'est passé au-delà de ce qui serait nécessaire. Les experts considèrent qu'une des vertus de ces émotions douloureuses liées à nos actes accomplis dans le passé proche ou lointain est d'activer une réflexion qui, à son tour, active une remise en question, qui peut alors activer des résolutions. Tu as décrit toute cette chaîne, qu'on cherche aussi à mettre en route dans le bouddhisme.

Mais certaines de ces émotions peuvent être excessives et pathologiques. Au lieu d'avoir un peu de regret, un peu de culpabilité, au lieu de réfléchir à la façon dont corriger tout cela, je peux m'abîmer dans une culpabilité excessive,

> La culpabilité en elle-même n'est pas un problème. Mais lorsqu'elle devient excessive, cela signifie que le système d'alarme est mal réglé.

disproportionnée, voire dans un sentiment de honte absolue. Et ce versant cognitif que constitue la réflexion peut déraper vers la rumination. Dans la rumination, on va bien au-delà de la réévaluation de ce qui s'est passé, on remâche, on ressasse. Et on souffre.

Souvent, en thérapie, nous conseillons de se poser trois questions pour savoir si l'on est en train de réfléchir ou de ruminer : depuis que vous songez à tout cela,

1) Est-ce que cela vous a aidé à trouver une solution intéressante ou applicable ?

2) Même si vous n'avez pas trouvé de solution, est-ce qu'au moins vous y voyez un peu plus clair ?

3) Vous n'avez pas trouvé de solution et n'y voyez pas plus clair, mais cela vous a-t-il soulagé ?

Si vous répondez « non » aux trois questions, c'est que vous êtes en train de ruminer. Dans ce cas, la meilleure solution pour se détacher de la rumination est d'aller faire un footing, de rendre service à autrui, de parler à un ami, pas pour co-ruminer, mais pour évoquer d'autres choses.

En psychologie, les deux problèmes posés par ces ressentis douloureux sont les excès et les déficits. La culpabilité en elle-même n'est pas un problème. Mais lorsqu'elle devient excessive, cela signifie que le système d'alarme est mal réglé. Vous connaissez cette théorie? L'émotion est un signal d'alarme, surtout l'émotion «négative». Si elle est bien réglée, c'est-à-dire si elle sonne au bon moment, pas trop fort, pour ne pas terrifier tout le voisinage, ni trop longtemps, de sorte que je puisse voir que faire, c'est parfait. Si elle est déréglée, elle sonne pour des stimulations inadéquates, c'est un bazar terrible, et cela signifie qu'il y a un souci. Comme une alarme peut avoir été mal réglée en usine, dans l'éducation qu'on a reçue, ou déréglée par la foudre (c'est l'impact des traumatismes existentiels), il faut en changer ou la réparer.

Ainsi, se sentir coupable simplement parce qu'on a contredit ou contrarié quelqu'un qu'on aime bien est sans doute excessif, même si cela peut nous aider à reconsidérer notre manière de dire notre désaccord. Mais être taraudé par la culpabilité pendant plusieurs jours, pour la même raison, n'est alors plus adéquat, car le poids de l'émotion va au-delà du légitime, et risque de nous dissuader ensuite de donner notre avis sincèrement (on ne veut pas faire de peine à autrui pour ne pas souffrir soi-même). Cette tendance peut venir d'un tempérament hyper-empathique ou de l'éducation.

Un cran plus loin, il existe chez certains patients qui ont un trouble obsessionnel compulsif, une sorte de «folie de la culpabilité» : le moindre acte, la moindre pensée représente une source de culpabilité. Ces excès sont liés à des trajectoires individuelles, à une éducation qui creuse le sillon de la culpabilité, mais il y a aussi le poids de la civilisation judéo-chrétienne. Aujourd'hui, son impact est bien moindre, mais, autrefois, on utilisait la culpabilité pour orienter les comportements des personnes. J'aimerais savoir si d'après toi, Matthieu, la culture et la religion bouddhistes protègent mieux de ces dérapages.

MATTHIEU : L'attitude bouddhiste étant plus simple et pragmatique, elle est moins susceptible d'être détournée. Il n'y a pas de notion de péché originel, pas de faute héritée pouvant être vécue comme une injustice. Il n'y a que le résultat des actes que l'on a commis soi-même, dans un passé qui peut être proche ou lointain. On ne parle donc que de responsabilité personnelle et de la possibilité, toujours présente, de remédier à notre condition en évitant les erreurs passées. La pratique intérieure permet à chacun de voir peu à peu par soi-même comment fonctionnent la causalité des actes et le processus de libération. Penser au départ, puis découvrir graduellement que l'on a en soi la nature de Bouddha donne fondamentalement confiance. Quelle que soit la noirceur de nos actes, il est toujours possible d'y remédier.

CHRISTOPHE : À l'autre extrême du spectre, il y a les carences. Le manque ou l'absence de culpabilité sont une catastrophe absolue. Si nous vivions dans un monde où personne ne ressentait de culpabilité, de regret ou de honte, ce serait l'enfer. Les gens nous marcheraient sur les pieds et s'en ficheraient, ils nous feraient du mal et dormiraient très bien.

On retrouve ces traits de personnalité, en eux-mêmes pas forcément maladifs, dans la nébuleuse qu'on appelle « égoïsme », avec une tendance assez basse à ressentir du regret et à se sentir responsable du mal causé à autrui. Les narcissiques sont un cran au-dessus : ils ne ressentent pas le mal causé aux autres, et ne s'en rendent même pas compte. Le niveau extrême dont tu parlais, Matthieu, ce sont les psychopathes, chez qui on soupçonne même un déficit d'équipement neurobiologique dans la capacité empathique. Puisque, évidemment, pour ressentir de la culpabilité, il faut ressentir de l'empathie, comprendre que nous avons causé du mal à autrui.

J'ai le sentiment d'avoir connu un temps où l'on était dans le trop de culpabilisation, et de vivre aujourd'hui une époque où, parfois, on ne culpabilise pas assez : on a tendance à toujours trouver des excuses, il y a ce que les philosophes appellent une forme d'anomie, une méfiance excessive par rapport aux règles et aux contraintes. « Finalement, il n'y a peut-être pas de quoi culpabiliser, nul n'est méchant volontairement, tout le monde fait du mal à autrui… » Et pourtant, parfois, il me semble que ce n'est pas si mal de ressentir de la culpabilité, pas de façon permanente, mais comme une piqûre de rappel. C'est ce que les Anciens avaient repéré : *Errare humanum est, perseverare diabolicum.* Autrement dit, l'erreur est humaine, persévérer (dans son erreur) est diabolique. Et j'ajouterais *culpabilisare humanum est*, mais *Too much is not good.* Ce qui peut se traduire par : culpabiliser est humain mais trop c'est trop !

MATTHIEU : L'attitude du bouddhisme offre en ce sens un juste milieu. La honte et le regret sont considérés comme nécessaires, mais on ne court pas vraiment le risque de déraper, puisque ces sentiments ne servent pas à se déprécier, mais à adopter un comportement sain et altruiste.

Les regrets ou la touche « Replay »

CHRISTOPHE : On aimerait parfois disposer d'une touche « Replay » sur le film de notre vie, pour organiser différemment les choses. C'est le vaste domaine des regrets, qui a été abondamment étudié par les scientifiques parce qu'il constitue une source de perte énergétique sur le plan psychologique. Il y a plusieurs façons de comprendre les regrets : on distingue d'abord les « regrets chauds », qui interviennent tout de suite après avoir agi, et les « regrets froids », ceux qu'on éprouve une journée, un mois ou quelques années après, lorsque, tout à coup, on prend conscience de quelque chose – par exemple des adultes qui, une fois devenus parents, prennent conscience de leur violence vis-à-vis de leurs propres parents.

On distingue aussi les regrets d'action et les regrets de non-action. Je peux regretter d'avoir dit quelque chose, mais je peux aussi regretter de ne pas l'avoir dit. Les chercheurs montrent que les regrets d'action (« j'ai fait quelque chose qui n'a pas marché, c'est douloureux pour mon image, pour mes intérêts, pour le bien d'autrui parfois ») vont entraîner des regrets chauds, car la situation est immédiate : j'ai agi, échoué, je ressens la douleur de l'échec. Et souvent, pour éviter de ressentir des regrets chauds, certains se réfugient dans la non-action puisqu'une façon de ne pas avoir de regrets chauds consiste à ne rien faire. Mais on ne se prémunit pas des regrets froids, puisqu'on peut aussi avoir des regrets de non-action : j'aurais pu faire ceci, j'aurais dû faire cela, et je ne l'ai pas fait. Pour faire bref, quand on demande à des volontaires de faire le bilan, dans leur existence, de ce qui, selon eux, aura été le plus dommageable, le plus souvent, ils vont regretter les choses qu'ils n'ont pas faites plus que celles qu'ils ont faites. Souvent, il y a dans une vie humaine une multitude de choses qu'on n'a pas osé faire ni eu le courage de faire, et cela entraîne des regrets sur le long terme, qui ouvrent des océans de virtualité beaucoup plus grands que des regrets d'action. Par exemple, si je n'ai pas osé aborder quelqu'un qui me plaît, je peux ressasser longuement mes regrets (« si j'avais osé, et que ça avait marché, ma vie aurait changé »). Mais si je l'ai abordé et que je me suis fait éconduire, je n'ai pas grand-chose à ressasser : c'est fait, le réel s'est exprimé, et je n'ai plus qu'à me tourner vers autre chose !

MATTHIEU : Personnellement, dans le registre des regrets à froid, il m'arrive souvent de regretter profondément de ne pas avoir été assez prévenant, attentif ou généreux. S'il s'agit de quelqu'un rencontré fortuitement, je n'ai plus aucun moyen de le retrouver pour lui manifester davantage de bienveillance et cela me tracasse. Même si je ne lui ai pas à proprement parler fait du mal, je me rappelle ce que disait Martin Luther King, à savoir que l'inaction des bons – il parlait surtout des situations d'oppression violente – n'est pas moins nuisible que l'action néfaste des méchants.

CHRISTOPHE : Oui, c'est la définition de la responsabilité face à la violence. Le fait de ne pas intervenir face à la violence fait de nous des complices de la violence.

Ce que pardonner veut dire

CHRISTOPHE : Comment réparer le sentiment de culpabilité ? En demandant pardon, tout simplement. Et c'est bien plus compliqué qu'il n'y paraît. Il y a tellement de situations où les personnes répugnent à demander pardon, parce que, tout en sachant qu'elles ont fait du mal à l'autre, elles ont le sentiment que l'autre est coresponsable, qu'il a provoqué, et fait lui aussi du mal. Demander pardon ne veut pas dire qu'on est le seul coupable, ni qu'on s'inférioise par rapport à l'autre, c'est juste la reconnaissance du mal qu'on a causé, le souhait que l'autre accepte le pardon que nous lui proposons. Tout cela me paraissait une conclusion logique à la culpabilité. Du coup, je me suis mis à réfléchir au « don » du pardon.

Finalement, qu'est-ce que pardonner veut dire ? Si j'ai subi des blessures, si j'ai été agressé, si on m'a fait du mal, qu'implique le pardon ? Souvent, il y a un malentendu : quand on parle de pardon en psychothérapie, la première chose que les gens entendent c'est « absolution » et, d'une certaine façon, « soumission ». Les travaux sur la thérapie du pardon montrent que, premièrement, le pardon n'a de

Le pardon ne signifie pas une réconciliation publique, devant tout le monde : il s'agit de pardonner en soi.

sens que s'il est exempt de toutes formes de contraintes – il doit être une décision libre de la part de celui qui a été blessé. Deuxièmement, le pardon est un acte intime, tout à fait dissocié du cheminement juridique. Un thérapeute qui souhaite que quelqu'un aille vers le pardon lui explique que le pardon ne signifie pas une réconciliation publique, devant tout le monde : il s'agit de pardonner en soi. Cela n'a rien à voir avec l'oubli ou la négation du mal. C'est la décision intime et personnelle de se libérer de cette souffrance. Pardonner est un acte de libération, qui permet de s'affranchir du ressentiment, de l'envie que l'autre soit puni et souffre à son tour.

MATTHIEU : Je rejoins ta pensée. Le pardon n'est pas une absolution. Comment effacer d'un coup le mal commis et ses conséquences ? Ce n'est pas non plus une forme d'approbation, qui serait comme un appel à la récidive. Ce n'est pas non plus nier le ressentiment, la colère ou même le désir de vengeance qu'a pu provoquer en nous la conduite des autres. Ce n'est pas davantage minimiser la gravité des actes commis et oublier ce qui s'est passé, ni s'empêcher de prendre les mesures nécessaires pour que le mal ne se reproduise plus. Pardonner, c'est renoncer à la haine et au ressentiment pour les remplacer par la bienveillance et la compassion. C'est aussi briser le cycle de la vengeance. Cette démarche a un effet libérateur, car ces sentiments nous empoisonnent et finissent par nous détruire.

En appliquant la loi du talion on n'est jamais en paix, puisqu'on doit soi-même adopter une attitude négative qui sapera notre paix intérieure, même si la vengeance nous procure sur le moment un semblant de satisfaction. Gandhi disait que, si l'on pratiquait le principe d'œil pour œil, dent pour dent, le monde entier serait bientôt aveugle et sans dent.

J'ai entendu à la BBC le témoignage édifiant d'Ameneh, une jeune Iranienne de 24 ans défigurée par un prétendant éconduit qui l'avait demandée en mariage alors qu'elle le connaissait à peine. Un jour, l'homme s'approcha d'Ameneh, la regarda en riant et lui aspergea la figure d'acide. Affreusement défigurée, aveugle et sans moyens financiers, elle fit campagne pour que son agresseur subisse la loi du talion et que de l'acide lui soit versé dans les yeux. Elle eut gain de cause et on la convoqua un jour dans un hôpital pour l'application de la peine. Le condamné commença par insulter Ameneh et sa famille. Au moment où l'oncle s'apprêtait à verser l'acide en présence du juge, Ameneh revécut les effets terrifiants de ce supplice et demanda qu'on arrête. Après un instant de stupéfaction, le condamné s'écroula aux pieds d'Ameneh et s'écria en pleurs qu'il regrettait son acte. Ameneh déclara par la suite que les gens comme cet homme ne pouvaient pas devenir plus humains en étant punis dans d'horribles souffrances. Pour elle, c'est grâce au pardon et à la bienveillance que son bourreau avait retrouvé son humanité. Elle ajouta qu'elle était heureuse et soulagée de ne pas avoir exécuté la sentence.

Du point de vue du bouddhisme, on ne peut pas tricher avec la loi de causalité des actes, le «karma», qui désigne à la fois les actes et leurs effets. Celui qui a commis des crimes odieux finira tôt ou tard par souffrir lui-même. Il doit, tout comme la victime, faire l'objet de notre compassion.

Comme je l'ai dit précédemment, il est important de dissocier la personne de ses actes. Celui qui est affecté par une maladie grave ne peut pas être assimilé à sa maladie. On dit : «J'ai un cancer» et non : «Je suis un cancer». Or la haine, la cruauté, l'indifférence et les autres états mentaux destructeurs sont comparables à de graves maladies. Un médecin s'attaque à la maladie, pas au malade. Notre ennemi, ce n'est pas celui qui agit sous l'emprise de la haine, c'est la haine elle-même.

Dans son livre *La Bonté humaine*, Jacques Lecomte raconte l'histoire d'un militant antisémite américain, Larry, qui avait poursuivi un couple juif de sa haine et de ses invectives. Ce couple décida d'inviter l'homme à les rencontrer. Il finit par accepter et fut bouleversé par leur manque total d'animosité à son égard. En larmes, il finit par bredouiller qu'il ne savait pas quoi leur dire, qu'il avait été si horrible avec eux et avec tant d'autres qu'il ne comprenait pas comment ils pouvaient lui pardonner. L'homme et la femme l'assurèrent pourtant de leur pardon, en précisant : «Personne ne peut excuser la cruauté, mais c'est différent de pardonner à quelqu'un qui a été cruel et qui maintenant est envahi par le remords.»

Peut-on pardonner pour les autres ? C'est le dilemme auquel fut confronté Simon Wiesenthal, qui raconte son histoire dans *Les Fleurs du soleil*. Il était prisonnier dans un camp nazi, où on l'envoyait pendant la journée travailler dans un hôpital. Un jour, on lui dit qu'un jeune SS mourant voulait se confesser à un Juif. Simon se rendit au chevet du jeune homme, qui devait avoir une vingtaine d'années. Il avait fait des choses horribles. Il avait notamment mis le feu, avec sa brigade, à une maison dans laquelle s'étaient réfugiés un grand nombre de fuyards juifs. Il demanda à Simon Wiesenthal de le lui pardonner. Simon écouta en silence tout en épongeant la sueur qui perlait sur le front de l'homme. Mais il ne put pas prononcer le mot « pardon ». Cet homme ne lui avait pas fait de mal à lui, mais à beaucoup d'autres, et il se sentait incapable de pardonner en leur nom. Par la suite, il s'est toujours demandé s'il avait eu raison. On ne peut bien sûr pas pardonner à la place d'un autre, mais cela n'aurait pas dû l'empêcher de contribuer à briser le cycle de la haine. La cruauté est un état pathologique. Une société malade en proie à une fureur aveugle à l'égard d'une partie de l'humanité n'est qu'un ensemble d'individus aliénés par l'ignorance et la haine. Contempler l'horreur des exactions commises par certains devrait renforcer notre compassion plutôt qu'attiser notre ressentiment.

CHRISTOPHE : J'ai une anecdote qui me revient en t'écoutant, moins terrible que cette histoire de Wiesenthal, mais… Il y a quelque temps, une dame m'écrit et m'explique

que sa fille est morte, suicidée, qu'elle s'est jetée du cinquième étage de l'établissement où elle était hospitalisée ; elle veut me voir pour en parler. Au début, j'essaie de la dissuader, de l'orienter vers des confrères, mais elle insiste et je finis par lui accorder un rendez-vous. Elle m'explique ce qui s'est passé, la succession d'erreurs médicales. En théorie, comme c'est un service de psychiatrie, les fenêtres ne peuvent être qu'entrouvertes, pour éviter tout accident. De plus, à 15 heures, la jeune fille a parlé de son intention de se suicider à sa mère et cette dernière a prévenu le service. Le soir, la mère, très inquiète, appelle les soignants, qui ne trouvent pas sa fille – elle s'était défenestrée dans l'après-midi et son corps était caché par les buissons en bas du bâtiment. Mais les soignants répondent à la mère de ne pas s'inquiéter, qu'ils vont retrouver sa fille. Anxieuse, elle rappelle à plusieurs reprises ; ils finissent, me dit-elle, par l'envoyer sur les roses. Pendant la nuit, sans trace de la patiente, ils préviennent la police, sans avertir la mère. Et au petit matin, un jardinier trouve son corps dans les buissons.

La rencontre avec la mère ne se passe pas bien : l'ensemble du personnel (sans doute très culpabilisé, très embarrassé) s'y prend mal, sans chaleur, sans compassion et elle est très en colère contre eux. C'est pourquoi elle vient me raconter cette histoire terrible. J'étais tellement effondré devant la souffrance de cette dame et la série de fautes commises que je lui ai demandé pardon, au nom des médecins et des soignants (j'aurais pu commettre moi-même ce genre de négligences) : «Je suis tellement désolé de ce qui s'est passé, c'est terrible, je vous demande de nous pardonner.» Je ne voyais rien d'autre à faire, j'étais tellement mal, démuni, impuissant, triste pour elle. Je l'ai revue plusieurs fois, et j'ai constaté toutes les souffrances causées par la perte de sa fille et par ses regrets («aurait-on pu éviter ça? aurait-on pu la sauver en la trouvant à temps?»). Mais sa troisième source de douleur, c'est de s'être sentie mal accueillie. Le chef de service l'avait pourtant appelée ensuite, mais c'était trop tard.

Je voudrais préciser un autre point fondamental : lorsqu'on est face à des gens extrêmement fragiles, les mots mêmes de «pardon» ou d'«acceptation» peuvent être problématiques. Ce sont de très jolis vocables tant qu'on n'est pas une victime, tant qu'on n'a pas été meurtri dans sa chair. Je suis très prudent quand je commence une thérapie centrée sur l'acceptation et le pardon, j'évite de les prononcer. Et je travaille sur la prise de conscience que le ressentiment fait souffrir la victime au-delà de l'événement lui-même. J'essaie de lui faire comprendre que se libérer de ce ressentiment ferait du bien à toute sa personne. Peu à peu, elle comprend d'elle-même qu'il s'agit de pardonner. Dans le mot «pardon», il y a le suffixe «don», ce qui semble inconcevable envers quelqu'un qui m'a fait du mal, qui m'a violenté, qui m'a détruit… C'est là où le travail de thérapie se différencie du travail d'enseignement.

MATTHIEU : Et si on moralise, le pardon devient une sorte d'obligation, au lieu d'être un processus de guérison.

Pardonner, c'est liquider toute fixation et tuer
l'ego. Je ne serais pas étonné qu'une telle liberté
soit excellente pour la santé, car quoi
de pire que de macérer dans la mesquinerie…

Les petits pardons

ALEXANDRE : Mieux vaudrait me taire après des
exemples aussi lumineux, et m'empresser de les suivre sur-
le-champ. À mes yeux, le pardon redonne à la vie sa pureté,
sa douceur, il lui permet de circuler sans jamais s'arrêter.
Pardonner, c'est liquider toute fixation et tuer l'ego. Je ne
serais pas étonné qu'une telle liberté soit excellente pour la
santé, car quoi de pire que de macérer dans la mesquinerie… Pourtant, pardonner au jour le jour peut avoir quelque
chose d'usant.

La notion de péché originel traîne derrière elle une
foule de malentendus. Cependant, elle vient apporter de
l'eau à notre moulin : il ne s'agit pas de dévaloriser notre
nature en la taxant de perverse, mais peut-être de repérer
notre tendance au repli, à l'égoïsme. Qu'il est dur de ne plus
vouloir être le centre du monde ! Avec joie, quotidiennement, je peux laisser les mécanismes qui m'empêchent de
rester ouvert, disponible, tenu en éveil par l'autre. L'idée du
péché originel, loin de m'accabler, me renouvelle. Chaque
jour, il s'agit d'éviter de glisser sur la pente qui nous mène
à l'enfer de l'indifférence. Il vaut mieux rejoindre le fond

du fond, où, pour le croyant, se trouve Dieu, source d'une infinie bonté.

Pour éviter l'usure, Jésus recommande de pardonner soixante-dix fois sept fois. Autant dire que je ne peux jamais m'installer dans une posture, que toujours je suis prié de mettre les bouchées doubles.

MATTHIEU : Effectivement, notre nature fondamentale, celle de la conscience éveillée, est libre et dépasse la dualité du bien et du mal. L'égoïsme et les autres poisons mentaux sont des déviations que l'on peut qualifier d'« accidentelles » ou « adventices », car elles n'appartiennent pas à notre nature profonde.

ALEXANDRE : Parler de *pardon* est presque subversif tant nous exacerbons l'affirmation de soi. Pardonner réclame une audace inouïe, un courage presque surhumain. D'abord, il s'agit d'échapper à toute crispation, de congédier toute possibilité de haine ou de rancœur. Dans les Évangiles, quand Jésus invite celui qui a reçu une gifle à tendre l'autre joue, il me fait prendre conscience que, presque toujours, je préfère m'engouffrer dans la spirale de la vengeance. Il faut une bonne dose d'ascèse et une bienveillance à tout casser pour quitter la folle logique de la rétribution. Pourquoi celui qui m'a fait du tort devrait-il forcément en baver ?

Pourquoi diable persiste cette réticence à pardonner ? Comme si le pardon banalisait le mal subi et donnait raison à celui qui nous a trahi… De là à nous cramponner à la rancune dans l'espoir que l'autre finisse par reconnaître ses erreurs, il n'y a qu'un pas. Pardonner ne tient nulle-ment du déni, il redonne vie au cœur hanté par la ven-geance. Ça n'a rien d'une corvée ; c'est renaître, vivre à l'écart des maladies qui frappent l'âme. Rappelons-nous enfin que c'est avant tout une joie de se libérer du passé, d'oublier les rancunes et d'avancer. Avec mon ami Bernard Campan, comme toi, Matthieu, j'ai eu le privi-lège de parler à des prisonniers. J'ai été frappé de voir que je n'étais pas forcément meilleur que ces hommes, loin de là. D'ailleurs, je leur aurais, pour la plupart, donné le bon Dieu sans confession. Notre raison, comme notre cœur, obéit bien souvent à une logique binaire : le défi, c'est de pardonner au pire des criminels, tout en affirmant haut et fort que le crime demeure inacceptable.

CHRISTOPHE : Tu parles de la réticence à pardonner ; parfois, on a peur que le pardon encourage l'autre à recom-mencer. C'est une erreur, mais peut-être pas tant que cela : cela dépend de la façon dont on conçoit l'expression du pardon. Le travail très spécifique sur le pardon insiste sur le fait que pardonner, ce n'est pas dire : « Ce n'est rien, je te pardonne. » C'est dire : « J'ai souffert, mais je te pardonne. » C'est associer sa souffrance à un mouvement de pardon. Alors que gommer pourrait banaliser le comportement qui a posé problème.

ALEXANDRE : Dépêchons-nous d'oublier les rancœurs et d'oser un grand pardon. En attendant, des petits pardons, mille fois répétés, nous font avancer, avec les forces du jour,

Pardonner, ce n'est pas dire : « Ce n'est rien, je te pardonne. » C'est dire : « J'ai souffert, mais je te pardonne. »

vers la paix. Sortir de la culpabilité, c'est aussi nous accorder le droit à l'erreur, et cesser par exemple de nous reprocher de ne pas être à la hauteur d'exigences intenables. À côté des aspirations qui nous mettent en route, il y a des tonnes d'attentes qui nous paralysent pour de bon.

Sur le terrain de la vie conjugale, il est facile de sombrer dans la rancune : «Tu te rappelles le 20 juin, la remarque que tu m'as balancée ? » Plutôt que de tenir une comptabilité Excel, nous pouvons, chaque matin, essayer de repartir à neuf, effacer l'ardoise. Rien de pire que le non-dit pour flinguer une relation. En amour, il n'y a aucune dette, tout est gratuit à chaque instant. Quelle brûlante actualité que ce passage des Évangiles où la population s'apprête à lapider une pauvre femme adultère ! On connaît les fameuses paroles de Jésus : «Que celui d'entre nous qui est sans péché lui jette le premier une pierre.» Aujourd'hui, qui serions-nous prêts à lapider ? Au lieu de regarder de haut les accusateurs de cette femme, je peux repérer toutes les fois où je me laisse aller à la bêtise, ou, plus simplement, à cette méchanceté domestique qui devient presque banale. Le pardon exige une conversion intérieure des plus radicales : cesser d'emprisonner l'autre dans le passé pour lui donner la chance d'être pleinement qui il est, ici et maintenant.

NOS CONSEILS POUR SE RISQUER AU PARDON

UNE QUESTION D'ENTRAÎNEMENT
CHRISTOPHE

🌿 Exercice pédagogique : chaque « Je n'aurais pas dû » n'a d'intérêt que s'il est suivi d'un « que vais-je faire désormais ? » – sous entendu, « qu'est-ce que cela m'a appris ? » Les deux démarches vont ensemble. Si on se tourne trop vite vers l'action sans avoir accepté la morsure du regret ou de la culpabilité, c'est moins bien. Si on reste sur la morsure de la culpabilité sans se tourner vers ce que l'on va faire, c'est également moins bien.

🌿 Les « petits pardons », c'est exactement le genre d'entraînement que l'on essaie de faire en thérapie : les petits micro-pardons – à notre conjoint, à nos proches – sont des remises en question qui nous apprennent à nous décrocher du « qui a raison, qui a tort ? ». Si, même en ayant eu raison, j'ai fait du mal à l'autre, si je suis dans une relation de confiance et que je veux que cette relation continue, je dois considérer que les micro-pardons à accorder ou à demander sont une forme de réparation pour toutes ces micro-blessures que nous nous infligeons au quotidien.

QUELQUES PAS VERS LE PARDON
ALEXANDRE

Imparfait et heureux. Au début de chaque messe, il y a un moment où le croyant est invité à se reconnaître pécheur. Cette étape me libère des fardeaux, des attentes et d'un perfectionnisme malsain tout en réveillant un vif désir de progresser. Qui a dit qu'il fallait être parfait pour être aimé ? C'est au cœur de la fragilité qu'il s'agit de grandir. Chaque jour, sans me juger en permanence, je dois mourir, tout abandonner, pour renaître carrément.

Voir – pardon pour les étiquettes – l'espèce de « cornichon » qui nous fait du mal, les mauvaises langues qui nous critiquent, l'imbécile qui se moque de nous comme des êtres empêtrés dans le mal-être congédie le ressentiment. Nul ne devient méchant par choix. Nous sommes tous embarqués sur le même bateau et, devant la précarité de la vie, il est facile de perdre les pédales. Et si nous considérions celui qui nous fait du tort comme un *malade*, un blessé, et lui souhaitions sans réserve et du fond du cœur d'être heureux ?

🍂 Bannir tout ressentiment. S'interdire d'aller se coucher avec le cœur plein de rancune. Chaque soir, effacer l'ardoise et tout mettre en œuvre pour éviter les non-dits et les reproches.

DISSOCIER LE PARDON DU JUGEMENT MORAL
MATTHIEU

🍂 Ne pas porter de jugement moral sur les personnes mais sur ce qu'ils ont fait.

🍂 N'avoir aucune indulgence pour les méfaits commis, les contrecarrer par tous les moyens possibles, mais sans animosité et en évitant de créer, autant que faire se peut, de nouvelles souffrances.

🍂 Pardonner à ceux qui nous ont nui. Considérer qu'ils sont comme les victimes d'une maladie, et qu'ils souffrent ou finiront par souffrir pour ce qu'ils ont fait. Toute souffrance est digne de compassion, et la compassion ne peut qu'appeler le pardon.

🍂 Se souvenir que le pardon est bénéfique à tous. Il permet aux victimes de retrouver la paix intérieure, et aux coupables de faire ressortir ce qu'il y a de meilleur en eux.

11

LA VRAIE LIBERTÉ : DE QUOI PUIS-JE ME LIBÉRER ?

ALEXANDRE : Souvent, j'ai le tournis rien qu'en voyant les montagnes russes du mental. Tant de hauts et de bas, toutes ses péripéties usent et nous laissent à la fin comme essorés, vidés, bannis de la sérénité. Je me lève le cœur tout léger, et un e-mail, presque anodin, suffit à ruiner la matinée. Le diagnostic est clair, limpide : instabilité émotionnelle. Ce n'est pas pour rien que je m'adonne assidûment au zazen. S'il n'y avait pas d'antidotes, j'aurais depuis longtemps déclaré forfait et capitulé pour de bon. La bonne nouvelle, c'est que cet état de sérieuse agitation n'est pas sans remèdes. L'insatisfaction, elle aussi, peut passer. Dès lors, une question s'impose de toute urgence, avant que ce qu'il me reste de cheveux ne brûle tout à fait : comment ne plus être le jouet des circonstances, la marionnette des émotions ? En un mot,

419

> Mais le forcing ne mène à rien.
> Si je me braque sur le résultat, à coup sûr je suis
> foutu, désespéré. Chaque pas compte.

comment tenter un peu de liberté ? Ici, trouver l'équilibre n'est pas facile !

Une urgence sans précipitation

ALEXANDRE : Tout d'abord, il s'agit de ne pas faire trop grand cas de nos troubles, sauf à nous décourager, tout en faisant le maximum pour s'en extraire au plus vite ! Dès le réveil, je peux déjà oser l'exercice : identifier les nuages qui m'empêchent de me tenir en joie et d'aimer sans rien demander en retour. Sans précipitation, je peux percer cette couche qui me sépare de la paix. Comment ? Déjà en voyant, comme Épictète, que je suis un « esclave en voie de libération » et passer directement aux tentatives d'évasion. Mais le forcing ne mène à rien. Si je me braque sur le résultat, à coup sûr je suis foutu, désespéré. Chaque pas compte. Et nul besoin d'un geste extraordinaire quand un petit effort bien ajusté peut nous tirer d'embarras.

Le zen propose un exercice très simple, le *kinhin*. Cette marche méditative nous apprend à nous concentrer entièrement sur chacun de nos pas, sans fuir. Quand mon esprit est tout près d'exploser, je reviens à cette pratique qui m'enracine sur-le-champ dans l'ici et maintenant. Sur la route, je me souviens des paroles d'un maître : « Pour aller plus vite, ralentissez. »

C'est une sacrée liberté que de vivre comme si on avait tout le temps du monde, et bannir aussi bien la hâte que la paresse. Depuis que je vis à Séoul, j'ai décidé que jamais je ne rentrerai à la maison en courant. Dès que j'aperçois l'escalier et l'ascenseur de l'immeuble, je suspends immédiatement toute hâte, je fais *kinhin*.

Au fond, il s'agit de changer de mode de vie. Tristesse, colère et peur sont alors des signaux qui nous incitent à quitter le règne de l'ego, à prendre la poudre d'escampette. Et comme le changement fait peur, rappelons-nous du diagnostic du Bouddha : si nous nous agrippons à nos états d'esprit, nous nous vouons à la souffrance. D'où le remède par excellence : la non-fixation.

MATTHIEU : Souhaiter ardemment se libérer de la souffrance ne veut pas dire qu'il faut brûler les étapes. Il faut simplement faire preuve de persévérance. Tu parles de ralentir. Pour ce qui concerne nos pensées, nos paroles et nos activités inutiles, il est bon de ralentir, mais il est encore mieux de les abandonner. En revanche, une fois qu'on est sur le bon navire poussé par des vents favorables vers un but qui en vaut la peine, pourquoi réduire sa vitesse ? S'il y a vraiment un moyen de dissiper la souffrance, allons-y, ne traînons pas ! Ce qui est vain, c'est de trépigner d'impatience, de s'engager inconsidérément dans de mauvaises directions ou de s'épuiser prématurément en faisant des efforts excessifs. En d'autres termes, il ne faut pas confondre la diligence, définie comme la joie en forme d'effort, avec la précipitation, l'impatience ou le caprice. On raconte l'histoire d'un disciple qui demandait à un maître zen : « Combien de temps me faudra-t-il pour atteindre le *satori* (l'Éveil) ? » Le maître répondit : « Trente ans. » Le disciple insista : « Et si je suis très pressé ? » Le maître répondit : « Dans ce cas, cinquante ans. »

Notre attitude doit se situer dans le bon milieu entre effort et relâchement excessifs. Le Bouddha avait un disciple qui jouait de la *vîna*, un instrument à cordes proche du sitar. Ce disciple expliqua un jour au Bouddha qu'il avait beaucoup de mal à méditer : « Parfois, je fais beaucoup d'efforts pour me concentrer, et je suis trop tendu. D'autres fois, j'essaie de me détendre, mais je me relâche trop et tombe dans la torpeur. Comment faire ? » Le Bouddha lui demanda : « De quelle manière accordes-tu ton instrument pour en obtenir le meilleur son ?

– Il faut que les cordes soient ni trop tendues ni trop relâchées.

– Il en va de même pour ta méditation : tu dois trouver un juste équilibre entre effort et relâchement. »

On doit avoir une conscience claire du but, qui est de se libérer de l'ignorance et des toxines mentales, pour donner la bonne direction à sa pratique. Sinon, c'est comme si on tirait une flèche les yeux bandés sur une cible dont on ne connaît ni la taille ni l'emplacement. Mais il ne doit pas être une obsession au point de devenir, en quelque sorte, l'obstacle même à son accomplissement.

Désobéir à un ego capricieux

ALEXANDRE : Très concrètement, se libérer c'est poser des actes de désobéissances à l'égard de cet ego encombrant. Pourquoi croire que la liberté consiste à agir à sa guise, sans contrainte, à faire tout le temps ce qui nous chante ? Souvent, renoncer à un caprice nous rapproche à grands pas de la joie. Car, il y a un vrai plaisir à dire non à ce qui nous tire vers le bas. Ainsi, si l'ego a la frousse du dentiste, écouter ce que souhaite vraiment mon cœur, c'est m'y rendre en fredonnant. Là m'appellent le progrès, la vie. C'est ce que je tente, sans relâche, d'expliquer à mes enfants… Une simple question peut nous servir de boussole : qu'est-ce qui fait réellement du bien ?

Sur ce chemin, la méditation me soigne plus *efficacement* que la seule raison. Méditer, c'est partir à l'école de la reddition du mental, alors que la volonté cherche, avec voracité, la pleine maîtrise de l'existence. Parfois, au détour d'un zazen, lorsque je ne m'y attends pas, l'angoisse lâche, l'ego froussard s'éclipse un peu, *malgré moi*. Les discours du type « il ne faut pas avoir peur » ont quelque chose d'accablant. Toucher du doigt l'expérience de l'abandon et du laisser-être, voilà ce qui guérit.

MATTHIEU : Quand tu parles de désobéir à l'ego, il ne s'agit bien sûr pas d'un caprice ou d'une révolte d'adolescent, mais d'un sursaut de bon sens qui pousse à s'émanciper de l'influence d'un imposteur. C'est un peu comme le renoncement, qui ne consiste pas à se priver de ce qui est vraiment bon pour soi, mais à laisser derrière soi tout ce qui n'aboutit qu'à la souffrance.

ALEXANDRE : De nature plutôt anxieuse, dès que la fatigue me tient, les scénarios catastrophes me minent. Alors, je me prescris des séances de méditation *à outrance* durant lesquelles l'angoisse s'efface peu à peu. Des heures durant, des milliers de fois, je laisse passer. Il y a quelques années, j'ai adoré un garçon jusqu'à la fascination. J'aurais tout donné pour troquer mon corps de handicapé contre le sien. Ça a fini par virer à l'obsession, à une dépendance infernale. Grâce à mon père spirituel, au zazen, et à ma femme, j'ai regardé rappliquer et disparaître cette idée fixe pendant des mois. Au début, elle m'assaillait du matin au soir, sans me laisser le moindre répit. Aujourd'hui, je me suis tellement entraîné à la laisser passer qu'elle ne dure même pas une fraction de seconde. De quoi encourager à persévérer ! Sans rien rejeter ni nier, il *suffit* d'observer. Si mon père spirituel avait diabolisé cette idolâtrie, m'avait incité à lutter férocement contre elle, je ne suis pas sûr que j'aurais *guéri*. Au contraire, il m'a rassuré : « Soyez extrê-mement patient envers vous-même, la liberté se découvre millimètre par millimètre. » Et, pour tout dire, j'aurais craqué si j'avais écouté tous ceux qui me donnaient des recettes magiques : « Arrête d'y penser », « Passe à autre chose »… Au fond, ma femme et mon père spirituel m'ont simplement donné la confiance que je n'avais pas et la patience d'attendre que le problème se résolve, de lui-même.

Mais comment s'initier à la patience quand notre esprit est tiraillé de mille parts, lorsqu'il souhaite du progrès sur-le-champ ? Pas par la force. Dans mon enfance, on me bassinait à longueur de journée avec des « sois patient ! ». Dans l'épreuve, attendre paraît presque inhumain. Va-t-on balancer à quelqu'un qui se noie des discours sur l'art de flotter ? Une bouée, c'est tout ce qu'il lui faut. Je suis arrivé à Séoul pétri de peurs. Le premier jour, lorsque j'ai pris une douche, j'ai même craint qu'une chauve-souris enragée sorte par le siphon de la baignoire ! À aucun moment, mon maître n'a perdu patience, toujours il me rassurait : « Il n'y a aucun risque. Je vous le répéterai un million de fois s'il le faut, mais ne m'en veuillez pas si je ris car votre imagination va très, très loin ! » Plein de douceur, il ajoutait : « Vous vous pourrissez la vie avec des craintes, des tempêtes mentales qui vous hantent et vous empêchent d'être en paix. »

Se libérer de ce qui sabote notre quotidien ou le dossier RAF

ALEXANDRE : Parfois, je suis à deux doigts de capituler. Comment ne pas démissionner devant tant d'obstacles et de force d'inertie : les habitudes, les passions et cette tendance coriace à répéter les erreurs ? L'idéal du bodhisattva me requinque. Ce défi qui me dépasse infiniment, ce n'est pas l'ego qui doit le relever, mais tout mon être.

J'apprends à me délivrer de la *dictature de l'après* pour avancer pas à pas. Quand la vie devient insupportable, il est tentant de s'agripper à l'avenir : « Après, j'irai mieux. »

Mais le risque de fuir la réalité pour attendre toujours fait des ravages. Celui qui a tellement lutté ose-t-il déposer les armes et jouir de la vie ? Les psychiatres et les contemplatifs devraient se pencher sur cette redoutable question… Pourquoi au haut d'une montagne ne savons-nous pas apprécier le paysage sans déjà anticiper le prochain sommet ? Vivre à fond chaque étape, c'est éviter l'épuisement. Pour échapper à cette curieuse frénésie, comme si j'étais tenté de rattraper le temps perdu, de réparer toutes les blessures du passé, je commence à vivre dans le présent et à poser des actes au jour le jour.

MATTHIEU : C'est vrai. Je parlais de la ligne directrice, mais le reste est affaire de méthode. Encore une fois, Shantideva disait qu'il n'y a aucune grande tâche difficile qui ne puisse être décomposée en petites tâches faciles.

ALEXANDRE : J'ai rencontré un gastro-entérologue qui, après que je fus examiné sous toutes les coutures, m'a assuré que je n'avais rien. Il m'a alors donné un précieux conseil : « Désormais tu as un dossier RAF, Rien À Foutre. Chaque fois qu'une angoisse te turlupine, mets-la illico dans le dossier. » Ce docteur, impeccable, non seulement a fait tout ce qui était médicalement possible pour dépister une maladie, mais il a aussi évacué toute angoisse. Sans banaliser ma peur, ni évoquer trop tôt le concept fourre-tout de *trouble psychosomatique*, il m'a réellement aidé. Pourquoi ne pas suivre son conseil et créer nous aussi un dossier RAF pour y balancer toutes les tracasseries inutiles. L'exercice est à

S'initier à la patience, c'est découvrir progressivement une confiance en la vie. Sur cette route, les amis dans le bien nous soutiennent lorsque nous trébuchons.

pratiquer au présent et à la première personne : l'imposer avec force à quelqu'un d'anxieux est inefficace et bien cruel. S'initier à la patience, c'est aussi découvrir progressivement une confiance en la vie. Sur cette route, les amis dans le bien nous soutiennent lorsque nous trébuchons.

MATTHIEU : Concernant les pensées qui nous harcèlent constamment, tu as bien décrit de façon imagée comment on peut se défaire peu à peu de leur emprise en les laissant passer une fois, dix fois, cent fois, jusqu'à ce qu'un moment vienne où ces pensées ne posent plus de problème. Alors qu'au départ la moindre pensée qui t'obsédait était comme une étincelle tombant sur une montagne d'herbes sèches, à la fin, ce sera comme une étincelle qui jaillit dans l'air et s'évanouit.

Cette méthode est au cœur même des pratiques qui nous permettent de gérer les pensées et les émotions, et de conquérir notre liberté intérieure. Comme on l'a vu à plusieurs reprises, il existe un grand nombre de méthodes pour gagner cette liberté. On peut, par exemple, se débarrasser des pensées qui nous perturbent en faisant appel à des pensées ou à des sentiments diamétralement opposés :

la bienveillance contre la haine, la patience contre l'irritation, etc. Il ne peut pas y avoir en même temps dans notre esprit une pensée d'amour et une pensée de haine. Mais le « laisser passer » est une méthode plus subtile et plus puissante. En effet, on se rend vite compte qu'empêcher les pensées de surgir est une cause perdue d'avance. Elles surviennent de toute façon. À quoi bon vouloir les bloquer quand elles sont déjà là ? La vraie question est de savoir ce qu'on fait d'elles. Est-ce qu'on les laisse vagabonder et se reproduire jusqu'à ce que notre esprit soit complètement submergé par les pensées qu'elles font naître à leur tour, ou est-ce qu'on les laisse simplement passer sans leur fournir l'occasion de proliférer ? Dans le second cas, on les compare aux oiseaux qui traversent le ciel sans laisser de trace, ou aux dessins qu'on fait sur l'eau et qui s'effacent au fur et à mesure. C'est ce qu'on appelle la « libération des pensées à mesure qu'elles surviennent ».

Ce « laisser passer » est une des meilleures méthodes, non seulement pour gérer habilement les pensées qui nous perturbent, mais aussi pour affaiblir peu à peu nos tendances à laisser les pensées s'emparer de nous. Si par exemple on donne libre cours à la colère, non seulement on est en son pouvoir, mais on a aussi de plus en plus tendance à se mettre à nouveau en colère. Si en revanche on apprend à laisser la colère à elle-même, sans lui accorder la moindre importance, elle s'évapore toute seule. Dans l'immédiat, on évite donc de se trouver sous son emprise, et à long terme l'accumulation de petits succès finit par dissoudre notre tendance même à la colère. Un jour viendra où la haine et les autres poisons mentaux ne surgiront plus dans notre esprit. Ils ne feront tout simplement plus partie de notre paysage mental.

La liberté indissociable de la responsabilité

CHRISTOPHE : La première dimension à laquelle je pense, c'est la liberté comme besoin naturel. On a mis longtemps à comprendre que les animaux en captivité, même s'ils étaient bien traités, étaient privés de quelque chose de fondamental – leur liberté, la possibilité d'évoluer dans l'espace et de se mouvoir naturellement –, et que cela les rendait littéralement malades : en cage ou dans des zoos, ils sont malheureux et souffrent de névroses absurdes qu'ils n'auraient jamais eues dans la nature. C'est la même chose chez l'homme : il a naturellement besoin de disposer d'un espace de liberté, de mouvement et de parole.

Mais les humains ont ajouté une autre dimension à celle du besoin biologique : la liberté comme un droit. Dans la Déclaration d'indépendance des États-Unis figurent trois droits inaliénables : le droit à la vie, le droit à la liberté, le droit à la poursuite du bonheur. Du reste, très intelligemment, il n'est pas fait mention du « droit au bonheur » mais du « droit à la *poursuite* du bonheur ». Sous-entendu : le bonheur est une affaire individuelle, mais créer les conditions pour ce bonheur (liberté, sécurité, justice, éducation, etc.), c'est le rôle de l'État.

Cependant, nous ne pouvons pas penser la liberté comme une entité absolue, autonome, indiscutable, à l'image du droit à la vie, mais plutôt comme une entité relative, couplée à la notion de devoir et surtout de responsabilité. Ce couple liberté-responsabilité est à mes yeux indissociable. D'ailleurs, dans l'article 4 de la Déclaration des droits de l'homme et du citoyen, la liberté est définie comme le pouvoir de faire tout ce qui «ne nuit pas à autrui».

En théorie, tout le monde est d'accord sur ce point. Le problème, c'est le mouvement naturel de notre psyché qui nous ramène à notre ego, à nos besoins, à notre nombril! Nous avons la responsabilité de penser aux autres : si je vois ma liberté comme un territoire dans lequel je peux faire tout ce que je veux, tôt ou tard vont apparaître des frictions avec d'autres humains, à moins que je vive sur une île déserte. C'est une évidence qui doit être rappelée, et surtout travaillée : la liberté ne peut pas être pensée sans réfléchir à ce qu'est la liberté des autres, et sans donner aux autres les mêmes droits que les nôtres.

Comme le rappelait hier un de nos amis, Mark, il existe trois domaines de liberté : la liberté de pensée, la liberté de parole et la liberté d'action. On a tendance à considérer que la liberté de pensée est absolue, mais on ne doit jamais oublier qu'elle est tout sauf anodine : il existe des pensées toxiques, dangereuses, dommageables pour la personne elle-même. Et les pensées sont le terreau de l'action : ressasser certaines pensées représente une formidable préparation à l'action. Certaines pensées nous poussent vers des actions courageuses et altruistes, mais nous hébergeons, sans en être conscients, d'autres pensées

– de l'ordre du ressentiment, de l'autodévalorisation –, qui ont un immense pouvoir sur nos paroles et nos actions.

La question de la liberté de parole est encore moins anodine. Certains pensent que seuls les actes comptent. Mais les mots ont une valeur essentielle dans notre espèce humaine, et si je devais faire une différenciation pédagogique, je dirais qu'il y a deux types de paroles : la parole intime et la parole publique. Je suis frappé par ces conflits conjugaux, où l'un des conjoints, souvent sous l'emprise de ses émotions, balance des horreurs à son partenaire. C'est très grave, surtout quand les insultes sont devenues une façon habituelle de «vidanger» ses émotions. C'est trop facile de dire ensuite : «Désolé, j'étais énervé.» La liberté de parole implique responsabilité, contraintes et obligations, notamment des obligations de formulation. On s'attache à cela dans le conseil ou la thérapie de couple : «Vous pouvez dire beaucoup de choses à votre conjoint, mais pas n'importe comment ; n'utilisez pas de termes blessants, ne généralisez pas, restez sur des comportements précis, etc.» La liberté de parole et d'expression est impensable et dangereuse sans contraintes de formulation.

Mais il y a un autre niveau de parole, celui de la parole publique. Selon le courant philosophique connu sous le nom de conséquentialisme, la valeur morale d'une action doit être jugée sur ses conséquences. Lorsque nous prenons la parole en public, il faut donc nous demander non seulement si nous avons raison, si nous sommes dans le vrai (d'après nous) mais aussi et surtout quelles vont être les conséquences de nos paroles sur les autres. Certains

Chaque fois que l'on prend position en public, il est important de se demander : quelle est la part de l'impulsion et la part de la réflexion ?

parleront d'autocensure, mais je crois vital de prendre le temps de réfléchir sur toutes les formes de prises de parole publique. En France, on aime l'engagement mais on n'a pas l'habitude de passer la parole publique au tamis du conséquentialisme. Prenons par exemple l'admiration éperdue qu'on a portée à Sartre dans les années 1960 et 1970, et le relatif mépris dont son concurrent malheureux, Raymond Aron, a fait l'objet. Aron était un conséquentialiste, un homme prudent et responsable, qui disait : chaque fois que j'émets une opinion, chaque fois que j'écris dans un journal, je ne me demande pas seulement si j'ai raison, mais aussi quels pourraient être les dommages collatéraux potentiels de ma prise de position affichée en public ? Sartre aimait la posture de héros de la liberté. Sa priorité était de défendre les valeurs auxquelles il était attaché, sans forcément tenir compte de leurs conséquences sur le terrain. Il a ainsi soutenu jusqu'à l'aveuglement des régimes politiques détestables et, avec le recul de l'histoire, on s'aperçoit qu'Aron a été bien plus lucide que lui sur tous leurs engagements ; pas par plus d'intelligence (les deux hommes étaient de grands esprits) mais par plus de prudence et de responsabilité. Chaque fois que l'on prend position en public, il est important de se demander : quelle est la part de l'impulsion et la part de la réflexion ? L'humain n'est pas seulement un sac à impulsions, et même si la réflexion n'est pas une garantie, il me semble qu'elle peut éliminer un certain nombre de blessures et d'aberrations.

Le troisième niveau est la liberté d'action. Encore plus que pour la liberté de parole, il faut des règles absolues, sinon c'est le règne de la «loi du plus fort», qui est l'exact opposé de la liberté : l'empire du plus musclé, du plus égoïste, du plus rusé, du plus malpoli, du plus extraverti sur les faibles, les altruistes, les introvertis, etc.

Du bon exercice de la liberté

CHRISTOPHE : Pour conclure avec mes convictions sur la liberté, quatre derniers points me semblent importants.

D'abord, la notion d'*équilibre intérieur*. Sans doute est-ce lié à mon regard de psychothérapeute et de psychiatre, mais il me semble que la première étape pour prétendre vivre dans une liberté personnelle et respectueuse de celle d'autrui est la compréhension et la régulation de ses propres émotions. Qu'il s'agisse des émotions perturbatrices dont parle le bouddhisme (la colère, l'envie…), mais parfois aussi des émotions positives (joie, amour…) qui peuvent altérer notre liberté et nous faire oublier les besoins de l'autre. L'attachement amoureux par exemple peut nous rendre dépendants ou nous pousser à réduire la liberté de l'autre; l'expression de notre joie peut peiner des personnes en difficulté au moment où nous sommes heureux…

La deuxième notion importante est la *conscience d'autrui*, de ses besoins, de ses fragilités, de ses valeurs. Au fond, la pratique de la liberté individuelle passe par un nombre considérable de contraintes, ce qui pourrait paraître paradoxal. Pour être authentiquement libre, de façon respectueuse vis-à-vis des autres, je dois accepter des limitations : elles ne vont pas forcément me donner le sentiment que j'ai renoncé à ma liberté, mais que j'ai renoncé aux parties de ma liberté qui étaient inutiles, infondées, comme des masques, des faux nez, ou qui causaient de la souffrance à autrui.

Troisième point, lors des retraites dans un monastère où, vu de l'extérieur, on subit de nombreuses contraintes, j'ai souvent eu un sentiment de liberté considérable. Certains diraient : tu étais heureux parce que tu étais en situation de soumission et que la soumission consentie aux règles comporte une part d'allégement, dans la mesure où elle nous libère des prises de décisions ou de responsabilités. C'est possible ; il n'empêche que, de manière transitoire, accepter les contraintes de la vie au monastère peut nous donner le sentiment d'une immense liberté, parce que cela nous aide à *nous débarrasser de questions accessoires* : quelle heure est-il ? que va-t-on manger ? que ferai-je demain ? Et que les contraintes nous ramènent à l'essentiel : actions simples et dépouillées, méditation, prière, réflexion…

Quatrième point, la notion de *courage*. La liberté, c'est parfois puiser en soi le courage de dire certaines choses qui vont déranger autrui : on peut blesser autrui utilement, lui « remonter les bretelles ». J'aime bien chez les chrétiens la notion de « correction fraternelle ». Quand on voit un frère ou une sœur dans l'erreur, ou faire un mauvais usage de sa

liberté, notre devoir est de le remettre dans le droit chemin, mais il faut pour cela du courage et de la motivation.
Parfois, on se dit : après tout, qu'il se débrouille, c'est son
erreur, je ne peux pas être le redresseur de torts de la terre
entière. Parfois, on a peur de créer des conflits, de briser un
lien qui nous semble plus précieux que le coût des erreurs
commises. J'ai pour ma part tendance à trop respecter la
liberté d'autrui, ou à manquer de courage pour corriger ce
qui ne va pas. C'est un axe de travail important pour moi.

Pour terminer, en tant que thérapeute comportementaliste, j'ai souvent été regroupé, avec mes confrères, dans
la catégorie des restricteurs de liberté. Parce que notre
thérapie est basée sur des apprentissages : on apprend aux
patients des modes de pensée, de comportement, de gestion de leurs émotions que la vie ne leur a pas enseignés
et qu'on considère comme fondamentaux. Nos adversaires nous ont parfois traités de « dresseurs de chiens ». Ils
confondaient apprentissage et dressage ou endoctrinement.
Quand on travaille avec des sujets timides, par exemple, qui
voudraient dire *non* mais n'osent pas, on leur montre comment s'y prendre, on les entraîne par exemple à résister à la
pression au travers de jeux de rôles. On leur apprend à dire
non, mais on ne leur dit pas *à quoi* ils doivent dire non : ce
sont eux qui choisissent.

ALEXANDRE : En t'écoutant, Christophe, j'ai repensé
aux maisons de prostituées que j'ai évoquées. Tu nous
donnes de sacrées pistes. Le défi se joue à l'instant infime
où l'émotion perturbatrice ou la pulsion rapplique. Quand

> La liberté procède de cet exercice :
> traquer les déterminismes et les influences
> qui pèsent sur nos choix, nos opinions et
> oser les remettre en cause.

j'observe les hommes rentrer dans ces maisons tristes, je devine qu'il y a toujours une microseconde où nous avons encore le choix ; après, c'est trop tard, tout s'emballe. Il s'agit de ne pas la louper. C'est fou comme une minute d'*inattention* peut déterminer une vie, la saccager. Chacun est appelé à localiser ses points de vigilance : l'angoisse, la colère, la sexualité, l'argent, le qu'en-dira-t-on… Pour ne pas se casser la figure, il s'agit d'apprendre à repérer les engrenages qui réduisent nos efforts à néant.

La liberté procède de cet exercice : traquer les déterminismes et les influences qui pèsent sur nos choix, nos opinions et oser les revisiter, les remettre en cause. Rencontrer l'autre, dialoguer pour de vrai dégage une voie royale pour abandonner les ornières et cesser d'être des hommes, des femmes sous influence.

La liberté ultime : se libérer des causes de la souffrance

MATTHIEU : Il y a en effet différentes sortes de libertés qu'il ne faut pas toutes mettre dans le même panier. En contrepoint à ce que vous avez dit, je voudrais ajouter deux ou trois choses.

Dans le bouddhisme, on parle de deux formes de liberté : celle qui permet de se consacrer à la voie spirituelle et celle qui affranchit du joug de la souffrance et de ses causes. La première consiste à se débarrasser de tout ce qui fait obstacle à la progression vers l'Éveil, en particulier les préoccupations et les occupations futiles qui ne font que nous distraire jour après jour jusqu'à la mort. La seconde est la libération de la confusion mentale et des émotions négatives qui nous affligent et obscurcissent notre esprit. De ce point de vue-là, la liberté ultime est synonyme d'Éveil.

On est ici loin de la liberté de faire n'importe quoi. Je me rappelle souvent les propos d'une jeune fille interviewée par la BBC : « Pour moi, la liberté, disait-elle, c'est de faire tout ce qui me passe par la tête sans que personne n'y trouve rien à redire. » Pour elle, cela revenait donc à être volontairement esclave de toutes les pensées sauvages qui tournent dans l'esprit. Son point de vue était radicalement individualiste, puisqu'elle revendiquait la liberté de faire tout qu'elle voulait, sans faire le moindre cas de ce que veulent les autres.

La vraie liberté consiste à maîtriser son esprit plutôt que de le laisser dériver au gré des pensées. Comme un marin, libre de naviguer vers la destination qu'il a choisie en maîtrisant son bateau et en ne le laissant pas dériver au gré des vents et des courants qui l'entraîneraient sur les récifs. Autrement dit, être libre, c'est être affranchi de la dictature de l'ego et des tendances habituelles forgées par nos conditionnements.

Pour revenir sur deux des points développés par Christophe, certains pensent que s'astreindre à une discipline, lorsqu'on fait une retraite de méditation ou un séjour dans un monastère, par exemple, c'est perdre sa liberté. Mais ils devraient aussi penser la même chose du sportif ou de l'artiste qui s'entraînent pendant des heures au lieu de passer leur temps à se faire bronzer sur la plage. L'apprenti alpiniste sacrifie-t-il sa liberté quand il reste des heures dans une salle de varappe à suivre les conseils d'un instructeur ? Pour moi, en tout cas, c'est une joie de passer du temps dans un ermitage pour cultiver la bienveillance et maîtriser mon esprit, tout en n'ayant pas à faire de choses qui ne mènent qu'à davantage de confusion et de souffrance.

Quant à traiter de dresseurs d'ours ou de chiens ceux qui appliquent des thérapies dont l'efficacité a été amplement démontrée, sous prétexte qu'elles exigent une intervention, une pratique et un apprentissage, les partisans du moindre effort feraient mieux de montrer davantage de compassion à l'égard de leurs patients au lieu de leur imposer le produit de leurs fabrications mentales. Ils me rappellent la façon dont les travaux fondateurs de Richard Tremblay et de son équipe ont été reçus en France. Ils avaient réalisé ce qu'on appela « l'étude longitudinale de Montréal », après avoir suivi de la naissance à l'adolescence plus de vingt mille enfants représentatifs de la population canadienne. Ils avaient alors constaté trois types d'évolution de la fréquence des agressions physiques. Chez la moitié des enfants, cette fréquence augmentait entre un an et demi et 4 ans, puis diminuait clairement jusqu'à 12 ans. Du début à la fin de cette période, un tiers des enfants recouraient très peu à l'agression physique. En revanche, les analyses de trajectoires personnelles montraient qu'environ 10 % des enfants se démarquaient sensiblement des autres par la fréquence de leurs agressions physiques avant l'âge de 4 ans, et que près de la moitié d'entre eux étaient violents beaucoup plus fréquemment que les autres jusqu'à l'adolescence.

Les enfants de ce troisième groupe avaient de très grands risques de souffrir de problèmes relationnels, d'être dépressifs et instables, et d'avoir des comportements anti-sociaux. Adolescents, ils avaient souvent des démêlés avec la justice. Seuls 3 % d'entre eux obtenaient le diplôme de fin d'études secondaires, contre 76 % des garçons ayant rarement recours à l'agression physique. Les chercheurs identifièrent un certain nombre de signes avant-coureurs d'agression physique chronique chez les enfants à haut risque, tels que le dysfonctionnement familial, la séparation des parents avant la naissance, les salaires bas, et le fait que les mères aient eu l'enfant avant 21 ans, soient devenues mères par force ou à contrecœur, ou aient fumé pendant leur grossesse. Les garçons couraient nettement plus de risques que les filles.

Richard Tremblay s'associa également pendant un an à un groupe de scientifiques français qui préparaient un rapport sur les troubles de conduite, publié par l'Inserm en 2005. Ce rapport déclencha un tsunami d'indignation aux « quatre coins de l'Hexagone ». Le jour de sa sortie, l'éditorial du *Monde* l'accusa de véhiculer des idées anglo-saxonnes que Bush appliquait aux États-Unis, et le qualifia d'insulte aux grands travaux des psychanalystes français sur les enfants. Les détracteurs de ce rapport osèrent dire que son véritable objectif était de « traquer » les enfants indésirables par un « dépistage précoce et féroce » débouchant sur le « dressage » des enfants pour les « neutraliser » par une surmédicalisation pouvant conduire à une « toxicomanie infantile ». Selon eux, on allait empêcher les enfants d'exprimer toute la richesse de leur personnalité. Autant d'affabulations qui n'avaient rien à voir, de près ou de loin, avec le contenu des travaux scientifiques en question.

Ces études et bien d'autres montrent que, lorsqu'un enfant présente de façon chronique des symptômes de trouble de conduite, le risque de délinquance juvénile grave est statistiquement aussi important que celui d'attraper un cancer quand on est fumeur. Dirait-on aussi qu'on pratique une forme de discrimination quand on cherche à savoir, par exemple, si les enfants sont prédisposés à devenir diabétiques dans dix ans ? Le vrai remède dont ces enfants ont besoin, c'est la sollicitude d'autrui et l'équilibre émotionnel. Si je me suis un peu étendu sur cet exemple, c'est qu'il est typique de l'usage qu'on fait parfois de la liberté d'expression pour soutenir coûte que coûte des opinions préconçues, tout en ignorant la réalité des faits ou les résultats scientifiquement prouvés.

MATTHIEU : La liberté est parfois envisagée dans une perspective purement individualiste. L'individualisme a plusieurs visages. Il peut se référer au respect de l'individu, celui-ci ne devant pas être utilisé comme un simple instrument au service de la société. Cette notion a donné naissance au concept des droits de l'homme. Ce type d'individualisme confère à chacun une autonomie morale et lui permet d'effectuer ses choix en toute liberté. Mais cette liberté, comme Christophe l'a souligné, ne doit pas occulter les devoirs de l'individu envers la société. Sinon, l'individualisme se transforme en désir égocentré de s'affranchir de toute conscience collective et de donner la priorité au chacun pour soi.

La notion de droit implique la réciprocité. Les extrémistes, religieux en particulier, revendiquent un respect inconditionnel de leurs croyances et réagissent violemment s'ils estiment qu'elles ont été bafouées. Malheureusement, ils considèrent qu'ils ne sont pas tenus de respecter les croyances et les opinions des autres, qu'ils se donnent le droit de mépriser et de persécuter. Leur idée de respect est à sens unique. Les talibans étaient très fiers, par exemple, d'avoir détruit les bouddhas de Bamiyan. Mais quelque temps plus tard, quand un exemplaire du Coran a été brûlé dans un vieux quartier de Delhi, on ne sait ni par qui ni pourquoi, les violentes protestations qui ont suivi ont causé la mort d'une dizaine de personnes.

La bienveillance comme boussole

MATTHIEU : Nous sommes bien d'accord pour dire que la liberté ne peut s'exercer que dans la mesure où elle ne nuit pas à autrui, mais cette position est souvent mise à l'épreuve dans le cas de la liberté d'expression. Comment évaluer et prévoir les conséquences négatives de ce qu'on dit ou écrit ?

Après la tragédie de *Charlie Hebdo*, en janvier 2015, j'ai participé, à Davos, à un débat sur la liberté d'expression oraganisé par la BBC. Parmi les intervenants figuraient le directeur de Human Rights Watch, l'ancien grand rabbin d'Irlande, David Rosen et le cheikh Bin Bayyah, qui est connu pour avoir déclaré « la guerre à la guerre » et qui est l'un des rares sages et érudits musulmans à être respecté par toutes les branches de l'islam. Les intervenants ont affirmé unanimement qu'au niveau de l'État on ne devait jamais accepter de restreindre la liberté d'expression, mais qu'il revenait aux individus, en revanche, d'exercer cette liberté judicieusement et de façon responsable.

Pendant le débat, j'ai dit que si j'étais caricaturiste et si je savais que mes dessins risquaient de provoquer la mort de quinze personnes au Pakistan, en Afghanistan et au Nigeria, je considérerais que les publier serait de ma part un manque de compassion impardonnable. Les foules qui s'enflamment rassemblent le plus souvent des gens peu éduqués qui perçoivent ce qui a été dit ou publié comme une grave offense à ce qu'ils respectent par-dessus tout. Ils n'ont rien à faire de notre liberté d'expression, un concept qui leur échappe. Dans de tels cas, au lieu de leur rentrer dans le chou, nos efforts devraient porter sur le long terme, afin d'aider ces populations à bénéficier d'une meilleure éducation et de favoriser leur évolution vers une plus grande tolérance.

Revendiquer la liberté d'expression, surtout dans les pays totalitaires, relève souvent d'un grand courage. Mais une fois cette liberté obtenue, il revient aux individus – journalistes, écrivains, meneurs d'opinion –, de ne pas s'en servir pour s'arroger le droit de dire tout ce qu'ils pensent au risque de provoquer des réactions incontrôlables. On aboutit à une sorte de dictature de l'individualisme, qui reflète souvent un manque de compassion.

Dans l'exercice de la liberté conditionnelle, il vaut donc mieux prendre en compte les conséquences que les principes. Il faut éviter de s'accrocher au dogme d'une liberté d'expression sans conditions, déconnectée des effets qu'elle peut produire. Certains écarts, comme la tenue de propos racistes, l'incitation à la violence ou le négationnisme concernant l'Holocauste sont punis par la loi, mais il n'est pas possible de légiférer sur toutes les subtilités de l'exercice de la liberté d'expression. C'est donc uniquement sur la base de la bienveillance que chacun peut décider du bon usage de cette liberté. La bienveillance, cela ne veut pas dire qu'on se colle un sparadrap sur la bouche et qu'on brise son crayon de dessinateur, mais qu'on ouvre davantage son cœur aux autres.

CHRISTOPHE : Matthieu, tu parlais de l'étendard de la liberté, des motivations égoïstes derrière le masque. Je pensais à des exemples concrets, aux personnes qui prennent la liberté de parler fort au téléphone, en dérangeant tout un wagon pendant un trajet en train. Ou à la liberté de mettre la musique à fond dans sa voiture et de rouler dans les rues à 3 heures du matin, vitres ouvertes. Ou encore à la liberté de faire des blagues sur les Belges, les Juifs, les handicapés, les Arabes, les blondes, etc. Que fait-on ? La solution n'est pas seulement l'interdiction, c'est aussi l'éducation, plus exactement un cocktail des deux. Et quel est le seuil ? Quelle est la finalité du comportement pour lequel on réclame de la liberté ? Est-ce une finalité concernant son seul plaisir personnel ou y a-t-il quelque chose de l'ordre du bien commun ? Quand la liberté que je réclame est celle de parler très fort au téléphone, 1) a-t-elle pour but l'assouvissement de mon désir, l'obtention d'un plaisir personnel ou la contribution au bien commun ? et 2) y a-t-il d'autres façons de faire ?

Si l'on passe ces revendications à la liberté au filtre de ces deux tamis, il est clair que se donner la liberté de téléphoner à voix haute dans un TGV ne contribue pas au bien commun, mais l'altère, et que cela sert uniquement l'assouvissement de mes besoins personnels. D'autre part, j'ai la possibilité d'aller sur la plate-forme téléphoner à l'écart. Le verdict est clair : vouloir téléphoner à ma guise dans le wagon est une forme de liberté égoïste, donc à réguler…

NOS CONSEILS POUR EXERCER LA LIBERTÉ AU QUOTIDIEN

UNE PRATIQUE DE LA LIBERTÉ
ALEXANDRE

 Se libérer par l'attention. Apprendre à traquer toutes les émotions perturbatrices dès qu'elles se pointent pour ne pas entrer dans leur spirale infernale. Et repérer le tonnerre avant qu'il n'éclate.

 Le dossier RAF. Créer un dossier RAF (Rien À Foutre) et y glisser toutes les idées malsaines qui nous turlupinent, les fantasmes, les illusions et les délires. Ne pas s'attarder sur le flot de pensées inutiles et nocives qui nous traversent du matin au soir, sortir de ce brouillard.

 Se libérer du passé. Se libérer, pour Spinoza, c'est revisiter notre passé, examiner notre histoire. Qu'en retirons-nous ? Qu'en retenons-nous ? Des préjugés, des traumatismes ? Repérer les influences et les déterminismes que nous traînons avec nous, c'est hâter le pas vers la liberté. S'il a fallu des années pour

445

nous façonner, accordons-nous du temps pour nous libérer des séquelles de notre histoire, des trahisons, des manques… Le défi ? Revisiter le passé non pour y trouver des excuses, mais pour devenir meilleurs.

POUR UNE LIBERTÉ JUSTE
MATTHIEU

La liberté extérieure est la maîtrise de notre existence, et la liberté intérieure la maîtrise de notre esprit.

La liberté intérieure s'acquiert par l'entraînement de l'esprit qui s'affranchit du joug de la confusion et des poisons mentaux.

Elle s'accompagne naturellement de bienveillance et de compassion, et ces dernières devraient être les guides de notre liberté extérieure.

LES QUATRE CLÉS DE LA LIBERTÉ
CHRISTOPHE

Toujours penser la liberté en stéréo : liberté *et* responsabilité. Dès qu'on isole la liberté de la responsabilité, on est sur la pente très glissante de l'égoïsme, sur le bateau ivre dont parlait Matthieu.

Ne pas oublier la morale. La liberté a besoin de deux régulations : une intérieure (la responsabilité individuelle) et une extérieure (les règles et les lois). Mais une fois ces lois établies, on revient à la personne, car la question n'est pas juste « ce qui est légal », mais « ce qui est moral ». Même si la loi me permet certaines choses, il n'est pas toujours souhaitable que je les fasse.

☞ Passer ma liberté au filtre des deux tamis : 1) La liberté que je revendique est-elle destinée à atteindre mon plaisir personnel, ou offre-t-elle quelque chose de l'ordre du bien commun ? 2) Si cette liberté que je revendique, bien que liée au bien commun, pose problème aux autres, ai-je alors d'autres façons d'y accéder ?

☞ Conjuguer la liberté au pluriel. Elle est un bien commun, et chaque fois que je réclame quelque chose ayant trait à *ma* liberté, je suis dans l'erreur la plus profonde, je dois penser à *notre* liberté.

12
NOS PRATIQUES QUOTIDIENNES

ALEXANDRE : En débarquant dans ton monastère, au Népal, ce qui m'a émerveillé, Matthieu, c'est de voir combien la vie spirituelle et la pratique du dharma rayonnaient au cœur de votre quotidien. À côté, je suis un vrai rigolo... En m'accueillant, tu m'as offert *Les Cent Conseils de Padampa Sangyé*, accompagné de cette lumineuse dédicace : « Que la durée de ta pratique soit celle de ta vie. » Il me *faut* donc croire et expérimenter que chaque instant offre une chance de progresser. Non, rien ne s'oppose à l'Éveil, à l'union à Dieu, même pas la ténacité de nos petits travers quotidiens. Tout peut devenir exercice, y compris et surtout peut-être ce qui nous fait chanceler. Si je n'essaie pas de transformer en bien les tuiles qui me tombent sur la figure, je suis foutu. Et pourquoi ne pas commencer tout simplement par se mettre à l'école des vertus : « Tiens, celui-là commence à me casser sérieusement les pieds, excellent ! Il n'y a pas de meilleure aubaine pour

> Il est dangereux d'attendre d'être en pleine mer pour apprendre à nager. Commençons donc sur-le-champ !

me débarrasser de ma fichue impatience.» Et quand les angoisses me tournent autour comme de vilaines guêpes, je fonce méditer. Aucune affaire, nulle difficulté, même énorme, n'entrave ultimement l'esprit dans son œuvre de libération. Au contraire, les perturbations peuvent servir de signaux d'alarme pour se mettre au boulot, oser la non-fixation ou tout simplement demander de l'aide. Mais, quand les alarmes de la vie se mettent à hurler, je préfère bien souvent les oublier, les fuir carrément. Encore une fois, il est dangereux d'attendre d'être en pleine mer pour apprendre à nager. Commençons donc sur-le-champ !

Faire de la journée un terrain d'expérience

ALEXANDRE : Voici peut-être venu le moment d'envisager ce qui incarne l'essentiel de la pratique quotidienne. Et puisqu'elle sera amenée à se prolonger tout au long de notre vie, autant y aller avec la plus grande application… Voici donc quelques pistes qui m'aident jour après jour.

Le premier pas, c'est sans doute de dédier sa journée aux autres, et tout particulièrement aux plus démunis, à ceux qui souffrent. À l'heure où nous échangeons, certains apprennent qu'ils sont atteints d'un cancer, d'autres perdent un enfant, beaucoup meurent de faim… Nous devons garder à l'esprit et dans le cœur les milliards d'êtres qui se débattent dans l'immense océan de souffrances qui peut engouffrer, du jour au lendemain, chacun d'entre nous, briser notre liberté et violer notre dignité. Il faut sans cesse nous rappeler que nous ne pratiquons pas pour dorloter notre ego mais, pour reprendre l'expression du père Arrupe, afin de devenir des hommes et des femmes *pour* les autres, des personnes qui se consacrent à aimer autrui et à soulager la peine.

Certes, on peut rétorquer : « Ça leur fait une belle jambe à ceux qui sont au bout du rouleau que tu leur dédies ta journée ! » Après tout, si un téléphone portable peut se relier à une antenne, un vulgaire bout de ferraille qui émet des ondes, pourquoi ne pas envisager qu'au cœur de l'intériorité il existe un lien profond entre tous les êtres ? Ce n'est pas tomber dans l'occultisme de comprendre que tout, en ce bas monde, est *interconnecté*... Je suis convaincu que placer la journée sous le signe de la générosité nous rend meilleurs. Cette pratique congédie un égoïsme coriace si difficile à éradiquer.

Au début, j'assommais mon maître de questions : « Qui est Dieu ? », « Pourquoi souffre-t-on ? », « Quand vais-je guérir de mes tourments ? »... Avec une douceur infinie, à chaque fois, il me conviait à revenir à l'*ici et maintenant*, où l'éternité se joue. Il m'a montré, de manière magistrale, que se perdre en vains discours sur l'ascèse ne menait nulle part, que rien ne valait la pratique de la générosité.

Très concrètement, j'essaie de suivre quatre pratiques essentielles. La première reprend l'invitation du bon pape

Jean XXIII : accomplir chaque geste comme si Dieu m'avait créé uniquement pour cela. Par exemple, quand je rencontre une personne, je me rappelle qu'en ce moment c'est elle la plus importante au monde. De même, quand je me brosse les dents, je peux m'y consacrer tout entier, sans que mon esprit se perde dans les pensées… Maître Yunmen résume d'une formule magnifique ce grand art : « Quand tu es assis, sois assis ; quand tu marches, marche. Surtout n'hésite pas. »

Un grand malentendu fait croire que le sage ne ressent aucune émotion. Au contraire, il les vit à fond et il sait les laisser s'évaporer avant qu'elles ne nuisent. Bref, s'il éprouve de la colère, il ne se sent pas obligé de balancer la vaisselle contre les murs… Vivre à fond ce qui nous trouble, sans nier quoi que ce soit, et avancer dans une extrême douceur, voilà le défi. J'ai longtemps eu en horreur la notion d'acceptation. Souvent, nous croyons qu'il s'agit de nous amputer de nos émotions, de leur tordre le cou. Accepter, c'est avant tout les voir, les accueillir, comme si elles étaient nos enfants, sans les juger. Ainsi, quand le chagrin me visite, au lieu de le fuir à tout prix, faire l'expérience complète de cette tristesse me permet de passer à autre chose, de tourner la page. Quand j'étais petit, je ne me laissais jamais aller totalement à la peine. Toujours, j'ai résisté jusqu'à l'épuisement. Aujourd'hui, quand je suis abattu, j'essaie, au contraire, de couler un temps, de ne pas résister. Je constate que je peux flotter, même au cœur de l'agitation. Voir que les émotions ne tuent pas finit par donner une grande confiance. Je dirais presque qu'en un sens les tempêtes nous aident. Rien ne contrarie davantage le dire «oui» joyeux que le déni face à ce qui nous agite.

La deuxième pratique, celle qui me nourrit le plus, consiste à laisser passer. Mille fois par jour, laisser passer les angoisses, les peurs, les émotions, comme autant d'abeilles qui viendraient bourdonner autour de nous : plus nous les chassons, plus elles s'agitent. Laissons-les tout simplement déguerpir, sans réagir le moins du monde.

À travers un simple refrain, le *Soûtra du diamant* m'offre un outil formidable qui me convertit d'instant en instant. Il pourrait se résumer ainsi : «Le Bouddha n'est pas le Bouddha, c'est pourquoi je l'appelle le Bouddha.» Voilà une troisième pratique qui m'occupe presque à plein-temps et qui m'aide à assumer les hauts et les bas de l'existence. Quand je vais mal, je sors ce livre pour y puiser non des armes, mais un instrument de vie : «Le handicap n'est pas le handicap, c'est pourquoi je l'appelle le handicap.» Le refrain me rappelle de ne rien figer, et de voir, dans un même temps, qu'une chose peut être à la fois une calamité et une chance. Il s'agit de quitter une logique binaire, la prison du dualisme. À chaque seconde, je peux vivre le handicap différemment. Quand le mental aurait tendance à réifier les choses et à coller partout des étiquettes, mille fois par jour, je me répète : «Alexandre n'est pas Alexandre, c'est pourquoi je l'appelle Alexandre.» Ce qu'il y a de formidable dans cette formule, magique, c'est qu'elle nous aide à ne jamais nous installer dans nos blessures, sans pour autant les nier. Il s'agit de prendre conscience que l'on plaque sur cette réalité plein de préjugés pour ensuite les décoller peu

Voir qu'en ce monde tout est précaire et fragile m'aide à avancer vers une liberté plus profonde.

à peu. Je peux alors, sans être dupe, appeler un chat un chat, sachant que le réel est toujours plus dense que ce que je crois. L'exercice que je pratique, depuis maintenant des années, c'est de me détacher, d'essayer de me départir de toutes les fixations égotiques, et, sans cesse, d'épouser le mouvement de la vie... Dire : « Ma femme n'est pas ma femme, c'est pour ça que je l'appelle ma femme », c'est découvrir que chaque jour je côtoie quelqu'un de nouveau, et cesser de l'enfermer dans des représentations. Voir que dans mon esprit coule un fleuve de pensées et d'émotions, c'est déjà cesser de prendre trop au sérieux tout ce qui me passe par la tête.

Enfin, j'emprunte une pratique à un texte de l'Ancien Testament qui bâtit un pont magnifique avec le boud-dhisme, l'Écclésiaste. Sous ses airs pessimistes, il vient tout dégommer et arracher une à une nos illusions. Je répète souvent son célèbre refrain : « Vanité des vanités, tout est vanité. » Voir qu'en ce monde tout est précaire et fragile m'aide à avancer vers une liberté plus profonde. Voilà qui guérit mon âme de la tendance à me consoler à bas prix. Au fond, c'est dans le chaos que je peux aussi découvrir la paix. Tout passe, mais pour mon grand malheur, je ne sais pas *laisser passer*, je m'accroche et je souffre encore et toujours... Au fond, l'Écclésiaste m'a guéri de l'idée même de guérir. Perdre un à un ses illusions et ses faux espoirs ouvre les portes d'une certaine sérénité. La lutte s'arrête, l'épuisant combat laisse place à la paix.

Bâtir une spiritualité au carrefour des traditions n'est pas sans risques. Il faut se garder d'absolutiser un chemin sans se perdre dans la dispersion et le syncrétisme. Pour ma part, j'essaie de suivre le Christ, et sur ce chemin le bouddhisme m'aide à me délester du moi et de tout son attirail. Chaque jour, j'essaie de fréquenter les Évangiles et de nourrir une authentique vie de prière. À mes yeux, prier, c'est se déshabiller pour de bon, quitter un à un tous les rôles pour se tenir à l'écoute d'une transcendance et oser un abandon, une confiance totale en plus grand que soi. Ici les étiquettes, les représentations, les attentes volent en éclats et le moi peut s'éclipser. Il en faut, du courage, pour se laisser tomber au fond du fond, oser ne rien faire, ne rien dire, ne rien vouloir et laisser Dieu s'occuper de Dieu. Prier, c'est dire oui à tout ce qui arrive, vivre sans pourquoi. Alors nous quittent, presque malgré nous, les mécanismes de défense, les refus et cette soif de tout maîtriser. C'est, dépouillé de tout, que l'on peut oser l'impensable : appeler Dieu, Père. Si ce chemin est difficile, aride parfois, car le moi résiste toujours, j'y trouve une joie immense, une liberté qui m'invite à me débarrasser des béquilles, pour avancer et aimer gratuitement.

Les obstacles à la pratique

ALEXANDRE : Parmi les mille et un obstacles qui se dressent sur ma route, j'en dépiste un redoutable : la mondanité. Dès que je m'éloigne de mon maître et de ma famille, j'ai tôt fait de m'empêtrer dans une sorte d'agitation qui me détourne de l'intériorité. Sans parler du risque de la médisance, qui n'est jamais très loin dès qu'on franchit certaines portes... Comment dire que nous avons besoin d'une demi-heure de méditation lorsque nous sommes dans un milieu imperméable, voire carrément hostile à la spiritualité ? Comment évoquer la foi en Dieu qui nous nourrit quand tant de tabous, de préjugés empêchent simplement d'écouter sans juger ? Il m'est arrivé de devoir prétexter un coup de fatigue pour m'accorder une heure bien *peinard*, pour quitter un mode de vie mécanique.

Sur la voie spirituelle sont requises à la fois une grande souplesse et une détermination totale. Or, du matin au soir, je fais plein de concessions. Je n'arrive même pas à suivre ce principe, pourtant si simple : vivre, ici et maintenant. Aussi, souvent, je me surprends en train de pisser, tout en me brossant les dents et en répondant au téléphone... périlleuse acrobatie !

Quand j'ai posé mes valises à Séoul, j'avais une soif énorme de progrès spirituel. J'étais prêt à tout pour atteindre l'Éveil, l'union à Dieu. Or, au bout de quelques semaines, mon enthousiasme se refroidissait déjà : «Mon père, on ne pourrait pas faire la retraite une semaine sur deux ?»

Et le mental redoublait de ruses pour m'égarer de la voie du cœur. J'avouais alors, pour pouvoir me la couler douce : « Mon père, le vrai défi, c'est pratiquer dans la vie quotidienne… Pourquoi se retirer du monde ? » Il faut, chaque jour, revenir à l'aspiration profonde et s'engager toujours plus. Même si nous maîtrisons peu de choses dans la vie, nous pouvons à tout instant décider de nous engager à fond sur la voie spirituelle, où il n'y a ni mode d'emploi, ni recette miracle, ni consolation immédiate. Le tout est de progresser un pas après l'autre, sans être boulonné à l'idée de progrès.

Ce qui m'aide

ALEXANDRE : Pour persévérer et ne pas me vautrer dans les concessions, je me suis engagé auprès de mon maître à méditer une heure par jour. Depuis cinq ans, je n'ai jamais manqué à cet engagement. Et je crois bien que c'est ce qui m'a sauvé la vie… Le plus curieux, dans cette affaire, c'est que certains matins, je me lève déjà stressé à l'idée de devoir caser mon heure de méditation. À côté de cette pratique régulière, il y a les amis dans le bien et les lectures qui nous convertissent au quotidien. Quand je m'épuise, je trouve toujours, grâce à mon maître, la force de me relever, de continuer. Chaque fois, il me reconduit à la source, au fond du fond. En lui parlant, la vie redevient simple et légère, et je sens que je n'ai *rien d'autre à faire* que de pratiquer, encore et toujours, d'oser m'avancer dans un infini abandon à Dieu.

Enfant, j'allais à la messe pour n'y trouver trop souvent que de plats sermons et beaucoup de ritualisme, fort éloignés des aspirations de mon cœur. Aujourd'hui, à Séoul, grâce à mon père spirituel, je vis la messe comme le lieu du dépouillement total, comme la chance de repartir renouvelé dans la vie. Je découvre au fond de mon cœur que je peux être pardonné, lessivé de l'emprise de l'ego, et je retrouve la force d'aller vers l'autre sans me replier toujours sur moi. Qu'on soit bouddhiste, pratiquant ou athée, finalement, l'essentiel est de choisir une voie, de s'y adonner à fond sans tomber dans le tourisme spirituel. Lorsque nous creusons un puits, si nous souhaitons atteindre la source, il faut persévérer dans une même direction.

Une journée type

CHRISTOPHE : Les différents volets abordés dans ce livre constituent des pratiques que nous nous efforçons d'atteindre par souci de cohérence. Pour parler plus quotidiennement, qu'est-ce que je fais, dans une journée type ou une journée idéale peut-être, qui relève de l'effort, non pas du hasard ou des circonstances ? Comme vous deux, et je commence ma journée par un temps de pleine conscience, au minimum 10 à 15 minutes où je suis assis et où j'essaie de centrer mon esprit dans la présence à l'instant, à la vie telle qu'elle est, seconde après seconde. Certains jours, j'ai des pratiques tournées vers la compassion, lorsque des amis ou des personnes que je connais sont en train de souffrir. Parfois ce sont des pratiques de compassion vis-à-vis des

Je m'efforce de prendre de tout petits temps
de recueillement pour me rappeler que ce que
je vais faire n'est pas juste mon gagne-pain,
un automatisme, une obligation, mais un choix.

gens qui souffrent même si je ne les connais pas, parfois
des pratiques de bonheur altruiste. Il y a aussi des pratiques de régulation émotionnelle où je cherche, comme
dit Matthieu, des antidotes à mes émotions douloureuses
et inconfortables. Si je ne fais pas ce travail de pacification,
de nettoyage, elles vont parasiter ma journée, ma relation
à l'autre, mon travail.

Ensuite, j'entre dans la vie familiale et, en général,
notamment ces dernières années, elle commence par la
rencontre avec mes enfants, qui se lèvent tôt le matin
pour aller à leur lycée, à leurs écoles, ce qui nécessite un
temps de parcours assez long. Avant la rencontre avec mes
enfants, j'essaie de me rappeler l'importance d'être joyeux,
de démarrer la journée par des plaisanteries, de la bonne
humeur, des sourires; sinon, je ne suis pas biologiquement
enthousiaste le matin.

Puis, ma journée se poursuit et, régulièrement, je m'efforce de prendre de tout petits temps de recueillement
pour me rappeler que ce que je vais faire n'est pas juste
mon gagne-pain, un automatisme, une obligation, mais un
choix. Les jours où je reste chez moi pour écrire, chaque
fois que je le peux, je me tiens debout et je pose les mains

sur mon fauteuil. Je me rappelle que j'ai la chance d'écrire des livres de psychologie avec ce qu'on m'a appris, ce que j'ai entendu, et que ces livres vont peut-être faire du bien à des gens, leur expliquer des choses auxquelles ils n'avaient pas réfléchi, attirer leur attention sur des efforts à leur portée. Quand j'arrive à l'hôpital, j'essaie d'avoir un temps de recueillement pour éprouver la chance de pouvoir exercer ce métier d'enseignant, de médecin. Lorsque j'ai des conférences à préparer ou des cours à donner, je réfléchis à la façon de transmettre l'envie d'aider, de soigner. Si j'interviens en entreprise, je me concentre sur le fait que mes paroles aideront peut-être à y améliorer les conditions de travail.

Un autre de mes objectifs, important pour beaucoup d'autres personnes dans notre société, est de rester centré et de lutter contre la dispersion. J'ai compris que si je ne m'astreignais pas à une hygiène des interactions digitales, j'étais cuit. J'essaie donc de ne regarder mes mails, mes SMS et de passer mes coups de téléphone qu'à heures fixes et limitées dans la journée, en gros matin midi et soir. Le reste du temps, je m'efforce de ne pas aller farfouiller, de ne pas répondre, sinon c'est un gaspillage considérable d'énergie et un éparpillement de l'attention.

La présence à autrui représente une pratique à laquelle je m'astreins. Du mieux que je peux, quand je suis avec quelqu'un, j'essaie de lui donner vraiment mon attention, d'autant plus que j'ai une quantité de disponibilité à autrui limitée. Au bout d'un moment, les autres me fatiguent, non qu'ils me dérangent mais j'ai besoin de solitude, de tranquillité. D'où l'importance d'être complètement avec la personne, même quand c'est bref. Par exemple quand des patients viennent à l'hôpital Sainte-Anne sans rendez-vous, se mettant devant ma porte pour en obtenir un, je les fais rentrer. Ce n'était pas prévu, cela met un peu la pagaille dans mon emploi du temps. Autrefois, je rumi-nais intérieurement, mais aujourd'hui, je me dis : «Tu es avec eux, donc donne-leur le peu que tu as ; pendant ces cinq minutes, sois totalement, complètement, absolument, chaleureusement avec eux.» Je leur dis : «Je ne pourrais vous recevoir que cinq minutes», et au bout de ces cinq minutes : «Je suis désolé, on va devoir arrêter.» Je pense que pendant ce bref laps de temps, je suis beaucoup plus là que je ne l'étais autrefois.

Il y a aussi le moment des dédicaces qui, autrefois, me déstabilisait parce que je pensais au temps limité dont je disposais pour voir chacune des personnes qui attendait : j'avais l'impression d'être un panier percé dans lequel les gens versaient leurs attentes, leurs détresses, sans que je puisse faire quoi que ce soit pour eux. Aujourd'hui, j'ai compris que je ne pouvais pas accomplir de miracles, mais si je fais l'effort de rester centré sur eux pendant les quelques minutes que dure l'échange, je sais que cela leur donnera peut-être un petit bout d'énergie, de courage, de réconfort.

Dans les efforts que j'essaie d'accomplir, il y a bien sûr la lutte contre toutes les tendances anxieuses, les tendances au découragement, à l'agacement, qui sont le lot de tous les humains et peut-être plus encore le mien parce que je suis sensible et fragile émotionnellement. Je prends donc plus le temps de m'arrêter, comme le disait Alex, sur ces mouvements émotionnels, sinon pour les pacifier ou les supprimer, du moins pour vérifier d'où ils partent, vers quoi ils me conduisent. Me détournent-ils de là où je veux aller, de mes valeurs, de mes objectifs ? Ou puis-je continuer avec eux, donc prendre plus souvent qu'avant le temps de me poser grâce à la pleine conscience de me soumettre à cette présence intérieure ?

Une autre pratique que je fais de manière très régulière consiste à dégager du temps de fluidité, de non-obligation. Ce sont des moments où je ne suis pas obligé de rencontrer quelqu'un, de remettre un manuscrit, de rédiger un article ou une conférence. J'ai mis longtemps à comprendre cette nécessité. Même si je ne fais que des choses que j'aime, la plupart du temps avec des gens que j'aime, quand il y en a trop, avec trop de pression, cela devient source de souffrance ou d'irritation, ce qui est totalement absurde. L'un de mes grands soucis – et il me semble que nous sommes un certain nombre à être plutôt débordés que carencés – est de prendre le temps d'ouvrir ces espaces pour respirer et pouvoir répondre à des demandes inattendues. Il m'est arrivé, dans le passé, d'avoir tellement de choses à faire, calées au millimètre, qu'il suffisait qu'un ami m'appelle en me disant qu'il avait besoin de réconfort pour que je perçoive sa demande comme un souci de plus. C'était un non-sens. D'où mon effort pour disposer de temps pour faire face à l'inattendu.

Souvent, j'observe à quels moments je me sens réellement bien, en harmonie avec les autres, épanoui,

Je fais une grande confiance à mes émotions agréables. Elles sont un baromètre et m'indiquent que je me trouve dans le bon registre.

disponible, prêt à les aider. Au fond, quelles sont les journées, les activités, qui me permettent à la fois d'être dans cette paix et dans cette disponibilité ? Du coup, je fais une grande confiance à mes émotions agréables. Elles sont un baromètre et m'indiquent que je me trouve dans le bon registre, la bonne activité, le bon fonctionnement. Et l'une des chances que j'ai reçues, c'est d'éprouver peu d'émotions positives toxiques : je ne suis pas très sensible à l'orgueil, au contentement de moi-même. Très vite, si je sens qu'on m'admire, j'ai un petit signal d'alarme du côté du sentiment d'imposture. À l'inverse, je me méfie de mes émotions négatives, qui souvent me mentent sur la réalité de mes détresses.

L'autre pratique, et bien au-delà, se joue dans mon lien à la nature. Comme la plupart des humains, j'ai un immense besoin de connexion avec la nature et j'ai la chance de pouvoir marcher une heure dans les bois quasiment tous les jours. Je fais presque toujours le même chemin, de sorte que je ne me pose pas la question du trajet. Chaque fois que je suis dans un environnement naturel, cela déclenche en moi des sentiments de gratitude, de reconnaissance, de responsabilité très importants. Je souhaite que le maximum d'êtres humains puissent en bénéficier, notamment tous les humains qui viendront après nous. Et la détérioration de cette nature est peut-être le plus grand crime qu'on est en train d'accomplir.

La journée se termine, et le soir, j'ai besoin de garder un peu d'espace pour les relations avec ma famille, pour vérifier que tout va bien, échanger, avoir un temps en tête à tête avec chacun. C'est aussi le temps des prières, quand j'ai envie de demander quelque chose pour quelqu'un, les prières d'intercession, pour moi-même. En général, je demande pour les autres, moi-même il me semble que je peux faire le boulot tout seul, et rendre grâce. Je rends grâce, je remercie de toutes les chances que j'ai pu rencontrer dans la journée, et quand je m'endors, je pratique un exercice de psychologie positive : je repense à trois événements agréables de la journée, j'essaie de m'en imprégner physiquement, de les connecter à un sentiment de gratitude, et de prendre en conscience qu'aucun de ces événements heureux n'est dû qu'à moi-même, qu'il y a toujours quelqu'un qui l'a facilité.

Un état d'esprit global

CHRISTOPHE : Ensuite, pour parler de ma pratique plus globale, j'essaie de me rappeler le plus souvent possible que je peux mourir dans un an, deux ans, cinq ans, et j'essaie de vivre comme si j'allais mourir bientôt. Je me dis à moi-même : « Si tu étais sûr et certain de mourir dans un an, que ferais-tu ? » Si l'on doit mourir demain, c'est une urgence qui provoque des comportements très différents : on dit au revoir à tous ceux qu'on aime. Mourir dans un an implique que l'on continue la vie qui est la nôtre, mais de façon beaucoup plus intelligente. Tout va prendre de l'importance, du poids. Chaque fois que l'on dit au revoir à quelqu'un, on se dit que c'est peut-être pour toujours. Cette attitude a profondément lesté ma vie et modifié mon rapport au quotidien, mais de façon joyeuse. Paradoxalement, me dire que je peux mourir demain ou dans un an a mis beaucoup de joie et d'énergie dans mon existence.

Depuis quelques années, grâce à toi, Matthieu, à tous les maîtres dont tu m'as recommandé la lecture et aux personnes que tu m'as présentées, j'évalue beaucoup plus régulièrement qu'avant si j'ai fait du bien autour de moi. Tous les soirs, j'essaie d'y penser, et le matin, ce n'est pas ritualisé mais cela revient de façon plus naturelle dans mon esprit. Parfois je me dis que ce n'est pas terrible (« peut mieux faire ») ; parfois j'ai l'impression que c'est correct. Pour cela, je bénéficie d'aides considérables de la part de mes amis, qui me montrent des voies possibles, et des lecteurs qui m'écrivent sans savoir peut-être que leurs lettres sont d'une puissance incroyable pour ma motivation à aider autrui. Pouvoir transmettre une aide avec des mots, des phrases, des livres est une chance incroyable.

Dans les efforts que j'accomplis, j'essaie de ne pas séduire, de ne pas sur-promettre et de ne pas trahir les espérances des autres. C'est pourquoi je parais parfois un peu froid, distant, prudent : je veux donner juste ce que je peux donner. Je n'ai pas une énergie suffisante dans la joie d'être avec les autres, il faudrait que je clarifie cela, parce que parfois les gens ont besoin qu'on les rassure en se montrant avenant, séduisant ; j'arrive à être gentil mais pas toujours chaleureux. Voilà quelques directions dans lesquelles je travaille !

L'écoute, l'étude et l'intégration par la pratique

MATTHIEU : Pourquoi la pratique ? Parce que c'est le complément indispensable de l'étude et de la réflexion. La lecture et l'écoute attentives permettent d'accroître nos connaissances. On doit ensuite réfléchir longuement pour examiner la validité des enseignements que l'on a lus ou reçus. Il est utile aussi de consulter ceux qui détiennent le savoir dont on a besoin – érudits, experts, maîtres spirituels –, et de clarifier auprès d'eux nos doutes et nos incertitudes. D'après le bouddhisme, il ne faut pas s'arrêter là car le plus important est l'étape suivante : l'intégration par la pratique de tout ce qu'on a appris et examiné, ce qui doit se traduire par un changement dans nos pensées, nos paroles et nos comportements. On lui donne aussi le nom de « méditation », un terme que les textes bouddhistes définissent comme le fait de se familiariser ou d'apprendre à maîtriser. Sans passer par la méditation, toutes les connaissances qu'on aura acquises resteront lettre morte. On sera comme un malade qui garde l'ordonnance du médecin sous son oreiller sans suivre le traitement, ou un voyageur qui lit des guides de voyage sans jamais se mettre en route.

Dilgo Khyentsé Rinpotché disait qu'on peut évaluer le progrès de sa pratique spirituelle en observant à quel point elle se manifeste dans notre être et notre façon de réagir aux défis de l'existence. Il disait aussi qu'il est facile d'être un bon méditant quand on est assis au soleil avec le ventre plein, mais que c'est dans les épreuves et les confrontations que la pratique est « mise sur le plateau de la balance ».

Un jour, le grand maître tibétain Patrul Rinpotché, qui vivait comme un moine errant, alla voir un ermite qui passait son temps dans une grotte. Il s'assit dans un coin avec un sourire narquois et, au bout d'un moment, demanda à l'ermite pourquoi il vivait dans un endroit si austère et reculé. « Je suis ici depuis de longues années, répondit l'autre sur un ton fier. En ce moment, je médite sur la perfection de la patience.

– Elle est bien bonne ! s'exclama Patrul. Les vieux renards comme nous réussissent vraiment à tromper le monde, n'est-ce pas ? »

L'ermite explosa de rage.

« Ah ! ah ! s'écria Patrul, qu'est devenue ta patience ? »

Il est sûr que si je me prends pour un super-méditant et qu'au bout de dix ans on dit de moi que je suis toujours aussi grincheux qu'avant, c'est plutôt mauvais signe, je dois revoir ma copie. Si de plus je veux me mettre au service des autres, je dois absolument acquérir les qualités correspondant à cette vocation. Se mettre à faire le bien d'autrui avant d'avoir atteint un certain degré de liberté et de force intérieures, de discernement et de compassion, c'est courir à l'échec. On le constate souvent dans l'action humanitaire.

On part pour aider les autres puis, à un moment, ça déraille. Pas parce qu'il n'y a plus rien à faire, ou que nos ressources financières sont épuisées. Le plus souvent, c'est dû aux conflits d'ego, à une écoute insuffisante des besoins des autres et, dans le pire des cas, à la corruption. Tout ça parce qu'on n'était pas prêt. La meilleure préparation à l'action humanitaire, c'est de passer du temps à se transformer soi-même, pour ne pas être désarçonné par les défis qui ne manqueront pas de surgir.

L'infini pouvoir de transformation de l'esprit

MATTHIEU : Nous avons tous en nous un mélange d'ombre et de lumière, mais cela ne veut pas dire que nous sommes condamnés à rester ainsi pour toujours. Nos habitudes ne restent les mêmes que tant qu'on ne fait rien pour les changer. Se dire qu'on est comme ça, que c'est à prendre ou à laisser, et abandonner la course avant d'avoir franchi la ligne de départ, tout cela revient à sous-estimer considérablement le pouvoir de transformation de notre esprit. Notre possibilité de contrôler le monde extérieur est bien sûr très limitée, mais ce n'est pas du tout la même chose avec notre monde intérieur. Ce qui m'étonne toujours, ce sont les efforts inouïs qu'on fait dans la vie quotidienne pour courir après des buts aussi vains qu'épuisants, mais pas pour trouver ce qui apporte un bonheur certain.

Beaucoup pensent qu'il est trop long et difficile d'entraîner son esprit. On sait pourtant pertinemment qu'il faut des années pour apprendre à lire, à écrire, à s'instruire, à apprendre un métier, ou à maîtriser un art ou un sport. Par quel mystère l'entraînement de l'esprit ferait-il exception ? Si l'on veut devenir plus ouvert, plus altruiste, moins confus et trouver la paix intérieure, il faut nécessairement faire preuve de persévérance.

Sur le plan physique, les exploits sportifs butent rapidement sur des limites infranchissables. À force d'entraînement, certains courent de plus en plus vite et sautent de plus en plus haut. Mais ils ne gagnent en fait que quelques centièmes de seconde ou quelques centimètres. Il est hors de question qu'un être humain puisse courir le 100 mètres en 4 secondes, ou franchir 4 mètres en hauteur. En revanche, je ne vois pas comment il pourrait y avoir de limite à l'amour et à la paix intérieure. Une fois que notre amour des êtres a atteint un certain degré, rien ne l'empêche de devenir encore plus vaste et profond. Les limitations naturelles qui s'appliquent au quantitatif n'ont aucune raison de s'appliquer au qualitatif.

Pour se transformer, on n'a donc pas d'autre solution que de persévérer dans une pratique quotidienne. Cela peut paraître fastidieux mais, comme disait Jigmé Khyentsé Rinpotché, si on s'ennuie pendant une méditation, ce n'est pas de la faute de la méditation. On est tout simplement confronté à nos vieilles habitudes, à notre distraction et à notre inertie face au changement. Le bouddhisme met l'accent sur la répétition et la régularité, en employant l'image de l'eau qui tombe goutte à goutte et finit par remplir un grand vase. Il vaut mieux faire des séances de méditation

> Les neurosciences montrent clairement que l'entraînement régulier provoque des changements dans le fonctionnement et la structure même de notre cerveau.

courtes mais fréquentes que de longues séances très espacées dans le temps. Les neurosciences montrent clairement que l'entraînement régulier provoque des changements dans le fonctionnement même de notre cerveau. C'est ce qu'on appelle la neuroplasticité.

Maintenant, comment peut-on maintenir une méditation au milieu des activités de la vie quotidienne ? Il est d'abord important d'y consacrer quelque temps chaque jour, même si ce n'est qu'une demi-heure. Si on médite tôt le matin, cela donne un certain « parfum » à notre journée, un parfum qui imprégnera nos attitudes, nos comportements et nos interactions avec les autres. On pourra aussi, à tout moment, se référer à cette première expérience de la journée. Chaque fois qu'on disposera d'un moment libre, on pourra s'y replonger et maintenir la continuité de ses effets bienfaisants. Ces moments nous aideront à situer les événements de la vie quotidienne dans une perspective plus vaste, et à les vivre avec plus de sérénité. Peu à peu, par la force de l'habitude, notre manière d'être évoluera. On pourra aussi agir plus efficacement sur le monde autour de nous et contribuer à la construction d'une société plus sage et plus altruiste.

Une pratique personnelle

MATTHIEU : Quant à ma propre pratique quotidienne, que dire ? Le rythme de ma vie varie beaucoup selon les circonstances. Quoi de plus différent qu'un ermitage dans l'Himalaya et le Forum économique de Davos ? Idéalement, le corps doit être l'ermitage de l'esprit. Idéalement aussi, quand notre pratique spirituelle est suffisamment stable et profonde, elle se maintient en toutes circonstances, dans le calme comme dans le chaos, dans la joie comme dans la tristesse. Cette capacité dépend à son tour de la compréhension, grâce à l'expérience intérieure, que rien ne peut altérer la conscience éveillée qui a toujours été et sera toujours présente derrière le rideau des pensées et des émotions qui surgissent sans cesse. Personnellement, je suis loin d'avoir atteint ce niveau, mais ma vie passée auprès de grands maîtres spirituels, ainsi que cinq années de retraite solitaire par périodes de quelques semaines à un an, m'en ont au moins donné un avant-goût. Bien qu'il me reste la plus grande partie du chemin à parcourir, la conviction que la direction montrée par mes maîtres est la bonne me remplit de joie.

Dans les conditions que je considère comme optimales, c'est-à-dire quand je suis dans mon ermitage à deux heures de route de Katmandou, quelle est ma journée type ? Comme les petites heures du matin sont propices à la clarté de l'esprit, je me lève vers 4 h 30, puis je fais une séance de méditation jusqu'au lever du jour. Ensuite, je prends un petit déjeuner simple sur le terre-plein devant l'ermitage, en contemplant les bancs de brume dans la vallée, les oiseaux qui volent dans la forêt en contrebas et les montagnes majestueuses qui certains jours apparaissent clairement, et d'autres moins. Puis je fais une nouvelle séance de méditation jusqu'à midi. Après la pause du déjeuner, je lis généralement des textes tibétains, ou je travaille une ou deux heures si j'ai un projet en cours. Puis je reprends ma pratique jusqu'à la tombée de la nuit.

Le bouddhisme tibétain enseigne un grand nombre de pratiques adaptées aux besoins et aux dispositions de chacun. Elles commencent généralement par une réflexion approfondie sur la chance unique que représente une existence humaine libre, sur l'impermanence de toutes choses, sur le caractère inéluctable de la causalité des actes (si l'on veut éviter la souffrance, il faut cesser d'en créer les causes), et sur les innombrables supplices qu'endurent les êtres quand leur vision d'eux-mêmes et du monde ne correspond pas à la réalité. Elles se poursuivent par les pratiques dites «principales» qui culminent avec la méditation sur la nature ultime de l'esprit, la pure conscience éveillée au-delà des concepts. Les jours, les semaines, les mois, les années se succèdent ainsi dans cette discipline régulière qui, loin d'être monotone, emplit généralement le pratiquant d'une joie sereine et lui donne l'impression d'utiliser au mieux le temps qu'il lui reste à vivre.

Certains pensent que se retirer ainsi du monde est égoïste. Ils se trompent, puisque le but essentiel de ces pratiques est de percevoir plus clairement l'imposture de l'ego et de se libérer de son emprise, et que cela débouche sur la bienveillance et la compassion qui permettent de se mettre véritablement au service des autres.

Comment trouver un équilibre entre retraites et vie active ? J'ai fait la connaissance, au Tibet, d'un jeune homme hongrois d'une trentaine d'années qui avait travaillé dans un cabinet d'avocats à Pékin. Un jour, alors qu'il passait ses vacances au Tibet occidental, il avait rencontré un maître spirituel respecté. Il était resté quelque temps auprès de lui et, après sa mort, il avait passé plusieurs années en retraite dans des ermitages de montagne. Les bergers nomades lui avaient fourni régulièrement des vivres, comme ça se fait souvent au Tibet. Plus tard, alors que je revenais du Tibet et m'apprêtais à quitter la Chine, un ami m'a appris que cet homme avait décidé de se rendre dans un lieu sacré très reculé, à la frontière du Tibet et de l'Inde, pour y passer le reste de sa vie en retraite. Quand je me suis retrouvé quelques heures plus tard à Hong Kong, avec sa vie trépidante, son luxe, sa débauche de restaurants et de magasins, j'ai ressenti une profonde nostalgie et me suis demandé si je n'aurais pas mieux fait de suivre l'exemple de ce Hongrois.

C'est un dilemme pour moi que de décider combien de temps je vais consacrer aux retraites, et combien aux activités quelque peu effrénées dans lesquelles je m'investis le reste du temps. J'ai posé une fois la question au Dalaï-lama. Il m'a répondu que si j'étais certain, au bout de douze ans de retraite solitaire, d'atteindre le niveau spirituel du grand ermite tibétain Milarepa qui vécut au XIIe siècle mais dont la biographie est aujourd'hui encore une grande source d'inspiration pour la plupart des bouddhistes, alors je devrais certainement passer tout mon temps en retraite. Mais que, si je n'étais pas sûr du résultat, il vaudrait peut-être mieux consacrer six mois par an aux retraites, et les six mois restant aux autres activités, surtout les projets humanitaires. La seconde solution m'a semblé refléter plus justement mes modestes capacités! Les circonstances de la vie ne m'ont pas encore permis de mettre chaque année six mois de côté pour faire des retraites, mais j'ai bien l'intention de remédier à cela au plus vite. J'approche maintenant de la fin de mon existence et, dans le meilleur des cas, c'est-à-dire si je ne meurs pas demain, je ne dispose que d'un nombre très limité d'années à vivre.

J'espère donc ardemment pouvoir renouer avec la pratique contemplative qui, après tout, avait été la raison principale de mon premier voyage en Inde, quand je suis parti rencontrer les maîtres spirituels qui ont inspiré toute ma vie.

ALEXANDRE : Grâce à vous, je vois bien qu'il est important de ne pas reléguer la pratique spirituelle au rang d'activité secondaire. Ce qui a conduit le Bouddha à l'illumination, c'est sa conviction, sa détermination. Pour en finir avec la souffrance, ou du moins pour l'assumer, rien ne vaut un guide, une pratique et beaucoup de persévérance. Bricoler en la matière ne donne pas grands résultats. Tenir bon, maintenir le cap, voilà ce qui donne vraiment le plus de fil à retordre. C'est pourquoi une authentique motivation qui déborde les ressorts de l'ego, un élan profondément altruiste reste un moteur sans égal. En somme, l'essentiel de l'ascèse peut se ramasser en peu de mots : « De ton corps, de ton cœur et de l'autre, tu prendras grand soin. »

Conseils pour une pratique quotidienne

MATTHIEU : Précédemment, j'ai mentionné que le renoncement ne consiste pas à se priver de ce qui est vraiment bon, mais de se débarrasser de ce qui crée la souffrance. Pour y parvenir, il faut d'abord laisser de côté les activités qui ne sont constructives ni pour soi ni pour les autres. Autrement dit, il faut faire le ménage dans sa vie. Certaines choses nous paraissent intéressantes, mais ne contribuent en rien à notre liberté intérieure, quand elles ne lui font pas carrément obstacle. On raconte qu'un brahmine très curieux de nature venait souvent poser une foule de questions au Bouddha, du genre « l'univers est-il infini ? a-t-il eu un début ? pourquoi les fleurs ont-elles différentes couleurs ? », etc. Parfois le Bouddha lui répondait, et parfois il restait silencieux. Un jour, alors que le brahmine insistait à nouveau, le Bouddha prit une poignée de feuilles dans ses mains et lui demanda : « Où y a-t-il davantage de feuilles, dans la forêt ou dans mes mains ? » Le brahmine n'eut guère de peine à répondre : « Dans la forêt, bien sûr. » Le Bouddha lui dit alors que, comme les feuilles de la forêt, les sujets de connaissance étaient innombrables, mais que seule une poignée d'entre eux était indispensables pour atteindre l'Éveil. Connaître la température des étoiles ou la façon dont les végétaux se reproduisent est passionnant à bien des points de vue, mais cela ne nous aide pas à comprendre la nature de notre esprit, à nous libérer des toxines mentales, à acquérir une bienveillance sans limite, et en fin de compte à atteindre l'Éveil. Tout dépend donc, bien sûr, du but qu'on se fixe.

D'où l'importance de notre questionnement initial : «Qu'est-ce qui compte vraiment dans mon existence?» Est-ce me faire piéger par des miroirs aux alouettes en misant sur la richesse, le pouvoir et la célébrité? Ou est-ce œuvrer au bien des autres et de moi-même? Le vrai pratiquant n'a aucun mal à renoncer aux choses futiles, car il éprouve à leur égard aussi peu d'intérêt qu'un tigre pour un tas de paille. Il s'attache donc à «simplifier, simplifier, simplifier», comme disait Thoreau.

Enfin, il faut prendre conscience de la valeur du temps. La vie passe extrêmement vite. Le temps est comme l'eau qu'on ne peut empêcher de couler entre nos doigts. Mais, utilisé à bon escient, il permet au pratiquant de se consacrer à l'essentiel. Dans la journée d'un ermite, chaque heure devient un trésor. Comme écrivait Khalil Gibran, le temps est «une flûte au cœur de laquelle le murmure des heures se change en musique».

Certains parlent de «tuer le temps». Quel terrible constat d'un vide de sens. Il y a tant de choses passionnantes à faire. Si l'on remet toujours la pratique de l'essentiel à demain, cette indécision risque fort de nous accompagner jusqu'à la mort. Le bon moment pour commencer, c'est *maintenant*.

ÉPILOGUE

Un clair matin d'hiver, nous sommes arrivés au terme de neuf jours de dialogue qui ont cristallisé un souhait que nous chérissions depuis longtemps, celui de nous entretenir à cœur ouvert de ce qui nous passionne, nous inspire, nous préoccupe, nous tourmente parfois. Notre amitié, déjà vivace, s'en est trouvée renforcée et approfondie, et notre sentiment de complicité est devenu plus fort.

Nous ne sommes que des voyageurs en quête de sagesse, conscients que le chemin est long et ardu, et qu'il nous reste tant de choses à découvrir, à élucider et à intégrer par la pratique. Les bûcherons de la compassion, les ferrailleurs de l'ego et les apprentis de la sagesse ont fait de leur mieux, avec joie et enthousiasme. Notre souhait le plus cher est d'offrir à tous ceux qui poseront leurs yeux sur ces lignes des sujets de réflexion susceptibles de les inspirer et d'éclairer un peu leur lanterne autant qu'ils ont éclairé la nôtre.

Trois auteurs et des amis inspirants

Prévus à trois, ces entretiens ont bientôt inclus une petite famille d'amis venus y assister, certains pour quelques heures, d'autres pour toute la durée de nos discussions. Durant les pauses, les repas et les promenades, ils ont réagi à nos propos et offert leurs suggestions.

Sandra, si attentive et prévenante, qui nous fit tous les jours une délicieuse cuisine végétarienne, nous a entre autres suggéré de parler de l'écoute, ce qui nous inspira le chapitre qui porte ce titre.

Nos éditrices, Catherine et Nicole, ont assisté à tout ou partie de notre rencontre, et nous ont éclairés de leurs sages conseils, tandis que Guillaume et Sophie, qui n'avaient pu nous rejoindre, nous ont guidés lors de la mise au point du livre.

Aux côtés de Catherine, qui a joué un rôle essentiel dans la mise en forme, Christian nous a apporté son aide précieuse pour améliorer la présentation et la lisibilité du texte.

Yahne, la nonagénaire maman de Matthieu, a offert quelques perles de son esprit créateur et poétique, nous suggérant d'avoir « un cœur sur chaque main » et nous rappelant que « nous sommes éternels à chaque instant ».

L'ami Yéshé a enregistré et a filmé avec soin tous nos propos ; il a aussi réalisé le portrait des trois matelots de l'Éveil qui figure sur le bandeau de couverture.

Anne et ses filles nous ont accueillis dans leur belle et tranquille maison. Élie, Sandra et Clara ont transcrit nos propos.

En dépit de son jeune âge, Augustin, le fils d'Alexandre, a assisté à la plupart de nos entretiens. Sa présence, calme et attentive, nous rappelait à la clarté et à la simplicité. Son affection et son dévouement à l'égard de son papa nous a tous inspirés.

Patricia nous a aidés avec diligence à organiser notre logistique, et est venue nous rejoindre en Dordogne.

Alexandre ne pourrait écrire et témoigner sans un immense réseau de solidarité. Toute sa reconnaissance va à sa femme, à ses enfants et à son père spirituel, à Romina Astolfi, son assistante, ainsi qu'à ses amis dans le bien, qui l'entourent et le soutiennent jour après jour. Merci tout particulièrement à Justine Souque, Émilie Houin, Delphine Roché, Sandra Robbiani et Baudoin d'Huart pour leur aide constante tout au long de l'aventure de ce livre.

Enfin, une mention spéciale à Delphine, qui devait initialement nous accueillir tous les trois chez elle, dans les montagnes suisses. Depuis plusieurs années, Alexandre et Matthieu s'y retrouvaient quelque temps, et chaque fois ils appelaient Christophe au téléphone pour lui dire combien ils aimeraient qu'il les rejoigne. C'est Delphine qui avait proposé, il y a trois ou quatre ans, de nous réunir dans sa maison pour des entretiens. Mais, pour différentes raisons liées aux aléas de nos existences, nous avons décidé au dernier moment de nous retrouver dans les forêts de Dordogne. Delphine, alors convalescente, a pu venir y passer quelques jours avec son ami Mark, et profiter pleinement de la belle atmosphère qui régna tout au long de nos entretiens.

Une dernière aspiration

Alors que nous étions à la fin de nos entretiens, Matthieu nous a proposé de revenir à notre intention de départ, celle d'être utile aux autres. La meilleure façon de conclure ces belles journées passées ensemble est d'en dédier les bienfaits à tous les êtres et de souhaiter que tout ce qui en ressortira de positif, d'utile et de méritoire contribue à soulager, directement ou indirectement, les souffrances dont ils sont affligés. Puissent-ils également progresser vers la liberté, la sagesse et la connaissance !

DES MÊMES AUTEURS

CHRISTOPHE ANDRÉ

AUX ÉDITIONS L'ICONOCLASTE

Se changer, changer le monde, 2013, avec Jon Kabat-Zinn, Pierre Rahbi et Matthieu Ricard.

Méditer, jour après jour. 25 leçons de pleine conscience, L'Iconoclaste, 2011 (avec un CD d'exercices).

De l'art du bonheur, 2010, nouvelle édition.

AUX ÉDITIONS ODILE JACOB

Et n'oublie pas d'être heureux. Abécédaire de psychologie positive, 2014.

Sérénité,25 histoires d'équilibre intérieur, 2012.

Les États d'âme. Un apprentissage de la sérénité, 2009.

Imparfaits, libres et heureux. Pratiques de l'estime de soi, 2006.

Psychologie de la peur. Craintes, angoisses et phobies, 2004.

Vivre heureux. Psychologie du bonheur, 2003.

La Force des émotions. Amour, colère, joie, 2001, avec François Lelord.

La Peur des autres. Trac, timidité et phobie sociale, 2000, avec Patrick Légeron.

L'Estime de soi. S'aimer mieux pour vivre avec les autres, 1999, avec François Lelord.

Comment gérer les personnalités difficiles, 1996, avec François Lelord.

AUX ÉDITIONS DU SEUIL, COLL. « POINTS »

Je résiste aux personnalités toxiques (et autres casse-pieds), 2011, avec le dessinateur Muzo (nouvelle édition de *Petits pénibles et gros casse-pieds*, paru en 2007).

Je guéris mes complexes et mes déprimes, 2010, avec le dessinateur Muzo (nouvelle édition de *Petits complexes et grosses déprimes*, paru en 2004).

Je dépasse mes peurs et mes angoisses, 2010, avec le dessinateur Muzo (nouvelle édition de *Petites angoisses et grosses phobies*, paru en 2002).

ALEXANDRE JOLLIEN

Vivre sans pourquoi : itinéraire spirituel d'un philosophe en Corée,
L'Iconoclaste, Éditions du Seuil, 2015.

Petit Traité de l'abandon. Pensées pour accueillir la vie telle qu'elle se propose,
Éditions du Seuil, 2012 et « Points Essais », n° 755, 2015.

Le Philosophe nu, Éditions du Seuil, 2010 et « Points Essais », n° 730, 2014.

La Construction de soi. Un usage de la philosophie. Éditions du Seuil, 2006 et
« Points Essais », n° 680, 2012.

Le Métier d'homme, Éditions du Seuil, 2002 et « Points Essais », n° 705,
2013.

Éloge de la faiblesse, Éditions du Cerf, 1999. Ouvrage couronné par
l'Académie francaise, Marabout, 2011.

MATTHIEU RICARD

ESSAIS

Plaidoyer pour les animaux, Allary Éditions, 2014

Plaidoyer pour l'altruisme, NiL Éditions, 2013

Chemins spirituels. Petite anthologie des plus beaux textes tibétains, NiL Éditions, 2010

L'Art de la méditation, NiL Éditions, 2008

La Citadelle des neiges, NiL Éditions, 2005

Plaidoyer pour le bonheur, NiL Éditions, 2003

ŒUVRES COLLABORATIVES

Vers une société altruiste, avec Tania Singer, Allary Éditions, 2015

Se changer, changer le monde, avec Christophe André, Jon Kabat-Zinn et Pierre Rabhi, L'Iconoclaste, 2013

Une année avec le Dalaï-lama. Une pensée par jour pour mieux vivre, Presses de la Renaissance, 2008

Paroles du Dalaï-lama, avec Marc de Smedt, Albin Michel, 2003

L'Infini dans la paume de la main, avec Trinh Xuan Thuan, NiL Éditions, 2000

Le Moine et le Philosophe, avec Jean-François Revel, NiL Éditions, 1997

PHOTOGRAPHIES

Visages de paix / Terres de sérénité, Éditions de La Martinière, 2015

Hymne à la beauté, Éditions de La Martinière/Yellow Korner, 2015

108 sourires, Éditions de La Martinière, 2011

Himalaya bouddhiste, avec Olivier et Danielle Föllmi, Éditions de La Martinière, 2008.

Bhoutan. Terre de sérénité, Éditions de La Martinière, 2008

Un voyage immobile. L'Himalaya vu d'un ermitage, Éditions de La Martinière, 2007

Tibet. Regards de compassion, Éditions de La Martinière, 2002

Moines danseurs du Tibet, Albin Michel, 1999

L'Esprit du Tibet, (1996), réédition Éditions de La Martinière, 2011

Himalaya bouddhiste. Avec Olivier et Danielle Föllmi, Éditions de la Martinière, 2008

TRADUCTIONS DU TIBÉTAIN

Shabkar, autobiographie d'un yogi tibétain, Padmakara, 2013

Dilgo Khyentsé Rinpotché, *Au cœur de la compassion*, réédition Padmakara, 2008

Dilgo Khyentsé Rinpotché, *Les Cent Conseils de Padampa Sangyé*, Padmakara, 2003

Dilgo Khyentsé Rinpotché, *Le Trésor du cœur des êtres éveillés*, Le Seuil, coll. « Points Sagesses », 1996

TABLE

Matthieu Ricard consacre l'intégralité de ses droits d'auteur
à des projets humanitaires menés à bien au Tibet,
au Népal, au Bouthan et en Inde par l'association
internationale qu'il a créée : Karuna-Shechen.

www.karuna-shechen.org

Coordination éditoriale : Marie Baird-Smith
Mise en page : Daniel Collet, In Folio
Révision : Clotilde Meyer, Marie Sanson

ISBN : 979-10-95438-01-4
N° d'impression : 179620
Dépôt légal : janvier 2016
Achevé d'imprimer en France par Corlet imprimeur à
Condé-sur Noireau en janvier 2016